今すぐ使える かんたん
Windows 10
2021年最新版

Imasugu Tsukaeru Kantan Series : Windows 10

技術評論社

本書の使い方

- ●画面の手順解説だけを読めば、操作できるようになる！
- ●もっと詳しく知りたい人は、両端の「側注」を読んで納得！
- ●これだけは覚えておきたい機能を厳選して紹介！

特長 1
機能ごとに**まとまっている**ので、「やりたいこと」がすぐに見つかる！

● **基本操作**
赤い矢印の部分だけを読んで、パソコンを操作すれば、難しいことはわからなくても、あっという間に操作できる！

●補足説明

操作の補足的な内容を「側注」にまとめているので、よくわからないときに活用すると、疑問が解決！

補足説明　　便利な機能　　応用操作解説

タッチ操作　　用語の解説　　注意事項

特長 2
やわらかい上質な紙を使っているので、**開いたら閉じにくい！**

特長 3
大きな操作画面で該当箇所を囲んでいるのでよくわかる！

   を下方向にドラッグすると、

右の「メモ」参照。

メモ　タイムラインに表示する日数を増やす

タイムラインに表示される履歴は、通常、当日を含めて最大4日となっていますが、アクティビティの履歴をマイクロソフトに送信する設定を行うと、タイムラインに表示する日数を最大30日に増やすことができます。タイムラインに表示する日数を増やしたいときは、タスクビューの「タイムラインに表示する日数を増やす」の＜はい＞をクリックします。

ヒント　アクティビティをすべて表示する

1日の履歴が一定数を超える場合、日付の横に＜○（数字）アクティビティをすべて表示＞が表示されます。これをクリックすると、その日のすべての履歴が表示されます。なお、1日に履歴として表示できる数は、パソコンの画面サイズによって異なります。

5 過去のアクティビティの履歴を表示できます。

2 タイムラインを検索する

1 をクリックします。

メモ　アクティ履歴の

アクティビティのクすることで日々利用しての閲覧、編集履歴は膨大になり、目的のアクティビティの履歴を見つけにくくなります。そのようなときは、左の手順で検索を行いましょう。

Windows 10の新機能

- 従来のマウスやタッチパッドによる操作だけでなく、画面に触れるタッチ操作でも使いやすいWindows 10は、ユーザーの声を取り込んで機能の改善や改良が続けられています。
- さらに、業界トレンドなどを反映した年2回実施される機能更新プログラムによるアップグレードによってより使いやすく、そして便利な製品へと年々進化しています。

NEW 1 新しくなったMicrosoft Edge

2015年にWindows 10が登場して以降、長らく採用されてきたWebブラウザー「Microsoft Edge」に大幅な改良が施されました。新しいMicrosoft Edgeは、従来のMicrosoft Edge以上に高い互換性とパフォーマンス、高度なセキュリティやプライバシーの保護機能を提供する最新の高性能なWebブラウザーです。より便利で使いやすくなったMicrosoft Edgeには、Webページを「アプリ」としてインストールし、ページの閲覧とは別の独立したウィンドウで利用する機能や、気になるWebページをグループ単位でかんたんに管理できるコレクション機能などを新たに備えています。

Windows 10 October 2020 Update（バージョン「20H2」）には、設計が一新されたMicrosoft Edgeが標準で備わっています。

コレクション機能を使用すると、気になるWebページをグループ単位でまとめて、かんたんに管理できます。

Webページをアプリとしてインストールすると、Webページを独立したウィンドウで操作でき、アプリのように使用できます。

新しいMicrosoft EdgeでもPDFファイルを閲覧できるだけでなく、ハイライトや手書きなどの編集を施すことができます。

NEW 2 刷新された＜スタート＞メニューのアイコン／タイル

＜スタート＞メニューに表示されるアイコンやタイルのデザインが刷新され、よりカラフルで見栄えのよいアイコン／タイルに変更されています。また、＜スタート＞メニューにピン留めされたタイルは、ライトやダークなどのOSのテーマに連動して変更されるなど、より統一感の高いデザインへと進化しています。

アイコンデザインがカラフルで見栄えのよいものに刷新されています。

NEW 3 新しくなった日本語入力

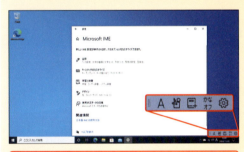

IMEツールバーを表示し、日本語入力の設定もかんたんに行えます。

日本語入力機能が刷新されました。新しい日本語入力機能は、Windows 10の各種設定を行う「設定」に専用の設定ページが用意され、さまざまなカスタマイズを行えるように改善されています。また、「IMEツールバー」を表示し、かんたんに「設定」を開くことができ、ローマ字入力とかな入力の切り替えなどを手軽に行えるように進化しています。

NEW 4 機能がさらに充実したスマホ同期

「スマホ同期」アプリを利用すると、Androidスマートフォンに届いたSMS（ショートメッセージ）をパソコンで閲覧したり、SMSをパソコンから送信したりできるほか、音声通話を行ったり、Androidスマートフォンの通知をパソコンで受け取ったりできます。また、Androidスマートフォン内の写真、最大2000枚をパソコンで閲覧したり、パソコンに保存したりできるほか、同期設定もよりかんたんに行えるように改良されました。

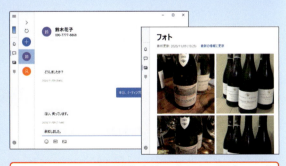

SMSをパソコンで送受信したり、パソコンで最大2000枚の写真を閲覧／保存したりできます。

目次

第1章 Windows 10をはじめよう

Section 01　Windows 10とは 　22
　Windows 10の役割
　Windows 10を利用できるパソコンの種類

Section 02　Windows 10を起動する 　24
　Windows 10を起動する

Section 03　Windows 10の画面構成を知る 　26
　デスクトップの画面構成
　アクションセンターを表示する

Section 04　スタートメニューとは 　28
　＜スタート＞メニューを表示する
　＜スタート＞メニューの詳細

Section 05　Windows 10の操作を中断する 　30
　パソコンをスリープする
　スリープから復帰して操作を再開する

Section 06　Windows 10を終了する 　32
　＜スタート＞メニューから終了する

第2章 Windows 10の基本操作

Section 07　アプリを起動する 　36
　＜スタート＞メニューからアプリを起動する
　タスクバーのボタンからアプリを起動する

Section 08　アプリのウィンドウを操作する 　38
　ウィンドウを移動する
　ウィンドウを最大化する
　アクティブウィンドウを切り替える
　ウィンドウを左右にスナップする

Section 09　よく使うアプリをピン留めする 　42
　＜スタート＞メニューからピン留めする
　起動中のアプリをタスクバーからピン留めする
　ピン留めを外す

| Section 10 | タスクビューを利用する | 44 |

- タスクビューを表示する
- 新しいデスクトップを作成する
- デスクトップを切り替える
- 追加したデスクトップを終了する

| Section 11 | タイムラインを便利に使う | 48 |

- タイムラインを表示する
- タイムラインを検索する
- 過去に利用したファイルやWebページを表示する
- タイムラインの履歴を削除する

| Section 12 | 日本語を入力する | 52 |

- 日本語入力に切り替える
- タッチキーボードで日本語入力に切り替える
- 漢字変換を行う
- スペースキーで漢字変換を行う
- 入力ミスを修正する
- カタカナや英数字に変換する

| Section 13 | アルファベットや記号を入力する | 58 |

- アルファベットを入力する
- 特殊記号を入力する

| Section 14 | 日本語入力のカスタマイズを行う | 60 |

- Microsoft IMEの設定を開く
- IMEツールバーを表示する

| Section 15 | アプリを終了する | 62 |

- ファイルを保存する
- アプリを終了する

第3章 ファイルやフォルダーの基本操作

| Section 16 | ファイルやフォルダーを表示する | 66 |

- エクスプローラーでフォルダーの内容を表示する

| Section 17 | ファイルやフォルダーの名前を変更する | 68 |

- ファイルの名前を変更する

| Section 18 | 新しいフォルダーを作成する | 70 |

エクスプローラーで新しいフォルダーを作成する
デスクトップに新しいフォルダーを作成する

| Section 19 | ファイルやフォルダーをコピーする | 72 |

ファイルをフォルダーにコピーする

| Section 20 | ファイルやフォルダーを移動／削除する | 74 |

ファイルをフォルダーに移動する
不要なファイルをごみ箱に捨てる

| Section 21 | ファイルを圧縮／展開する | 76 |

ファイルを圧縮する
圧縮されたファイルを展開する

| Section 22 | USBメモリーを利用する | 80 |

USBメモリーをパソコンに接続する
USBメモリーにファイルやフォルダーを保存する
USBメモリーを取り外す
USBメモリーをフォーマットする

| Section 23 | CD-RやDVD-Rなどへ書き込みを行う | 86 |

2つある書き込み方法
ライブファイルシステムでデータを書き込む
マスターで書き込みを行う

| Section 24 | ファイルを検索する | 92 |

タスクバーから検索する
エクスプローラーで検索する

第4章 インターネットの利用

| Section 25 | インターネットを使えるようにする | 96 |

接続のための準備を行う
有線LANで接続する
無線LANで接続する
セキュリティの状態を確認する

| Section 26 | Webブラウザーを起動する | 102 |

Microsoft Edgeを起動する

| Section 27 | Webページを閲覧する | 104 |

目的のWebページを閲覧する
興味のあるリンクをたどる

| Section 28 | タブを利用してWebページを閲覧する | 106 |

新しいタブでWebページを開く
タブを切り替える

| Section 29 | Webページをコレクションで管理する | 108 |

Webページをコレクションに追加する
コレクションのWebページを表示する

| Section 30 | Webページを検索する | 112 |

インターネット検索を行う

| Section 31 | お気に入りを登録する | 114 |

Webページをお気に入りに登録する
お気に入りからWebページを閲覧する

| Section 32 | 履歴を表示する | 116 |

履歴から目的のWebページを表示する

| Section 33 | Webページをアプリとして利用する | 118 |

Webページをアプリとしてインストールする

| Section 34 | ファイルをダウンロードする | 120 |

ファイルをダウンロードする

| Section 35 | PDFを閲覧・編集する | 122 |

PDFを表示する
選択した文字をハイライトで表示する
PDFに手書きする
編集済みのPDFを保存する

第5章 メールの利用

| Section 36 | 「メール」アプリを起動する | 128 |

「メール」アプリを起動する
メールを閲覧する

| Section 37 | 「メール」アプリを設定する | 130 |

メールアカウントを追加する
詳細セットアップでアカウントを追加する

| Section 38 | メールを送信する | 136 |

新規メールを送信する

| Section 39 | メールを受信する | 138 |

メールを手動で受信する
不要なメールを削除する
フォルダーを開く
メールをダウンロードする期間を変更する

| Section 40 | メールを返信／転送する | 142 |

メールを返信する
受信したメールを転送する

| Section 41 | ファイルを添付して送信する | 144 |

メールにファイルを添付して送信する

| Section 42 | メールに添付されたファイルを保存する | 146 |

添付されたファイルをアプリで表示する
ファイルを保存する

| Section 43 | 迷惑メールに登録する | 148 |

特定のメールを迷惑メールに登録する

| Section 44 | メールを検索する | 150 |

メールを検索する

| Section 45 | メールに署名を追加する | 152 |

署名を設定する

第6章 音楽／写真／ビデオの活用

| Section 46 | Windows Media Playerの初期設定を行う | 156 |

Windows Media Playerの起動と終了

| Section 47 | 音楽CDを再生する | 158 |

Windows Media Playerで音楽CDを再生する
ライブラリモードで音楽CDを再生する

Section 48	音楽CDから曲を取り込む	160

音楽CDをパソコンに取り込む

Section 49	「Grooveミュージック」アプリで曲を再生する	162

「Grooveミュージック」アプリで曲を再生する

Section 50	写真や動画を撮影する	164

写真または動画を撮影する

Section 51	デジタルカメラから写真を取り込む	166

デジタルカメラの写真をパソコンに取り込む

Section 52	iPhoneと写真や音楽をやり取りする	168

iPhoneを接続して写真をパソコンに転送する
音楽ファイルをパソコンからiPhoneに転送する

Section 53	Androidスマートフォンと写真や音楽をやり取りする	172

Androidスマートフォンを接続して写真をパソコンに転送する

Section 54	写真を閲覧する	174

「フォト」アプリで閲覧する
不要な写真を削除する

Section 55	写真を編集する	178

写真の色調整を行う
写真の詳細な調整を行う
写真をトリミングする
写真を保存する

Section 56	オリジナルのビデオを作成する	184

写真や動画からビデオを自動生成する
ビデオの編集画面を表示する
再生順を変更する
写真やビデオの再生時間を変更する
写真やビデオにそのほかの編集機能を適用する
作成したビデオをファイルに保存する

Section 57	ビデオを再生する	192

「映画＆テレビ」アプリを起動して初期設定を行う
「映画＆テレビ」アプリでビデオを再生する

第7章 OneDriveの活用

Section 58	OneDriveとは	198
	クラウドサービスとは	
	OneDriveでできること	
Section 59	ファイルやフォルダーを保存する	200
	エクスプローラーでOneDriveにファイルを保存する	
Section 60	OneDriveに保存したファイルやフォルダーを確認する	202
	WebブラウザーでOneDriveを表示する	
Section 61	ファイルやフォルダーを自動保存する	204
	OneDriveの同期設定を行う	
Section 62	OneDrive上のデータを共有する	206
	OneDriveにあるデータを共有する	
Section 63	OneDriveにあるファイルを復元する	208
	ごみ箱からファイルを復元する	
Section 64	個人用Vaultを使用する	210
	個人用Vaultを設定する	
	「個人用Vault」フォルダーのロックを解除する	

第8章 Windows 10をもっと使いこなす

Section 65	タブレットモードに切り替える	214
	タブレットモードに切り替える	
	タブレットモードの画面構成	
Section 66	タブレットモードでアプリを操作する	216
	タブレットモードでアプリを起動する	
	アプリを切り替える	
Section 67	「スマホ同期」アプリを利用する	218
	「スマホ同期」アプリを設定する	
	Androidスマートフォンで同期設定を行う	
	パソコンでSMSを送受信する	

| Section 68 | 「ストア」アプリを利用する | 224 |

「ストア」アプリを起動する
アプリをインストールする
Windowsアプリをアップデートする
Windowsアプリをアンインストールする

| Section 69 | 目的地の地図を調べる | 230 |

「マップ」アプリを起動する
目的地を探す
ルート案内を表示する

| Section 70 | カレンダーを利用する | 234 |

予定を入力する

| Section 71 | アドレス帳を利用する | 236 |

連絡先を手動で登録する
「People」アプリでメールの宛先を選択する

| Section 72 | Cortanaを利用する | 240 |

Cortanaの初期設定を行う
音声でCortanaと会話する

| Section 73 | Windows Inkを利用する | 244 |

「ホワイトボード」を利用する

第9章 Windows 10の設定とカスタマイズ

| Section 74 | 設定を変更する | 248 |

「設定」を表示する
「コントロールパネル」を表示する

| Section 75 | デスクトップのデザインを変更する | 250 |

デスクトップの背景を変更する

| Section 76 | 色調の基本となる色を変更する | 252 |

Windows 10の色調を「黒」または「白」に統一する

| Section 77 | 夜間モードを利用する | 254 |

夜間モードを設定する

Section	タイトル	ページ
Section 78	集中モードを利用する	256
	集中モードのオン／オフを切り替える	
Section 79	スタートメニューのタイルの位置を変更する	258
	タイルの位置を変更する	
	タイルをグループに分類する	
	タイルをフォルダーにまとめる	
Section 80	アクションセンターをカスタマイズする	262
	アクションセンターに表示される項目をカスタマイズする	
	アプリの通知を設定する	
Section 81	ユーザーアカウントを追加する	264
	家族用のアカウントを追加する	
	お子様アカウントの管理を行う	
	家族の管理を行う	
	家族以外のユーザーを追加する	
Section 82	顔認証でサインインする	270
	顔認証の設定を行う	
	顔認証でサインインする	
Section 83	PINを変更する	274
	PINを変更する	
Section 84	サインインをパスワードレスにする	276
	パスワードレスの設定を確認する	
	パスワードレスの設定を無効にする	
Section 85	セキュリティ対策の設定を行う	278
	Windows セキュリティを起動する	
	「セキュリティ インテリジェンス」を更新する	
	手動でウイルス検査を行う	
	オフラインスキャンを行う	
	検出されたウイルスを削除する	
Section 86	Windows Updateの設定を変更する	284
	アクティブ時間の設定を変更する	
	更新プログラムの適用を一時停止する	
	更新プログラムをアンインストールする	

| Section 87 | Windows 10のSモードをオフにする | 288 |

Sモードをオフにする

| Section 88 | Bluetooth機器を接続する | 290 |

キーボードを接続する

第10章 初期設定について

| Section 89 | Windows 10の初期設定を行う | 294 |

Windows 10のアカウント
Windows 10の初期設定を行う

| Section 90 | Microsoftアカウントのパスワードを新規設定する | 304 |

Microsoftアカウントのパスワードをリセットする

| Section 91 | Windows 10を再インストールする | 306 |

Windows 10を再インストールする

| Section 92 | 前のバージョンのWindows 10に戻す | 308 |

Windows 10を以前のバージョンに戻す

用語解説	310
主なキーボードショートカット	312
ローマ字入力対応表	314
索引	316

パソコンの基本操作

- 本書の解説は、基本的にマウスを使って操作することを前提としています。
- お使いのパソコンのタッチパッド、タッチ対応モニターを使って操作する場合は、各操作を次のように読み替えてください。

1 マウス操作

▼クリック（左クリック）

クリック（左クリック）の操作は、画面上にある要素やメニューの項目を選択したり、ボタンを押したりする際に使います。

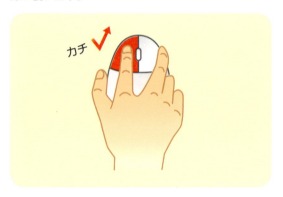

マウスの左ボタンを1回押します。

タッチパッドの左ボタン（機種によっては左下の領域）を1回押します。

▼右クリック

右クリックの操作は、操作対象に関する特別なメニューを表示する場合などに使います。

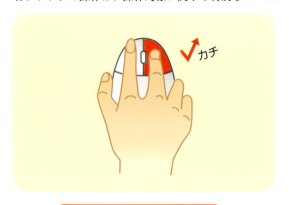

マウスの右ボタンを1回押します。

タッチパッドの右ボタン（機種によっては右下の領域）を1回押します。

▼ ダブルクリック

ダブルクリックの操作は、各種アプリを起動したり、ファイルやフォルダーなどを開く際に使います。

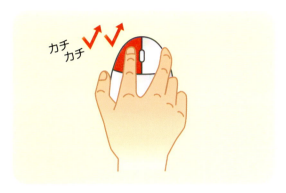

マウスの左ボタンをすばやく2回押します。

タッチパッドの左ボタン（機種によっては左下の領域）をすばやく2回押します。

▼ ドラッグ

ドラッグの操作は、画面上の操作対象を別の場所に移動したり、操作対象のサイズを変更する際などに使います。

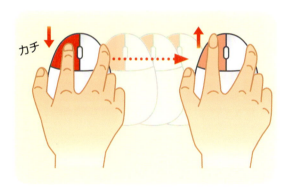

マウスの左ボタンを押したまま、マウスを動かします。目的の操作が完了したら、左ボタンから指を離します。

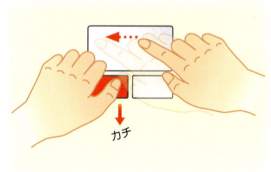

タッチパッドの左ボタン（機種によっては左下の領域）を押したまま、タッチパッドを指でなぞります。目的の操作が完了したら、左ボタンから指を離します。

メモ　ホイールの使い方

ほとんどのマウスには、左ボタンと右ボタンの間にホイールが付いています。ホイールを上下に回転させると、Webページなどの画面を上下にスクロールすることができます。そのほかにも、Ctrlキーを押しながらホイールを回転させると、画面を拡大／縮小したり、フォルダーのアイコンの大きさを変えることができます。

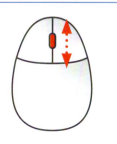

パソコンの基本操作

17

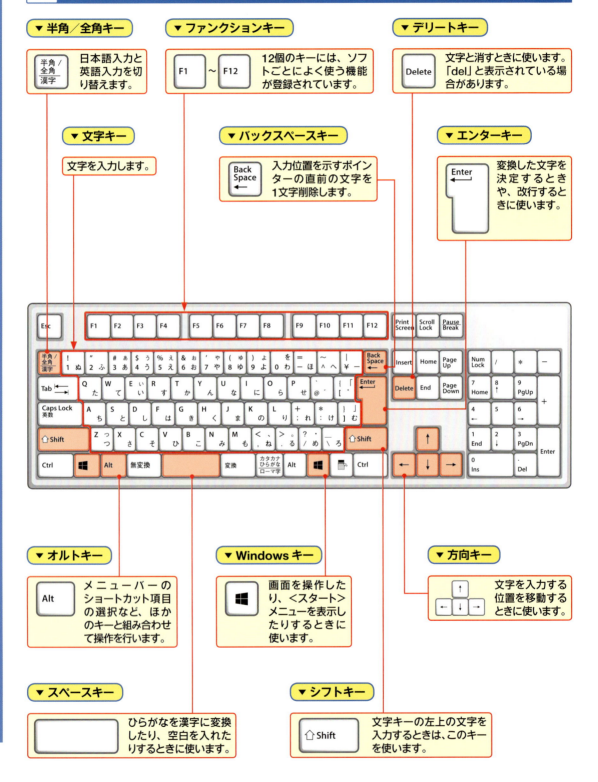

3 タッチ操作

▼ タップ

画面に触れてすぐ離す操作です。ファイルなど何かを選択するときや、決定を行う場合に使用します。マウスでのクリックに当たります。

▼ ダブルタップ

タップを2回繰り返す操作です。各種アプリを起動したり、ファイルやフォルダーなどを開く際に使用します。マウスでのダブルクリックに当たります。

▼ ホールド

画面に触れたまま長押しする操作です。詳細情報を表示するほか、状況に応じたメニューが開きます。マウスでの右クリックに当たります。

▼ ドラッグ

操作対象をホールドしたまま、画面の上を指でなぞり上下左右に移動します。目的の操作が完了したら、画面から指を離します。

▼ スワイプ／スライド

画面の上を指でなぞる操作です。ページのスクロールなどで使用します。

▼ フリック

画面を指で軽く払う操作です。スワイプと混同しやすいので注意しましょう。

▼ ピンチ／ストレッチ

2本の指で対象に触れたまま指を広げたり狭めたりする操作です。拡大（ストレッチ）／縮小（ピンチ）が行えます。

▼ 回転

2本の指先を対象の上に置き、そのまま両方の指で同時に右または左方向に回転させる操作です。

ご注意：ご購入・ご利用の前に必ずお読みください

● 本書に記載された内容は、情報の提供のみを目的としています。したがって、本書を用いた運用は、必ずお客様自身の責任と判断によって行ってください。これらの情報の運用の結果について、技術評論社および著者はいかなる責任も負いません。

● ソフトウェアに関する記述は、特に断りのない限り、2020年11月9日現在での情報をもとに解説しています。ソフトウェアはバージョンアップされる場合があり、本書での説明とは機能内容や画面図などが異なってしまうこともありえます。あらかじめご了承ください。

● インターネットの情報についてはURLや画面などが変更されている可能性があります。ご注意ください。

● エディションについては、Windows 10 Proで検証を行っております。なお、「Windows 10 Sモード」は、Windowsアプリのみを利用できる特別なWindows 10に用意されたモードで、アプリのインストールなどにおいて制限が施されています。SモードのWindows 10を利用されている場合は、P.288を参照してください。なお、お使いのパソコンがSモードかどうかは、詳細情報の画面で確認できます。詳細情報の画面は、「設定」を起動し、＜システム＞→＜詳細情報＞の順にクリックすることで表示できます。

● 本書では、特に断りのない限り、キーボードとマウスによる操作を前提として解説しています。タッチパネルを利用する場合は、P.19を参考に表記を読み替えてください。

● 本書の表記について
　本書の表記は、2020年11月現在のマイクロソフトの公開情報に基づいています。表記は変更される可能性があります。あらかじめご了承ください。

以上の注意事項をご承諾いただいた上で、本書をご利用願います。これらの注意事項をお読みいただかずに、お問い合わせいただいても、技術評論社および著者は対処しかねます。あらかじめ、ご承知おきください。

■本書に掲載した会社名、プログラム名、システム名などは、各社の米国およびその他の国における登録商標または商標です。本文中では™、®マークは明記していません。

Chapter 01

第1章

Windows 10をはじめよう

Section 01 Windows 10とは
02 Windows 10を起動する
03 Windows 10の画面構成を知る
04 スタートメニューとは
05 Windows 10の操作を中断する
06 Windows 10を終了する

Section 01 Windows 10とは

覚えておきたいキーワード
- ☑ OS
- ☑ Windows 10
- ☑ アプリ

Windows 10はマイクロソフトが開発したパソコン用の基本ソフトです。Windows 10は利用者とパソコンの仲立ちをして、各種のアプリケーションソフトや周辺機器を利用できるようにする役目があります。Windows 10は市販のパソコンですぐに利用することができます。

1 Windows 10の役割

Windows 10は、パソコンを利用するための基本ソフトでOS（Operating System：オペレーティングシステム）と呼ばれるソフトウェアの一種です。Windows 10は利用者（ユーザー）の命令に従って、WordやExcelなどのアプリケーションソフト（以降「アプリ」と表記）を起動し、プリンターやスキャナーなどの周辺機器を動作させます。また、文書や画像、動画などの各種ファイルやフォルダーを管理することもWindows 10の役目です。さらにWindows 10は、パソコンだけでなく、一部のタブレットやスマートフォン用のOSとしても利用されています。本書では、最新のWindows 10を利用していることを前提に解説を行っています。

2 Windows 10 を利用できるパソコンの種類

Windows 10 は、デスクトップパソコンをはじめ、ノートパソコンやタブレットなど、さまざまなパソコンで利用できます。マウスやタッチパッドを利用した従来の操作だけでなく、画面を手でなぞって操作を行うタッチ操作にも対応し、パソコンをこれまで以上に便利で快適に操作できます。

デスクトップパソコン（モニター一体型）

モニター一体型のデスクトップパソコン。タッチ操作に対応した製品も発売されています。

デスクトップパソコン（タワー型）

パソコン本体とモニターが別々のパソコン。操作は、マウスで行うことが一般的です。

ノートパソコン（折り畳み式）

モニターを開いて利用する一般的な形状のノートパソコン。タッチ操作対応製品もあります。

ノートパソコン（モニター部回転／スライド型）

モニターを回転させることでタブレット型としても利用できるノートパソコンです。

ノートパソコン（モニター部分離／合体型）

キーボード部分とモニター部分を分離できるノートパソコンです。

タブレットPC（キーボード非搭載型）

キーボードを搭載しない板状のタブレットPC。通常タッチ操作で利用します。

Section 02 Windows 10を起動する

覚えておきたいキーワード
- ☑ ロック画面
- ☑ 起動
- ☑ PIN

パソコンの電源を入れてしばらくすると、Windows 10が起動します。PINやパスワードの入力または顔認証などで、Windows 10にサインインすると、デスクトップまたは＜スタート＞メニューが表示され、Windows 10の機能や各アプリを利用できるようになります。

1 Windows 10 を起動する

メモ　パソコンの電源を入れるには？

パソコンの電源を入れるには、電源ボタンを押します。パソコンの電源ボタンには、⏻マークが刻印されています。電源ボタンの形状や場所は、パソコンによって異なるので、パソコンの取り扱い説明書で確認しましょう。また、電源ボタンは、押して操作するタイプのほかに、スライドさせて操作するタイプもあります。

注意　ライセンス条項が表示された場合は？

Windows 10をはじめて起動したときに以下の画面が表示された場合は、P.295を参考に初期設定を行ってください。

① 電源ボタンを押します。

② Windows 10が起動すると、ロック画面が表示されます。

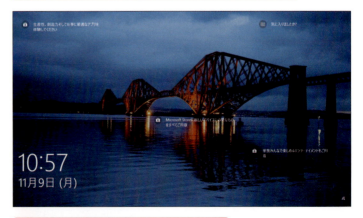

③ 何かキーを押すか、マウスをクリックして、ロック画面を解除します。

4 サインイン画面が表示されるので、

5 PINまたはパスワード（ここでは、「PIN」）を入力します（右の「ヒント」参照）。

6 デスクトップが表示されます。

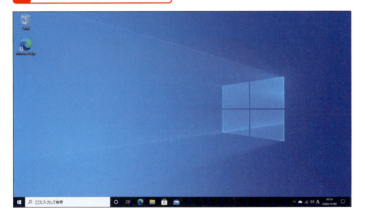

Section 02 Windows 10を起動する

キーワード　ロック画面とは？

「ロック画面」とは、パソコンを一時的に操作できないようにするための画面です。PINやパスワード、顔認証などのサインイン方法が設定されている場合は、Windows 10の起動直後にロック画面が表示されます。

キーワード　サインインとは？

「サインイン」とは、ユーザー名（メールアドレスなど）とPINやパスワード、顔認証などで身元確認を行い、さまざまな機能やサービスを利用できるようにすることです。

タッチ　タッチ操作でロック画面を解除するには

タッチ操作（P.19参照）でロック画面を解除するには、画面を下から上にスライドします。

ヒント　入力するPINまたはパスワードは？

初期設定時にPINを設定した場合は、4桁以上の英数字を入力します（P.300参照）。また、PINを設定しなかったときは、Microsoftアカウントのパスワードまたはローカルアカウントのパスワード（P.303参照）を入力します。また、サインインはパスワードレスで行うこともできます（P.276参照）。

メモ　デスクトップが表示されない

Windows 10がタブレットモードで動作している場合は、サインイン後にデスクトップではなく＜スタート＞メニューが表示されます。動作モードを変更するには、P.214を参考にしてください。

Section 03 Windows 10の画面構成を知る

覚えておきたいキーワード
☑ デスクトップ
☑ アクションセンター
☑ 通知

デスクトップは、アプリの操作など、Windows 10を操作する上ですべての起点となる画面です。また、デスクトップでは、アクションセンターを表示してシステムやアプリからの通知を受け取ることができます。ここでは、デスクトップの画面構成とアクションセンターについて解説します。

1 デスクトップの画面構成

スタートボタン
<スタート>メニューを表示するためのボタンです。

デスクトップ
ウィンドウを表示して、さまざまな作業を行う画面です。なお、デスクトップに表示されるアイコンの数や種類は、利用するパソコンによって異なります。

マウスポインター
アイコンやボタンなどを操作するための目印です。操作の内容や場所によって形状が変化します。

通知領域
現在の日時やパソコンの状態を示すアイコンが表示されます。 ^ をクリックすると隠れているインジケーターを表示できます。

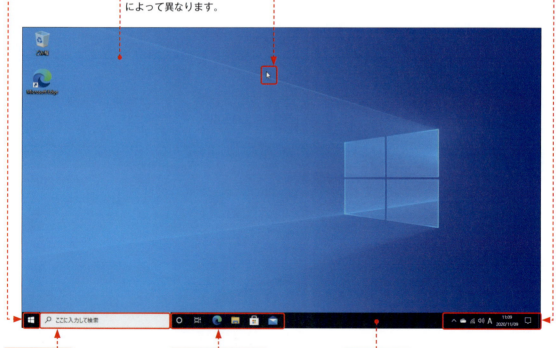

検索ボックス
パソコン内のファイルやインターネット検索を行えます。

タスクバーボタン
アプリの起動やアクティブウィンドウを切り替えることができるボタンです。

タスクバー
ウィンドウやアプリの切り替え、タスクバーボタンの配置などを行います。タスクバーを右クリックし、<タスクバーの設定>をクリックすると、タスクバーに関する各種設定を行えます。

スタート編

Section 01 Skype（スカイプ）とは

Skypeはインターネットを使用して、人とつながることができるサービスです。音声通話やビデオ通話、チャットなどが行えます。音声会議やビデオ会議など、複数人で利用することもできます。Skypeは、専用アプリまたはWebブラウザーを使って楽しみます。

■音声／ビデオ通話を楽しむ

世界中のユーザーとインターネットを利用した無料の音声通話またはビデオ通話を楽しめます。音声通話とビデオ通話は通話中に自由に切り替えられるほか、通話中に第三者を呼び出し、複数人によるグループ通話を行うこともできます。

■文字による会話（チャット）を楽しむ

文字による会話（チャット）を楽しめます。チャットでは文字だけでなく、写真などのデータを添付してやり取りすることもできます。

■ビデオ会議を行う

複数人によるビデオ会議を行えます。ビデオ会議はSkypeアプリを使用していないユーザーを招待することもできます。アプリを使用していないユーザーは、Webブラウザーを利用して会議に参加できます。

Section 02 Skypeの初期設定を行う

Windows 10ではSkypeアプリが標準機能としてインストールされています。Skypeを起動し、利用に必要な初期設定を行っていきましょう。なお、Skypeアプリの利用にはMicrosoft アカウントまたはSkypeアカウントのいずれかが必要です。

> ここでは、Microsoft アカウントでWindows 10にサインインしていることを前提に解説を行います。Microsoft アカウントを取得していないときは事前に取得しておいてください（今すぐ使えるかんたん Windows 10［2021年最新版］P.269、297参照）。

Skypeアプリを起動する

1 田（<スタート>ボタン）をクリックし、

2 <Skype>をクリックします。

3 はじめて起動したときは「Skypeへようこそ」画面が表示されます。その際は、<はじめる>をクリックしてください。

4 サインインするユーザー名（ここでは<太郎 技術>）をクリックします。

5 「プロフィール画像を選択」画面が表示されます。

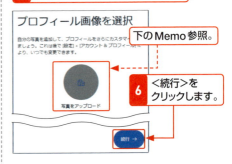

下のMemo参照。

6 <続行>をクリックします。

7 「オーディオをテストします」画面が表示されます。

8 画面に向かって話しかけ、

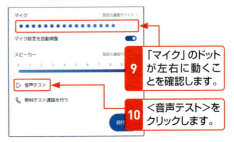

9 「マイク」のドットが左右に動くことを確認します。

10 <音声テスト>をクリックします。

Memo プロフィール画像の登録について

手順5の画面でプロフィール画像の登録を行いたいときは、プロフィール画像に使いたい写真を「写真をアップロード」にドラッグ&ドロップします。

スタート編

11 スピーカーから音が流れることを確認し、

12 <音声テスト>を再度クリックして音声の再生を停止します。

13 <続行>をクリックします。

> **Memo** マイクのドットが動かなかったり、音が流れないときは？
>
> 使用するマイクやスピーカーの設定はあとから変更できます。操作がわからないときは<続行>をクリックして手順**17**まで進み、すべての初期設定が終わったら、P.5の手順を参考に設定変更を行ってください。

14 「ビデオをテストします」画面が表示されます。

15 カメラに自分が映っていることを確認し、

16 <続行>をクリックします。

17 <OK>をクリックします。

18 Skypeが表示されます。

> **Memo** カメラに何も表示されないときは？
>
> 手順**15**でカメラに何も表示されないときは、現在使用中のカメラ（ここでは<OBS-Camera>）をクリックして、リストから使用するカメラを変更します。設定はあとから変更できます。操作がわからないときは<続行>をクリックして、手順**17**に進み、すべての初期設定が終わったら、P.4の手順を参考に設定変更を行ってください。

Skype スタート＆活用ガイド

Section 03
カメラやマイクが使えるかを確認する

Skypeを利用するには、パソコンでマイクやWebカメラが利用可能な状態に設定されている必要があります。また、パソコン標準搭載の機器以外をSkypeで使用するときは、機器設定の変更が必要になる場合があります。ここでは、使用する機器の設定方法や動作の確認方法を説明します。

ビデオカメラの確認と選択を行う

1 P.2の手順**1**、**2**を参考に、Skypeアプリを起動します。

2 …をクリックし、

3 ＜設定＞をクリックします。

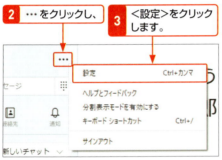

4 Skypeの設定画面が表示されます。

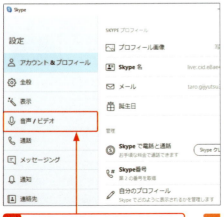

5 ＜音声／ビデオ＞をクリックします。

6 「カメラ」に自分が表示されているかどうかを確認します。

7 自分が表示されていない場合は選択中のカメラの名称（ここでは＜OBS-Camera＞）をクリックし、

8 別のカメラ（ここでは＜OBS-Camera2＞）をクリックします。

9 Skypeで使用するカメラが切り替わります。

10 「カメラ」に自分が表示されているかどうかを確認します。Webカメラがパソコンに複数接続されている場合は、自分が表示されるまでカメラを切り替えます。

スタート編

■マイクの確認と選択を行う

引き続き、操作を行います。

1 マイクが表示されるまで画面をスクロールします。

2 マイクに向かって話しかけ、

3 「マイク」のドットが左右に動くことを確認します。

4 マイクのドットが左右に動かなかった場合は、マイクの名称（ここでは＜既定の通信デバイス＞）をクリックし、

5 別のマイク（ここでは＜ヘッドセット...＞）をクリックします。

6 Skypeで使用するマイクが切り替わります。

7 マイクに向かって話しかけ、

8 「マイク」のドットが左右に動くことを確認します。

9 設定が終わったら、✕をクリックします。

COLUMN　ヘッドホンやイヤホンで音声を聞きたいときは？

ヘッドホンやイヤホンで音声を聞きたいときはスピーカーの＜既定の通信デバイス＞をクリックして、表示されたメニューから機器を選択します。USB／Bluetooth接続のヘッドホンやイヤホンを使用するときは、「機器名」を参考に選択を行ってください。パソコンに備わっているイヤホンやヘッドホン接続用の端子（アナログ外部出力端子）を利用するときは、「サウンドカードの名称（たとえば、＜Realtek HD Audio 2nd output＞など）」を選択します。設定を変更したときは必ず、＜音声テスト＞をクリックし、音声が正常に聞こえることを確認してください。また、＜既定の通信デバイス＞を選択すると、初期設定に戻せます。

Memo　複数のマイクがあるときは？

USB／Bluetooth接続のマイクやWebカメラ内蔵のマイクを使用するときは、機器名を参考にマイクの選択を行ってください。また、パソコンのマイク接続端子にマイクを接続したときは、「マイク配列」または「サウンドカードの名称（たとえば、＜Realtek HD Audio＞など）」を選択します。マイクを変更したときは、必ず「マイク」のドットが左右に動くことを確認してください。

5

Skype スタート&活用ガイド

Section 04 連絡先に追加する

Skypeで友人たちと連絡を取り合うには多くのSkypeユーザーの中からその相手を特定し、その相手から承諾を得る必要があります。相手の特定は検索によって行えます。また、Skypeユーザーではない相手には、Skypeへの招待メールを送ることもできます。

新しい連絡先を追加する

ここでは個人を特定しやすいメールアドレスを使用した検索を例に、新しい連絡先を追加する方法を解説します。

1 P.2の手順 **1**、**2** を参考に、Skypeアプリを起動します。

2 ＜連絡先＞をクリックし、

3 ＜新しい連絡先＞をクリックします。

4 連絡先に登録したい相手のメールアドレスを入力すると、

5 検索結果が表示されます。

6 ＜追加＞をクリックします。

7 手順 **6** で追加した相手が連絡先に追加されます。

8 連絡先の追加を終えるときは ✕ をクリックします。

9 さらに連絡先を追加したいときは、ここをクリックして、新しい検索キーワードを入力します。

10 追加した連絡先（ここでは＜花子 鈴木＞）をクリックします。

11 ＜連絡する＞をクリックします。

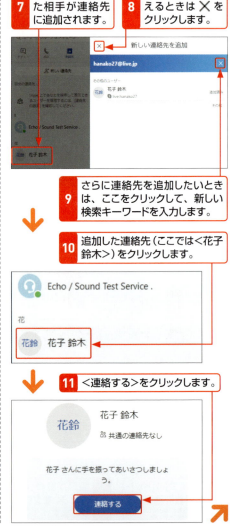

基本操作編

12 メッセージが送信され、<○○（ここでは「花子」）さんが招待を...>と表示されます。

■ 相手からのメッセージを承諾する

ここで行う操作は、前ページの手順で送信したメッセージを受け取った側が行う操作です。受信したメッセージを承諾すると、メッセージを送信した相手とやり取りを行えるようになります。

1 P.2の手順 **1** 、 **2** を参考に、Skypeアプリを起動します。

2 <チャット>をクリックし、

未読の受信メッセージがあるときは「チャット」に未読のメッセージがあることを示す数字のバッジが付きます。

3 受信したメッセージをクリックします。

4 受信したメッセージの内容が表示されます。

右上のMemo参照。

5 <承諾>をクリックします。

6 送信相手の名前の下に「これで、チャットできるようになりました。」と表示されます。

Memo 見知らぬ相手からのメッセージを受け取ったときは

手順 **5** で<承諾>をクリックすると、メッセージの送信相手とやり取りを行えるようになります。見知らぬ相手からメッセージを受け取ったときは<ブロック>をクリックしてください。

COLUMN Skypeを使用していないユーザーを招待する

P.6の手順で検索したときに目的の相手が表示されない場合は、Skypeへの招待メールを相手に送信します。招待メールを受け取ったユーザーが、メールに記載されたリンクからSkypeに参加し、こちらの連絡先の追加を行うと、相手の連絡先が自分にも表示されます。

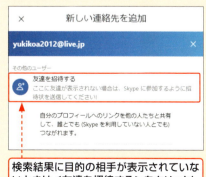

検索結果に目的の相手が表示されていないときは<友達を招待する>をクリックして、Skypeへの招待メールを送信します。

Section 05 音声通話またはビデオ通話を行う

音声通話またはビデオ通話を行うには、チャットまたは連絡先から通話したい相手を選択し、＜音声通話＞または＜ビデオ通話＞をクリックします。Skypeでは通話中であっても、音声通話とビデオ通話を必要に応じて途切れることなく切り替えられます。

音声通話／ビデオ通話で発信する

1 P.2の手順 **1**、**2** を参考に、Skypeアプリを起動します。

2 ＜チャット＞または＜連絡先＞（ここでは＜連絡先＞）をクリックし、

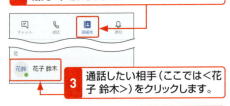

3 通話したい相手（ここでは＜花子 鈴木＞）をクリックします。

4 通話相手が「現在アクティブです」と表示されていることを確認し、

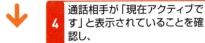

5 ＜ビデオ通話＞または＜音声通話＞（ここでは＜ビデオ通話＞）をクリックします。

6 画面に自分の映像が表示され、選択した通話相手の呼び出しが始まります。

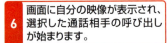

音声通話／ビデオ通話の着信を受ける

1 Skypeの着信があると、画面中央に着信画面が表示されます。

2 ＜ビデオで応答＞または＜音声のみで応答＞（ここでは、＜ビデオで応答＞）をクリックします。

3 Skypeアプリが起動して通話が開始されます。

4 通話相手がビデオ通話で発信を行っていたときは、通話相手の映像が表示されます。

5 通話相手が音声通話で発信を行っていたときは、通話相手の映像の代わりに左のような画面が表示されます。

基本操作編

音声通話とビデオ通話を切り替える

1 をクリックします。

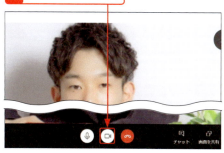

2 が に変わり、音声通話に切り替わります。通話相手に自分の映像が表示されなくなります。

3 をクリックすると、ビデオ通話に戻り、通話相手に自分の映像が表示されます。

Memo ビデオをオフにする

ビデオをオフにすると、通話相手には以下のような映像が表示されます。

通話を終了する

1 をクリックします。

2 通話が終了し、通話時間がタイムラインに表示されます。

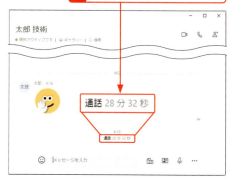

Memo Skypeアプリ利用中に着信があった場合は？

Skypeアプリを利用中に着信があった場合は、画面上部に着信相手の情報が表示されます。＜○○さんからの通話にビデオで応答＞あるいは ＜○○さんからの通話に音声のみで応答＞をクリックすると、P.8右側の手順4または手順5の画面が表示され、通話が開始されます。

Skype スタート＆活用ガイド

Section 06 文字によるメッセージやファイルのやり取りを行う

Skypeはビデオ通話や音声通話を行えるだけでなく、文字による会話を楽しむチャットも行えます。また、チャットでは写真や文書などのファイルを相手に送信することもできます。ここでは写真ファイルを例に解説していますが、文書ファイルであっても操作手順は変わりません。

■ チャットでメッセージを送る

1. P.2の手順 **1**、**2** を参考に、Skypeアプリを起動します。
2. ＜チャット＞をクリックし、
3. チャットしたい相手（ここでは＜花子 鈴木＞）をクリックします。
4. メッセージを入力し、
5. をクリックします。
6. 入力したメッセージが相手に送信されます。

Memo 相手が表示されない

チャットをしたい相手が表示されていないときは、＜連絡先＞をクリックして、相手を選択してください。

■ チャットのメッセージを受信する

1. Skypeのメッセージを受信すると、通知が表示されるのでクリックします。

2. Skypeが起動し、そのメッセージが表示されます。
3. メッセージを入力し、

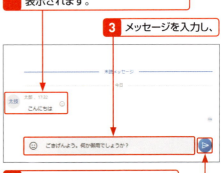

4. をクリックすると、メッセージが返信されます。

基本操作編

■ チャットでファイルを送信する

1 P.2の手順 **1**、**2** を参考に、Skypeアプリを起動します。

2 ＜チャット＞をクリックし、

3 チャットしたい相手（ここでは＜花子 鈴木＞）をクリックします。

4 📷 をクリックします。

5 送信したいファイルが収められたフォルダーをクリックし、

6 送信したいファイルをクリックします。

7 ＜開く＞をクリックします。

8 ファイルがタイムラインに表示されます。

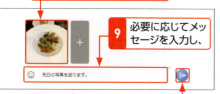

9 必要に応じてメッセージを入力し、

10 ▶ をクリックすると、ファイルとメッセージが送信されます。

COLUMN チャットで受信したファイルを閲覧・保存する

チャットで写真やビデオが送られてきた場合、そのファイルをクリックすると、閲覧や再生が行われます。また、受信したファイルはパソコンに保存できます。受信ファイルの保存は、以下の手順で行います。

写真やビデオの場合

1 写真やビデオを右クリックし、

2 ＜"Downloads"に保存する＞をクリックすると、「ダウンロード」フォルダーに保存されます。任意のフォルダーに保存したい場合は＜名前を付けて保存＞をクリックします。

写真やビデオ以外の場合

1 ＜ダウンロード＞をクリックします。

2 ＜承諾＞または＜承諾し、今後このメッセージを表示しない＞をクリックします。

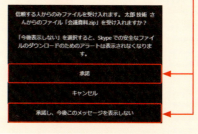

Section 07 通話中に画面を共有する

Skypeは通話中にアプリの画面を共有する機能を備えています。この機能は資料（Webの画面や写真、文書など）の画面を相手に表示して、説明を行いたい場合などに活用できます。ビデオ通話／音声通話のいずれの場合でも利用できます。

アプリの画面を通話相手と共有する

ここでは、ビデオ通話中または音声通話中の状態で、アプリの画面を共有する方法を解説します。

1 通話相手と共有したいアプリの画面（ここでは「Webブラウザー」）を用意しておきます。

2 ＜画面を共有＞をクリックします。

3 共有したい画面（ウィンドウ）をクリックし、

4 ＜共有を開始＞をクリックします。

5 画面共有が開始され、赤枠で囲まれた部分が通話相手に表示されます。

6 共有したウィンドウをクリックします。

7 共有したウィンドウが最前面に表示されます。

8 通話ウィンドウをドラッグして、共有したウィンドウと重ならない場所に配置します。これで、ウィンドウのすべての部分が相手に表示されます。

9 画面共有を終了したいときは、通話ウィンドウの をクリックします。

10 共有していたウィンドウの赤枠がなくなり、画面共有が終了します。

Memo 画面共有時の注意点

画面共有を行うときは、共有したいアプリのウィンドウがほかのアプリのウィンドウと重ならないように注意してください。ウィンドウが重なると、その部分は通話相手にグレーで表示されます。

応用操作編

Section 08 ギャラリーを活用する

ギャラリーを利用すると、共有されたファイルやリンクを一覧表示できます。ギャラリーでは目的のファイルをダウンロードできるほか、ファイルやリンクをギャラリーにアップロードすると、そのファイルがチャットで送信されます。

■ ギャラリーを開く

1 Skypeを起動し、＜チャット＞＜通話＞＜連絡先＞のいずれかをクリックします。

2 共有されたファイルやリンクを表示したい相手（ここでは＜花子 鈴木＞）をクリックします。

3 ＜ギャラリー＞をクリックします。

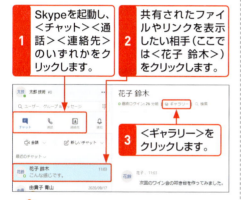

4 ギャラリーが表示され、

5 共有しているファイルやリンクが表示されます。

Memo 共有ファイルの制限について

チャットで共有されたファイルは、最大30日間保存されます。30日を超えたファイルは自動的に削除されます。また、共有できるファイルの最大サイズは300MBです。

■ ギャラリーにファイルをアップロードする

1 ＋をクリックします。

2 アップロードしたいファイルが収められているフォルダーをクリックし、

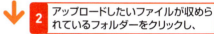

3 アップロードしたいファイルをクリックします。

4 ＜開く＞をクリックします。

5 ギャラリーにファイルがアップロードされ、アップロードしたファイルがチャットで送信されます。

6 ギャラリーを閉じたいときは、「ギャラリー」左の ✕ をクリックします。

Memo ファイルをダウンロードする

ギャラリーに表示された写真や動画は、右クリックして＜"Downloads"に保存する＞または＜名前を付けて保存＞をクリックすることで保存できます。写真や動画以外のファイルは、＜ダウンロード＞をクリックします。

Skype スタート＆活用ガイド

Section 09 通話中やチャット中に別の友だちを追加する

1対1でビデオ通話／音声通話やチャットを行っているときに別の友だちを追加し、グループ通話やグループチャットに移行することもできます。通話やチャット終了後は、それが履歴として残され、その履歴を利用することで次回も同じメンバーで通話やチャットができます。

通話やチャット中に友だちを追加する

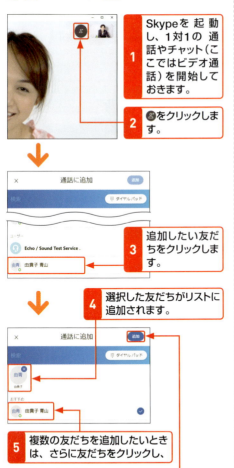

1. Skypeを起動し、1対1の通話やチャット（ここではビデオ通話）を開始しておきます。
2. をクリックします。
3. 追加したい友だちをクリックします。
4. 選択した友だちがリストに追加されます。
5. 複数の友だちを追加したいときは、さらに友だちをクリックし、
6. すべての友だちを追加したら、<追加>をクリックします。

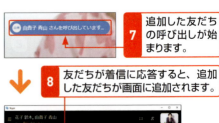

7. 追加した友だちの呼び出しが始まります。

8. 友だちが着信に応答すると、追加した友だちが画面に追加されます。

9. 通話を終了するときは、 をクリックします。

10. 通話が終了すると、履歴が表示されます。次回からはこの履歴をクリックし、 または をクリックすると参加者全員に対して発信が行われます。

Memo チャットの場合は？

チャット中に新しい友だちを追加したときは、新しいグループが「最近のチャット」のリストに追加されます。複数人によるチャットは、このグループをクリックします。

応用操作編

Section 10 通話を録音する

Skypeはビデオ通話や音声通話の録音機能を備えています。通話の録音は、通話の発信者／着信者のいずれからでも開始できます。また、通話の録音データは録音を終了すると自動的にチャットで相手に送信され、最大30日間共有できます。

通話の録音を行う

1 ビデオ通話または音声通話中に＜その他＞をクリックし、

2 ＜録音を開始＞をクリックします。

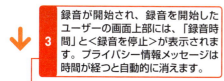

3 録音が開始され、録音を開始したユーザーの画面上部には、「録音時間」と＜録音を停止＞が表示されます。プライバシー情報メッセージは時間が経つと自動的に消えます。

4 通話の録音を終了するときは、＜録音を停止＞をクリックします。

5 をクリックして通話を終了すると、

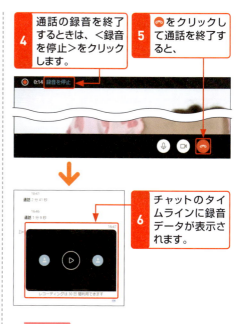

6 チャットのタイムラインに録音データが表示されます。

Memo 相手側の画面は？

通話の録音が開始されると、録音相手側の画面上には「○○さんは通話を録音しています」と表示されます。

Memo 録音データは共有される

通話の録音データはチャットのタイムラインに保存され、通話の録音相手には、通話データのメッセージも送信されます。なお、録音データがタイムラインに表示されるまで時間がかかる場合があります。

Skype スタート&活用ガイド

Section 11 録音した通話を再生する／保存する

通話の録音データは、チャットのタイムラインやギャラリーから再生したり、パソコンにダウンロードしたりできます。30日を経過すると自動的に削除されるため、必要な録音データはパソコンにダウンロードして保存しておきましょう。

■ 録音した通話を再生する

1. Skypeを起動し、＜チャット＞をクリックします。
2. 録音データが保存されている相手をクリックし、

3. 録音データをクリックします。
4. 録音データが再生開始されます。
5. をクリックすると、再生を一時停止します。

右のMemo参照。

6. ❌をクリックすると、再生画面が閉じます。

■ 録音データをパソコンにダウンロードする

1. 録音データを右クリックし、

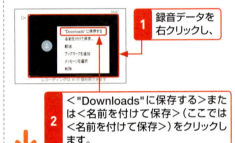

2. ＜"Downloads"に保存する＞または＜名前を付けて保存＞（ここでは＜名前を付けて保存＞）をクリックします。
3. 保存先フォルダー（ここでは＜デスクトップ＞）をクリックし、
4. 必要に応じてファイル名を変更し、

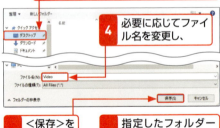

5. ＜保存＞をクリックすると、
6. 指定したフォルダーに録音データが保存されます。

Memo 再生画面から保存する

録音データの保存は、再生画面内でマウスポインターを動かして、●●●をクリックし、＜"Downloads"に保存する＞または＜名前を付けて保存＞をクリックすることでも行えます。

応用操作編

Section 12 通話中にチャットを行う

ビデオ通話や音声通話で通話中に、チャット画面やギャラリーを開いて、通話相手にファイルを送信することもできます。また、チャット画面を開いた場合は、別の相手とチャットを行ったあとに、通話画面に戻ることもできます。

通話中にチャット画面を開く

1 通話中に＜チャット＞をクリックします。

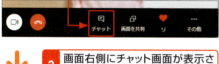

2 画面右側にチャット画面が表示されます。

3 ↖をクリックします。

4 通話を継続したまま、全面的にチャット画面に切り替わります。

チャット履歴からチャット相手をクリックすると、通話中の相手とは別の相手とチャットを行えます（右のMemo参照）。

5 ＜通話に移動＞をクリックすると、

6 手順2の画面のように通話相手が表示され、画面右側にチャット画面が表示されます。

7 ×をクリックすると、チャット画面が閉じます。

Memo 別のユーザーとのチャットから通話に戻る

別のユーザーとのチャットを終えて、通話画面に戻りたいときは、チャット履歴から現在通話中の相手をクリックし、≡をクリックすると、手順4の画面が表示されます。

Skype スタート＆活用ガイド

Section 13 グループ通話やグループチャットを行う

複数の人とグループを作り、そのグループ内で通話やチャットを楽しむことができます。特定の決まった参加者と定期的に通話やチャットなどを行いたいときに便利な機能です。グループには、最大50人の友だち（ユーザー）を登録できます。

グループを作成する

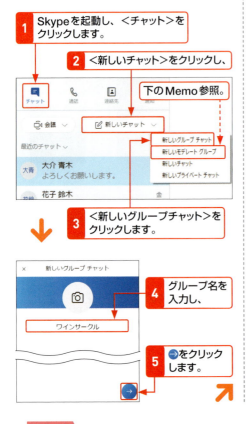

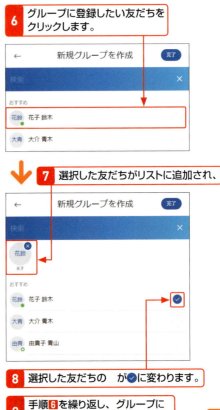

Memo モデレートグループについて

モデレートグループを作成すると、グループ作成者が管理者となってグループの詳細な管理を行えます。たとえば、教室のように参加者の管理が必要な場合に使用します。モデレートグループではグループ作成者または管理者権限の参加者のみが通話の発信（開始）を行えます。

応用操作編

■グループ通話を行う

> グループ通話の発信側の操作

1 <チャット>をクリックし、

2 通話を開始したいグループをクリックします。

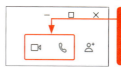

3 <ビデオ通話>または<音声通話>をクリックします。

4 画面に「他のユーザーの参加を待っています」と表示され、

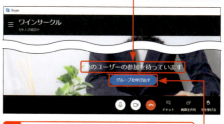

5 グループ通話の呼び出しメッセージが登録ユーザーに送られます。登録ユーザーの着信音は鳴りません。

6 登録ユーザーが25人未満の場合<グループを呼び出す>をクリックすると、登録ユーザーの着信音を鳴らします。

> グループ通話の着信側の操作

1 グループ通話の着信があると通知が表示されるので、<参加>をクリックします。

2 Skypeを起動中の場合は、<通話に参加>をクリックします。

3 参加画面が表示されるので、<参加>をクリックします。

---

10 すべての友だちを登録したら、<完了>をクリックします。

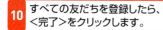

11 グループが作成されます。

12 作成したグループは、参加メンバー全員に自動表示されます。

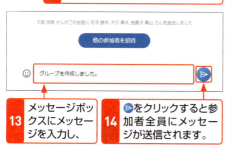

13 メッセージボックスにメッセージを入力し、

14 ▶をクリックすると参加者全員にメッセージが送信されます。

Memo グループの管理を行う

グループ名を右クリックし、<グループを管理>をクリックすると、グループ名の変更や新しいメンバーの追加などの管理を行えます。また、<グループから退出>をクリックすると、グループから退出できます。退出したグループに再参加したいときは、グループに再登録してもらう必要があります。

Skype スタート&活用ガイド

Section 14 Skypeで会議を行う

Skypeは最大50人のユーザーとビデオ／音声会議を行う機能を備えています。この機能は、会議の招待リンクを知っているユーザーなら誰でも自由に参加でき、Skypeを利用していないユーザーもWebブラウザーを使用することで参加できます。

■ 会議を作成する

1 Skypeを起動し、＜チャット＞または＜通話＞（ここでは、＜チャット＞）をクリックします。

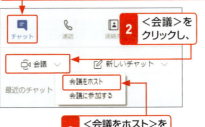

2 ＜会議＞をクリックし、

3 ＜会議をホスト＞をクリックします。

4 「会議」画面が表示されます。

5 ＜続行＞をクリックします。

Memo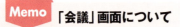

手順 **4** で表示される「会議」画面は、はじめて会議を作成するときに表示されます。次回の会議作成時には表示されません。

6 ＜○○との会議＞をクリックします。

7 「○○との会議」の文字を BackSpace キーを押して削除し、

8 新しい会議の名称を入力して、

9 ＜Skypeの連絡先＞をクリックします。

10 会議に登録したい友だちをクリックします。

応用操作編

11 選択した友だちがリストに追加され、

12 選択した友だちのが☑になります。

13 手順10を繰り返し、会議に登録したい友だちを登録します。

14 すべての友だちを登録したら、＜完了＞をクリックします。

15 会議を始める準備ができました。＜チャット＞または＜会議を開始＞（ここでは＜チャット＞）をクリックします。

16 会議が作成され、チャット画面が表示されます。また、手順15で＜会議を開始＞をクリックした場合は、会議が始まり、登録した友だちの参加待ち状態になります。

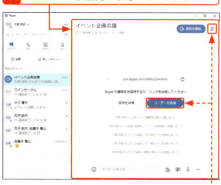

一番下のMemo参照。

Memo 作成した会議は登録メンバーに自動表示される

会議が作成されると、その会議に登録された友だち（参加メンバー）のチャットの履歴に、作成された会議が自動的に表示され、会議にいつでも参加できるようになります。

Memo 会議作成後に友だちを追加する

会議の作成後に、新しいメンバーを会議に追加したいときは、をクリックします。また、チャット画面に＜ユーザーを追加＞が表示されているときは、これをクリックすることでもユーザーを追加できます。

Skype スタート＆活用ガイド

会議を行う①
会議を開始する側の操作

ここでは、前ページの続きで解説しています。

1 ＜通話を開始＞をクリックします。

2 ＜通話を開始＞をクリックします。

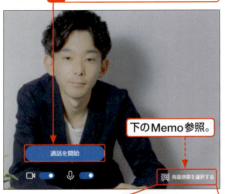

下のMemo参照。

3 会議が開始され、メンバーの参加待ち状態になります。

Memo 背景をカスタマイズする

手順**2**の画面で＜背景効果を選択する＞をクリックすると、ビデオ通話中の背景をカスタマイズできます。

会議を行う②
会議に参加する側の操作

1 会議が始まると登録メンバーに通知が表示されます。着信音は鳴りません。

2 ＜参加＞をクリックします。

3 Skypeを起動中の場合は、＜通話に参加＞をクリックします。

4 ＜会議に参加＞をクリックします。

5 会議に参加し、参加中のメンバーが表示されます。

応用操作編

■ 会議の招待メールを送る

ここでは、Skypeを利用していないユーザーを会議に招待する、招待メールの送信方法を解説します。

1 Skypeを起動し、＜チャット＞または＜通話＞（ここでは＜チャット＞）をクリックします。

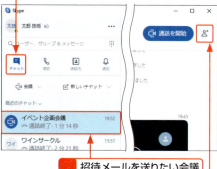

2 招待メールを送りたい会議をクリックします。

3 をクリックします。

4 ＜リンクを共有してグループに参加＞をクリックします。

5 ＜メール＞をクリックします。

6 「メール」アプリが起動し、本文に会議の招待リンクが記載されたメールの作成画面が表示されます。

7 招待したいユーザーのメールアドレスを入力し、

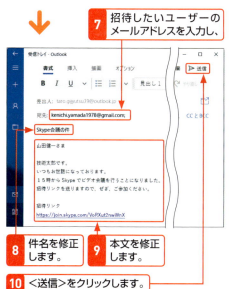

8 件名を修正します。

9 本文を修正します。

10 ＜送信＞をクリックします。

Memo 招待メールから会議に参加する

招待メールに記載されている招待リンクをクリックすると、Webブラウザーが起動してSkypeのページが表示されます。このWebページで＜ゲストとして参加＞をクリックし、相手に表示される名前の入力などの操作を行うと会議に参加できます。

23

Skype スタート＆活用ガイド

リアクションで円滑なコミュニケーションを図る

1 会話中に＜手を挙げる＞をクリックすると、

自分の画面

2 ほかのメンバーの画面に表示されている自分の映像に枠が付き、

ほかのメンバーの画面

3 👋が表示されます。

4 ＜手を下ろす＞をクリックすると、自分の映像の枠と👋が消えます。

5 👍＜リアクション＞にマウスポインターを置き、

6 メニューが表示されたら、アイコン（ここでは、＜♥＞）をクリックすると、

7 ほかのメンバーの画面に表示されている自分の映像に、手順**6**でクリックしたアイコン（ここでは、♥）が数秒間表示されます。

COLUMN　会議の録画や画面共有、ファイル共有を行う

Skypeの会議では、友だちと行うビデオ通話や音声通話同様に、会議の録画や画面共有、ファイル共有などの機能を同じ操作で利用できます。たとえば、会議を録画するときは、＜収録＞をクリックします。＜画面を共有＞をクリックすると、画面共有が行えます（P.12参照）。また、＜チャット＞または＜ギャラリー＞をクリックすると、ファイルをアップロードして会議に参加しているメンバーと共有できます（P.13参照）。

2 アクションセンターを表示する

1 ■をクリックすると、
2 アクションセンターが表示され、通知の一覧などを確認できます。

すべての通知をクリア

3 <すべての通知をクリア>をクリックすると、
4 すべての通知メッセージが削除されます。

5 <展開>をクリックすると、
6 すべてのクイックアクションが表示されます。

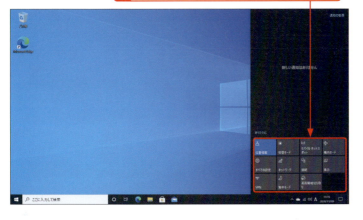

キーワード アクションセンターとは?

「アクションセンター」は、システムやアプリからの通知が表示されるほか、各種操作を手軽に行えるクイックアクション(下の「ヒント」参照)が表示されます。また、新しい通知があるときは、アイコンが白くなりバッジが表示されます。

バッジが表示される

タッチ タッチ操作でアクションセンターを開く

タッチ操作の場合、アクションセンターは通知領域にある■をタップすることで表示できるほか、画面右端の外側から内側(左側)に向けてスワイプすることでも表示できます。

メモ 選択した通知のみを消去する

選択した通知のみを消去したいときは、消去したい通知の上にマウスポインターを置きます。右上に×が表示されるので、これをクリックします。

ヒント クイックアクションとは?

クイックアクションには、あらかじめ登録したアプリのみの通知を受け付ける集中モード(P.256参照)やブルーライトを低減する夜間モード(P.254参照)、タブレットモード(タッチパネル搭載パソコンのみ)やネットワークのオン/オフの切り替えなど、すばやく切り替えが行えると便利な操作が登録されています(P.262参照)。

Section 04 スタートメニューとは

覚えておきたいキーワード
- ☑ ＜スタート＞メニュー
- ☑ タイル
- ☑ アプリの一覧

＜スタート＞メニューは、アプリの起動用メニューです。左の領域には＜スタート＞メニューに登録されているすべてのアプリの一覧が表示され、右の領域には、使用頻度の高いアプリを登録できます。右の領域に登録されているアプリの起動用のボタンのようなものは「タイル」と呼ばれます。

1 ＜スタート＞メニューを表示する

キーワード ＜スタート＞メニューとは？

デスクトップの画面左下の＜スタート＞ボタンをクリックすることで表示されるメニューです。アプリの起動やWindows 10の設定変更などを行えます。なお、＜スタート＞メニューは、＜スタート＞画面と呼ばれることもあります。

ヒント ⊞キーで＜スタート＞メニューを表示する

＜スタート＞メニューは、キーボードの⊞キーを押すことでも表示できます。＜スタート＞メニューを閉じるには、再度、＜スタート＞ボタンをクリックするか、⊞キーや[Esc]キーを押します。

メモ アプリの一覧について

左側のアプリの一覧には、インストールされているアプリのショートカット（ファイルやアプリなどがかんたんに開けるファイル）が表示されます。また、一部のアプリは、それらのショートカットがフォルダーにまとめられている場合があります。そのようなアプリは、アプリの一覧でフォルダー名をクリックすると、フォルダー内にまとめられているアプリが表示されます。

1 （＜スタート＞ボタン）をクリックすると、

2 ＜スタート＞メニューが表示されます。

3 をクリックすると、

4 「設定」が表示されます。

5 ×をクリックすると、「設定」が終了します。

> **メモ** タブレットモードの場合は？
>
> タブレットモードの場合は、画面左上の ≡ をクリックすると、アプリの一覧が表示されます。

2 ＜スタート＞メニューの詳細

展開
クリックすると、メニューの項目名が表示されます。

アプリの一覧
アプリのショートカットが名前順に並んでいます（P.28の「メモ」参照）。

タイル
タイルはアプリを起動するためのものです。タイルの数や種類はパソコンによって異なります。また、タイルにはアプリの新着情報などを表示するライブタイルと呼ばれる表示方法があります。

新しくアプリが登録されると、メニューの一番上に「最近追加されたもの」として一定期間表示されるほか、アプリ名の下に「新規」の文字が付けられて表示されます。

アカウント
ユーザー名が表示されます。クリックすると、メニューが表示され、ユーザーの切り替えや画面のロックなどが行えます。

ドキュメント
エクスプローラーが起動し、「ドキュメント」フォルダーの中にあるファイルやフォルダーが表示されます。

ピクチャ
エクスプローラーが起動し、「ピクチャ」フォルダーまたは「画像」フォルダーの中にあるファイルやフォルダーが表示されます。

設定
Windows 10の各種設定が行えます（P.248参照）。

Section 05 Windows 10の操作を中断する

覚えておきたいキーワード
☑ スリープ
☑ 復帰
☑ ロック

Windows 10の操作を中断したいときは、パソコンをスリープさせると便利です。スリープ中のパソコンは、操作を再開する際に短時間で復帰させることができます。復帰時にはロック画面が表示され、PINやパスワードなどでサインインを行うことで作業を再開できます。

1 パソコンをスリープする

🔍 キーワード スリープとは？

「スリープ」は、パソコンの動作を一時的に停止し、節電状態で待機させる機能です。完全に電源を切るシャットダウンよりも消費電力は多くなりますが、停止状態になるまでの時間が短く、使用を再開する際に復帰させるまでの時間も短くなるというメリットがあります。

💡 ヒント スリープ状態にするには？

デスクトップパソコンは、電源ボタンとは別に「スリープボタン」を備えている場合があります。スリープボタンを押すと、スリープ状態にできます。また、一般にノートパソコンは本体を閉じる（ディスプレイを閉じる）、または電源ボタンを押すと、自動的にスリープ状態になるように設定されています。

📝 メモ ＜スリープ＞が表示されない

ご利用のパソコンによっては、手順 で＜スリープ＞が表示されない場合があります。その際はこの機能は利用できません。

1 ⊞（＜スタート＞ボタン）をクリックするか、⊞キーを押して、＜スタート＞メニューを表示します。

2 をクリックし、 3 ＜スリープ＞をクリックします。

4 パソコンがスリープ状態になり画面が真っ暗になります。

2 スリープから復帰して操作を再開する

1 パソコンの電源ボタンを押します。

2 ロック画面が表示されます。P.25の手順でサインインします。

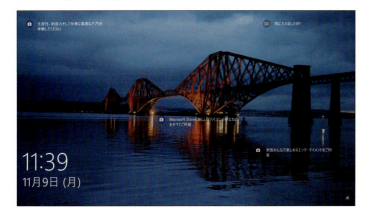

> **メモ スリープ状態から復帰するには？**
>
> 一般に、ノートパソコンでは、本体を開く（ディスプレイを開く）と、スリープ状態から自動的に復帰するように設定されています。この設定は、利用しているノートパソコンによって異なります。

> **ヒント そのほかの方法は？**
>
> キーボードの任意のキーを押したり、マウスのボタンを押したりしても、スリープ状態から復帰できることがあります。

> **メモ ロック画面の画像が変わる**
>
> Windows 10のロック画面は自動的に切り替わるように設定されています。

メモ 画面をロックする

画面のロックは、席を離れたときにパソコンの画面を他人に見られないようにする機能です。一定時間（通常は15分）経過すると、ロック画面が表示されます。PINやパスワードの入力を行わなければ作業画面を表示することができないので、セキュリティが向上します。なお、⊞キーを押しながら Ｌ キーを押すと、すばやくロックできます。

2 ＜ロック＞をクリックします。

Section 06 Windows 10を終了する

覚えておきたいキーワード
- ☑ シャットダウン
- ☑ 終了
- ☑ 電源ボタン

パソコンを長時間使用しないときは、Windows 10を終了してパソコンの電源を切りましょう。Windows 10を終了するには、＜スタート＞メニューからシャットダウンを実行します。また、電源ボタンを押すことでも終了できる場合があります。

1 ＜スタート＞メニューから終了する

ヒント スリープとシャットダウンを使い分ける

シャットダウンは、起動していたアプリをすべて終了させ、パソコンの電源を切ります。一方、スリープはパソコンを節電状態にして待機します。電力消費量はスリープのほうが多くなりますが、短時間ですぐに復帰できる点がメリットです。それぞれの特徴を理解して、上手に使い分けてください。

（＜スタート＞ボタン）をクリックするか、⊞キーを押します。

メモ サインアウトについて

「サインアウト」とは、アカウントから退出するという意味を持ち、別のアカウントでパソコンを利用したいときなどに利用します。方法は＜スタート＞メニューの＜アカウント＞をクリックし、表示されるメニューから＜サインアウト＞をクリックします。サインアウトを行うと、使用していたすべてのアプリは終了しますが、電源は切れません。

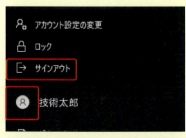

 をクリックし、

3 ＜シャットダウン＞をクリックします。

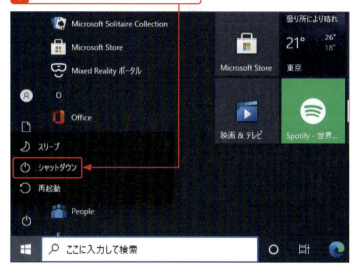

4 Windowsの終了処理が行われ、自動的に電源が切れます。

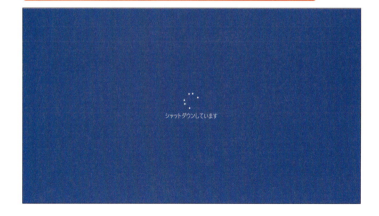

メモ サインイン画面から終了する

Windows 10は、サインイン画面（P.25参照）からも終了できます。サインイン画面から終了するときは、画面右下隅の をクリックし、＜シャットダウン＞をクリックします。

メモ 「更新してシャットダウン」について

パソコンの再起動を伴うWindows 10の更新プログラムがインストールされた場合、手順3の画面に＜更新してシャットダウン＞と＜更新して再起動＞の選択肢が追加されます。これらのいずれかをクリックすると、更新プログラムをインストールしたあとにパソコンの再起動または電源の切断が行われます。なお、更新プログラムがインストールされたあとの初回起動時にWindows 10の設定の画面が表示される場合は、画面の指示に従って操作を行ってください。

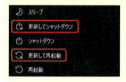

メモ 電源ボタンを押して終了する

Windows 10は、電源ボタンを押すことでも終了できる場合があります。ただし、ノートパソコンでは、電源ボタンを押すとスリープ状態になるように設定されている製品が主流です。電源ボタンを押してスリープになる場合は、＜スタート＞メニューから終了してください。

1 電源ボタンを押します。
2 Windows 10が終了します。

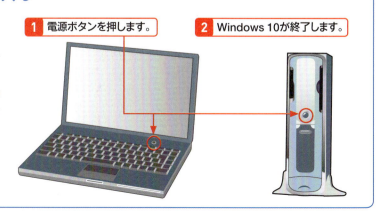

メモ Windows 10のエディションとバージョンの確認方法

Windows 10には、実装されている機能の違いによって「Home」「Pro」「S（Sモードとも呼ばれます）」など複数のエディションが用意されています。通常、量販店やメーカーの直販サイトで購入するパソコンにプリインストールされているWindows 10のエディションは、「Home」または「Pro」のいずれかですが、まれに「Pro」をベースに利用可能なアプリケーションをMicrosoft Storeからダウンロード可能なアプリに限定した「S」を搭載したパソコンが販売されている場合もあります。「Home」と「Pro」は、とくにアプリケーションを利用するという点については、どちらも機能的な違いはありません。両者の最大の違いは、企業で使用するための管理機能の対応の有無にあります。Homeは、その名称が指し示す通り個人や家庭内での利用を想定しているため、管理機能については非対応です。Proは管理機能に対応し、企業における集中管理に対応しています。Windows 10は、年2回実施される「機能更新プログラム」によって新しい機能の追加などが定期的に行われています。本書では、Windows 10（バージョン20H2）を前提として解説を行っています。Windows 10のエディションやバージョンは以下の手順で確認できます。なお、Windows 10には、「Home」「Pro」「S」以外にもワークステーション向けの「Pro for Workstations」、企業向けの「Enterprise」、教育機関向けの「Education」、「Pro Education」などの特定用途向けのエディションも用意されています。

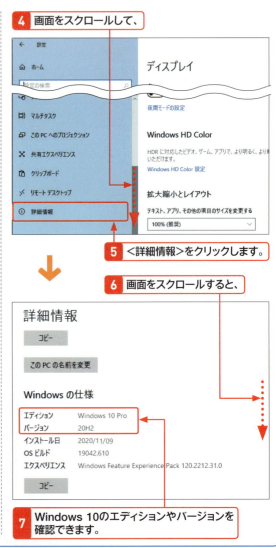

Chapter 02

第2章

Windows 10の基本操作

Section		
	07	アプリを起動する
	08	アプリのウィンドウを操作する
	09	よく使うアプリをピン留めする
	10	タスクビューを利用する
	11	タイムラインを便利に使う
	12	日本語を入力する
	13	アルファベットや記号を入力する
	14	日本語入力のカスタマイズを行う
	15	アプリを終了する

Section 07 アプリを起動する

覚えておきたいキーワード
- ☑ ＜スタート＞メニュー
- ☑ タスクバー
- ☑ ピン留め

Windows 10で文字を入力したり、インターネットを利用したりするには、目的のアプリを起動する必要があります。ここでは、＜スタート＞メニューからアプリを起動する方法と、タスクバーからアプリを起動する方法を解説します。タブレットモードの場合はP.216も参考にしてください。

1 ＜スタート＞メニューからアプリを起動する

キーワード　アプリとは？

「アプリ」は、文書や表の作成といった特定の作業を行うことのできるソフトウェアです。Windows 10に標準でインストール（P.224の「キーワード」参照）されているもののほか、追加でインストールするものがあります。

メモ　検索ボックスから起動する

検索ボックスに起動したいアプリ名を入力してもアプリを起動することができます。たとえば「メモ帳」と入力し、表示されるメニューの＜メモ帳＞をクリックすると、「メモ帳」を起動できます。タブレットモードではタスクバーの🔍＜検索＞ボタンをクリックすると表示される検索ボックスにアプリ名を入力します。

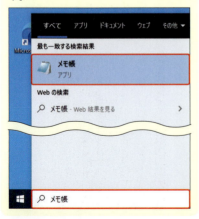

ここでは、「メモ帳」を起動します。

1 ⊞（＜スタート＞ボタン）をクリックするか、⊞キーを押して、＜スタート＞メニューを表示します。

2 画面をスクロールし、

3 ＜Windowsアクセサリ＞をクリックし、

4 ＜メモ帳＞をクリックします。

5 「メモ帳」が起動します。

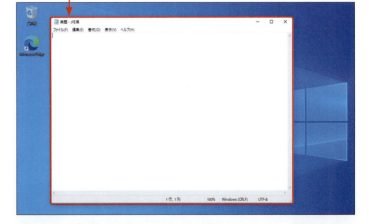

2 タスクバーのボタンからアプリを起動する

ここでは、タスクバーにピン留めされている「Microsoft Edge」を起動します。

 メモ タスクバーにピン留め済みのアプリは？

タスクバーにアプリのボタンを配置することを「ピン留め」と呼び、通常、タスクバーにピン留めされているアプリは、「Microsoft Edge」と「エクスプローラー」「Microsoft Store（ストア）」「メール」の4つだけです。利用頻度の高いアプリは、手動でピン留めすることもできます（P.42参照）。

メモ 目次画面から目的のアプリを探す

＜スタート＞メニュー左側のアプリの一覧のインデックスラベル（アルファベットやひらがなの1文字）をクリックすると、目次画面が表示されます。また、目次画面の＜アルファベット＞または＜ひらがな＞をクリックすると、その文字で始まるアプリを表示できます。ただし、＜スタート＞メニューに表示されるアプリの中には、グループにまとめられているものがあります。この方法では、グループ内のアプリは表示されません。

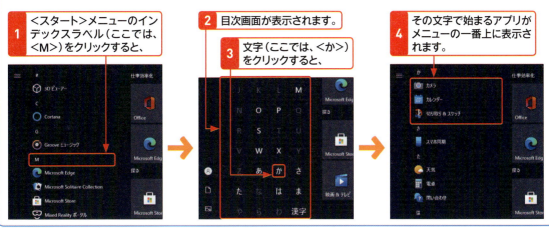

Section 08 アプリのウィンドウを操作する

覚えておきたいキーワード
- 移動／サイズ変更
- アクティブウィンドウ
- 最大化／最小化

デスクトップでの作業では、さまざまなアプリのウィンドウを操作します。文書の作成やWebページの閲覧など、ウィンドウごとに作業の目的は異なりますが、基本操作はすべて同じです。ウィンドウは、サイズを変更したり、最小化や最大化を行ったりして、作業しやすくできます。

1 ウィンドウを移動する

キーワード：ウィンドウとは？

「ウィンドウ」とは、アプリを起動したときなどに表示される画面です。画面内にいくつも窓が開いているように見えることから、ウィンドウ(窓)と呼ばれます。

1 タイトルバーをドラッグすると、

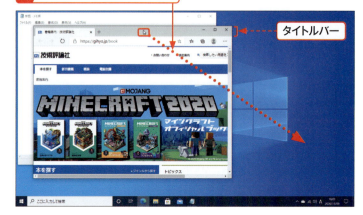

タイトルバー

メモ：ウィンドウを移動する

ウィンドウの移動は、右の手順のようにウィンドウのタイトルバーの何もないところをドラッグします。

2 ウィンドウが移動します。

タッチ：タッチ操作でウィンドウを移動する

タッチ操作でウィンドウを移動するときは、タイトルバーを指で押さえ、そのまま指を目的の場所までスライドし、指を離します。

注意：タブレットモードの場合は？

タブレットモード(P.214参照)の場合は、起動したアプリは、通常、全画面で表示されます。アプリの操作方法については、P.216を参照してください。

2 ウィンドウを最大化する

1 □ をクリックすると、

2 ウィンドウが最大化されます。

3 ▣ をクリックすると、

4 もとのサイズに戻ります。

🔍 キーワード　ウィンドウを最大化する

利用中のアプリのウィンドウを全画面表示にすることを「最大化」と呼びます。表示領域が広くなるため、視認性が向上します。

📝 メモ　ウィンドウのサイズを変更する

ウィンドウの左右の辺をドラッグすると幅を、上下の辺をドラッグすると高さを、四隅をドラッグすると幅と高さを同時に変更することができます。

👆 タッチ　タッチ操作でウィンドウのサイズを変更する

タッチ操作でウィンドウのサイズを変更したいときは、マウス操作と同様にウィンドウの四隅や左右、上下の辺をスライドします。

📝 メモ　ウィンドウを最小化する

対象となるアプリのウィンドウをタスクバーに格納し、ウィンドウが表示されないようにすることを「最小化」と呼びます。ウィンドウを最小化したいときは、━ をクリックします。最小化したウィンドウをもとの状態に戻したいときは、タスクバーのボタンをクリックします。

3 アクティブウィンドウを切り替える

メモ アクティブウィンドウを切り替える

デスクトップでは、操作できるウィンドウは1つだけです。この操作できるウィンドウを「アクティブウィンドウ」と呼びます。複数のウィンドウを利用するときは、ウィンドウを切り替えながら作業します。アクティブウィンドウの切り替えは、操作したいウィンドウをクリックするか、タスクバーに表示されているアプリのボタンをクリックします。

ヒント キーボードでウィンドウを切り替える

Alt キーを押しながら Tab キーを押すと、起動しているアプリのウィンドウが縮小されて表示されます。Tab キーを押すごとに選択している画面が切り替わります。目的の画面が選択されたときにキーから指を離すと、そのウィンドウがアクティブウィンドウになります。

メモ ライブサムネイルでアクティブウィンドウを切り替える

タスクバーに表示されているアプリのボタンにマウスポインターを重ねると、起動中のアプリの縮小版のサムネイルが表示されます。この機能を「ライブサムネイル」と呼び、1つのアプリで複数のウィンドウやタブを開いている場合は、複数のサムネイルが表示されます。このサムネイルをクリックすることでもアクティブウィンドウを切り替えることができます（タッチ操作では利用できません）。

1 操作したいウィンドウ（ここでは、＜メモ帳＞）をクリックすると、

2 目的のウィンドウが最前面に表示されて、操作できるようになります。

3 タスクバーにある操作したいウィンドウのボタン（ここでは、＜Microsoft Edge＞）をクリックすると、

4 目的のウィンドウが最前面に表示されて、操作できるようになります。

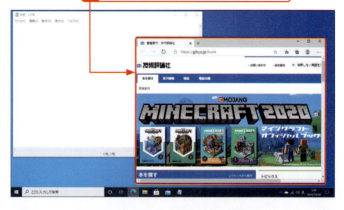

4 ウィンドウを左右にスナップする

1 タイトルバーを平行（ここでは、「右側に平行」）にドラッグし、

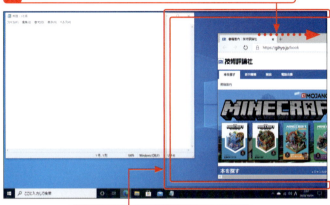

2 薄い枠が表示されたら、マウスの左ボタンから指を離すと、

3 画面半分にそのウィンドウが表示されます。

4 2つのアプリを起動しているときは、残りの画面半分に残ったアプリが表示されるので、クリックします。

5 残ったアプリも画面半分に表示されます。

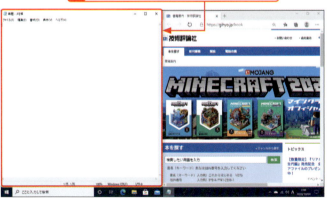

メモ　ウィンドウをスナップする

Windows 10には、アプリのウィンドウをかんたんな操作で画面の半分のサイズで表示したり（左の手順を参照）、全画面で表示したりする機能が備わっています。この機能は、スナップ機能と呼ばれています。たとえば、全画面でウィンドウを表示したいときは、上方向にドラッグし、画面全体を囲むように枠が表示されたら、マウスの左ボタンから指を離します。

ヒント　画面の4分の1のサイズで表示する

アプリのウィンドウを画面の4分の1のサイズで表示したいときは、画面の4隅の方向に枠が表示されるまでドラッグして、マウスの左ボタンから指を離します。

ヒント　複数のアプリを起動しているときは？

左の手順で3つ以上のアプリを起動しているときは、残った画面半分に起動中のアプリのサムネイルがすべて表示されます。サムネイル以外の場所をクリックすると、残ったアプリのウィンドウサイズは変更されません。一方で、いずれかのアプリのサムネイルをクリックすると、そのアプリが残った画面の半分に表示されます。

Section 09 よく使うアプリをピン留めする

覚えておきたいキーワード
- ピン留め
- タスクバー
- <スタート>メニュー

アプリは、タスクバーにピン留めできます。アプリをピン留めしておくと、タスクバーのアプリボタンをクリックするだけで目的のアプリをかんたんに起動できます。アプリのピン留めは、<スタート>メニューから行う方法と、起動中のアプリをタスクバーからピン留めする方法があります。

1 <スタート>メニューからピン留めする

キーワード ピン留めとは？

「ピン留め」とは、あらかじめ決められた場所（タスクバーや<スタート>メニュー）にアプリの起動用ボタンを表示する機能です。ピンでアプリを留めておくようなイメージで、ピン留めされたアプリは、タスクバーや<スタート>メニューのボタンやタイルをクリックすることで起動できます。

ヒント <スタート>メニューにピン留めする

タスクバーだけではなく、<スタート>メニューにもアプリをピン留めできます。設定方法は、手順2を参考に<スタート>メニュー上でピン留めしたいアプリを右クリックし、表示されるメニューから<スタートにピン留めする>をクリックすると、タイルとして表示されます。

1 <スタート>メニューを開きます。

2 ピン留めしたいアプリ（ここでは、<メモ帳>）を右クリックし、

3 <その他>をクリックし、

4 <タスクバーにピン留めする>をクリックします。

5 選択したアプリ（ここでは、「メモ帳」）がタスクバーにピン留めされ、ボタンが表示されます。

2 起動中のアプリをタスクバーからピン留めする

1 ピン留めしたいアプリ（ここでは、＜メモ帳＞）を右クリックし、

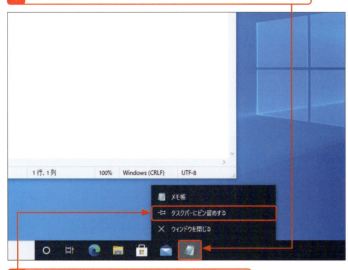

2 ＜タスクバーにピン留めする＞をクリックすると、

3 選択したアプリ（ここでは、「メモ帳」）がタスクバーにピン留めされ、ボタンが表示されます。

ヒント　タブレットモードの場合は？

タブレットモード（P.214参照）では、通常、タスクバーに起動中のアプリのボタンは表示されません。タスクバーを右クリックし、表示されるメニューから＜アプリのアイコンを表示＞を選択することで、アプリのボタンが表示されるようになります。左の手順を参考にアプリをピン留めしてください。

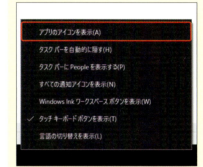

3 ピン留めを外す

1 ピン留めを外したいアプリ（ここでは、＜メモ帳＞）を右クリックし、

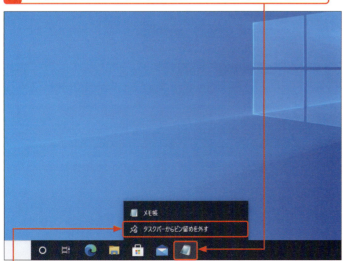

2 ＜タスクバーからピン留めを外す＞をクリックすると、

3 選択したアプリ（ここでは、「メモ帳」）のピン留めが解除されます。

メモ　＜スタート＞メニューからピン留めを外す

＜スタート＞メニューからピン留めを外すときは、アプリ（タイル）を右クリックし、表示されるメニューから＜スタートからピン留めを外す＞をクリックします。

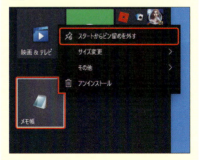

Section 10 タスクビューを利用する

覚えておきたいキーワード
- ☑ タスクビュー
- ☑ 仮想デスクトップ
- ☑ 複数アプリ

Windows 10は、タスクビューと仮想デスクトップという、複数のアプリを利用するときに便利な機能を搭載しています。これらの機能を活用すると、複数のアプリを利用するときに作業効率をアップできます。ここでは、タスクビューと仮想デスクトップの使い方を解説します。

1 タスクビューを表示する

🔍 キーワード　タスクビューとは？

「タスクビュー」は、利用中のアプリをサムネイルで一覧表示したり、アプリの利用履歴を表示するタイムライン（P.48参照）を表示したりする機能です。アプリのサムネイルをクリックするとアプリの切り替えを行えるほか、タスクビューからアプリごとに専用のデスクトップを作成することもできます。

💡 ヒント　アクティブウィンドウを切り替える

タスクビューでアクティブウィンドウを切り替えたいときは、手順 2 の画面で利用したいアプリのサムネイルをクリックします。

📝 メモ　キーボードショートカットを利用する

タスクビューは、キーを押しながら、Tabキーを押すことでも表示できます。

📝 メモ　デスクトップに戻る

タスクビューの表示からデスクトップに戻りたいときは、再度をクリックするか、タスクビューのサムネイルが表示されていない場所をクリックします。

1 をクリックすると、

2 タスクビューが表示され、

3 利用中のアプリやアプリの利用履歴がサムネイルで一覧表示されます。

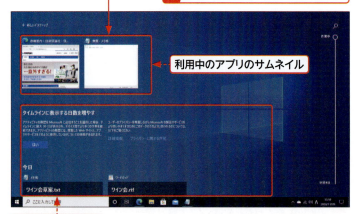

利用中のアプリのサムネイル

アプリの利用履歴

2 新しいデスクトップを作成する

1 をクリックして、

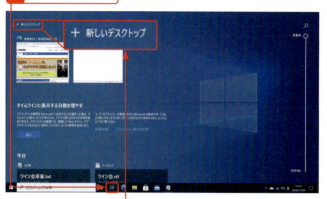

2 ＜新しいデスクトップ＞をクリックします。

3 新しいデスクトップが作成されます。

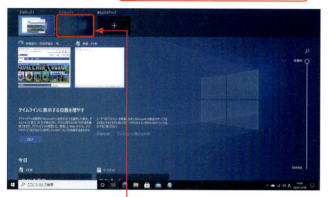

4 作成されたデスクトップ（ここでは、＜デスクトップ2＞）をクリックします。

5 新しいデスクトップが表示されます。

6 アプリ（ここでは、「エクスプローラー」）をクリックすると、

7 新しいデスクトップでエクスプローラーが起動します。

キーワード　仮想デスクトップとは？

「仮想デスクトップ」は、デスクトップを複数作成できる機能です。複数のアプリを起動している際に、アプリごとの専用デスクトップを作成すれば作業がはかどります。画面サイズが小さいノートパソコンなどで、多数のアプリを利用するときに便利な機能です。なお、タブレットモードの場合は、仮想デスクトップを作成できません。

ステップアップ　仮想デスクトップの名前を変更する

仮想デスクトップは名前を変更できます。名前を変更したいときは、該当する仮想デスクトップを右クリックし、＜名前の変更＞をクリックします。

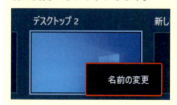

ステップアップ　既存のデスクトップにアプリを移動する

タスクビューから既存のデスクトップに利用中のアプリのサムネイルをドラッグ＆ドロップすると、そのアプリをドラッグ＆ドロップしたデスクトップに移動できます。また、移動したいアプリのサムネイルを右クリックし、＜移動先＞にマウスポインターを置き、移動先のデスクトップをクリックすることでもアプリを移動できます。

3 デスクトップを切り替える

タッチ　タッチ操作の場合は?

タッチ操作で利用しているときは、■をタップすることでタスクビューを表示できるほか、画面左端の外側から内側(右側)に向けてスワイプすることでもタスクビューを表示できます。

メモ　切り替えを中断したいときは?

手順 2 でデスクトップの切り替えを中断し、もとのデスクトップ(手順 1 の画面)に戻りたいときは、もとのデスクトップ(ここでは、<デスクトップ2>)をクリックするか、何も表示されていない場所をクリックします。

ヒント　仮想デスクトップ利用中の表示について

仮想デスクトップを利用している場合、タスクビューには、選択中の仮想デスクトップで利用しているアプリのサムネイルが表示されます。選択中の仮想デスクトップは、水色の枠で囲まれています。仮想デスクトップで利用しているアプリの確認は、仮想デスクトップの上にマウスポインターを移動させることで行えます。

1 ■をクリックします。

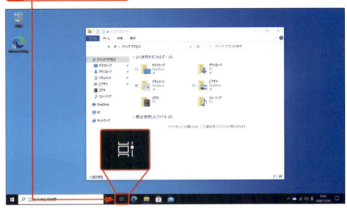

2 タスクビューが表示されます。

3 切り替えたいデスクトップ(ここでは、<デスクトップ1>)をクリックします。

4 デスクトップが切り替わります。

Section 10 タスクビューを利用する

4 追加したデスクトップを終了する

1 をクリックし、

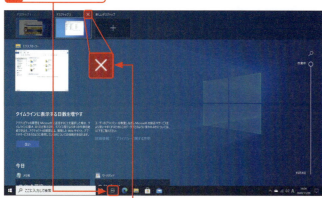

メモ アプリは終了しない

追加したデスクトップを終了すると、その時点で利用していたアプリは、1つ前のデスクトップに移動します。

2 終了したいデスクトップにマウスポインターを置き、表示されるをクリックします。

3 選択したデスクトップが終了します。

ヒント ウィンドウをすべてのデスクトップに表示する

手順**1**の画面で、すべてのデスクトップに表示したいアプリを右クリックし、表示されるメニューから＜このアプリのウィンドウをすべてのデスクトップに表示する＞をクリックすると、選択したアプリウィンドウをすべてのデスクトップに表示できます。また、＜このウィンドウをすべてのデスクトップに表示する＞をクリックすると、選択したウィンドウをすべてのデスクトップに表示します。この方法は、1つのアプリで複数のウィンドウを表示しており、特定のウィンドウのみをすべてのデスクトップに表示したいときに利用します。

4 何もない場所をクリックします。

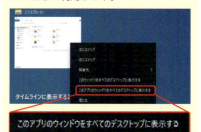

5 終了したデスクトップで利用していたアプリは1つ前のデスクトップに移動します。

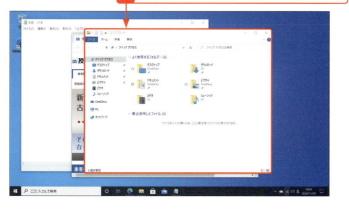

第2章 Windows 10の基本操作

47

Section 11 タイムラインを便利に使う

覚えておきたいキーワード
- ☑ タイムライン
- ☑ アクティビティ
- ☑ 履歴

タイムラインは、Webの閲覧やアプリを利用して閲覧、編集したファイルの**履歴を表示する機能**です。表示できる履歴は、タイムラインに対応したアプリのみという制限はありますが、かんたんな操作で、過去に閲覧したことがあるWebページを表示したり、ファイルを開いたりできます。

1 タイムラインを表示する

キーワード タイムラインとは？

「タイムライン」とは、ユーザーが行ったWebの閲覧やアプリで閲覧、編集したファイルなどのアクティビティの履歴を記録する機能です。同一のMicrosoftアカウントでサインインすることで、複数の機器のアクティビティの履歴を共有できます。

① 🔲 をクリックすると、

② タスクビューが表示され、

メモ タイムラインの利用条件について

Microsoft Edgeで閲覧したWebページの履歴をタイムラインに表示するには、Google Chrome用に提供されている拡張機能をインストールする必要があります（本稿執筆時点）。拡張機能のインストールについては、P.126の「メモ」を参照してください。また、ファイルの履歴は、そのファイルを利用したことの履歴のみが記録され、編集内容を遡れるわけではありません。

③ タイムラインが表示されます。

4 を下方向にドラッグすると、

右の「メモ」参照。

5 過去のアクティビティの履歴を表示できます。

2 タイムラインを検索する

1 をクリックします。

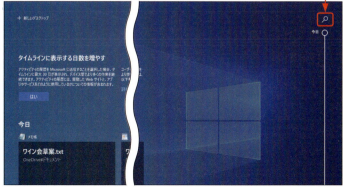

メモ タイムラインに表示する日数を増やす

タイムラインに表示される履歴は、通常、当日を含めて最大4日となっていますが、アクティビティの履歴をマイクロソフトに送信する設定を行うと、タイムラインに表示する日数を最大30日に増やすことができます。タイムラインに表示する日数を増やしたいときは、タスクビューの「タイムラインに表示する日数を増やす」の＜はい＞をクリックします。

ヒント アクティビティをすべて表示する

1日の履歴が一定数を超える場合、日付の横に＜○（数字）アクティビティをすべて表示＞が表示されます。これをクリックすると、その日のすべての履歴が表示されます。なお、1日に履歴として表示できる数は、パソコンの画面サイズによって異なります。

メモ アクティビティの履歴の検索

アクティビティの履歴は、をクリックすることで検索することができます。日々利用しているとWebの閲覧履歴やファイルの閲覧、編集履歴は膨大になり、目的のアクティビティの履歴を見つけにくくなります。そのようなときは、左の手順で検索を行いましょう。

Section 11 タイムラインを便利に使う

ヒント 検索を解除する

検索ボックスの×をクリックすると、入力したキーワードがクリアされ、検索結果がクリアされます。

2 検索ボックスが表示されるので、キーワード（ここでは、「anago」）を入力すると、

3 検索結果が表示されます。

3 過去に利用したファイルやWebページを表示する

メモ Webページを選択したときは？

右の手順では、ファイルのアクティビティの履歴をクリックしたので、そのファイルがアプリに読み込まれて起動していますが、Webページをクリックすると、Webページが表示されます。なお、Microsoft Edgeで閲覧したWebページの履歴をタイムラインに表示するには、Google Chrome用に提供されている拡張機能をインストールする必要があります（本稿執筆時点）。詳細については、P.126の「メモ」を参照してください。

1 をクリックしてタイムラインを表示し、

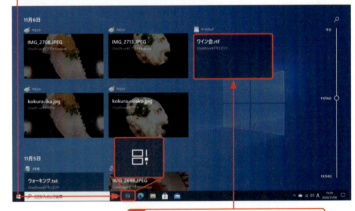

2 過去のアクティビティの履歴（ここでは＜ワイン会.rtf＞）をクリックすると、

3 Webページまたはファイルが表示されます。

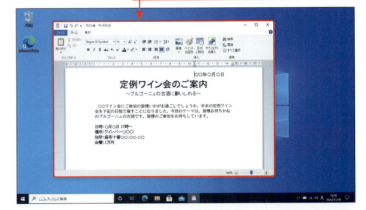

4 タイムラインの履歴を削除する

1 田をクリックしてタイムラインを表示し、

2 削除したいアクティビティの履歴（ここでは＜IMG_2708.JPEG＞）を右クリックして、

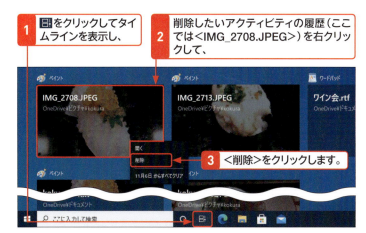

3 ＜削除＞をクリックします。

4 アクティビティの履歴が削除されます。

メモ 特定の日の履歴をすべて削除する

特定の日時のアクティビティの履歴をすべて削除したいときは、左の手順3で＜今日からすべてクリア＞または＜○月○日からすべてクリア＞をクリックします。当日のアクティビティの場合は、＜今日から...＞と表示され、特定の日付の場合は＜○月○日から...＞と表示されます。また、特定の日時の「すべてのアクティビティ」を表示しているときは、「14:00からすべてクリア」など特定の時間以降の履歴をすべて削除することもできます。

メモ タイムラインの設定を行う

タイムラインの詳細な設定は、「設定」の「プライバシー」カテゴリ内にある「アクティビティの履歴」で行います。「アクティビティの履歴」では、すべてのアクティビティの履歴を削除できるほか、履歴の利用の有無などが設定できます。また、＜アクティビティの履歴をMicrosoftに送信する＞をオンにすると、最大30日間のアクティビティの履歴が表示できます。「アクティビティの履歴」画面は、次の手順で表示できます。

1 P.28の手順で「設定」を表示し、

2 ＜プライバシー＞をクリックします。

3 ＜アクティビティの履歴＞をクリックすると、

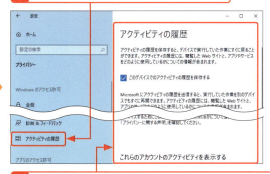

4 アクティビティの履歴に関する詳細な設定を行えます。

Section 12 日本語を入力する

覚えておきたいキーワード
- ☑ 半角／全角キー
- ☑ 変換
- ☑ 日本語入力モード

Windows 10では、日本語が入力できるモードと英語や半角数字が入力できるモードを切り替えながら、文字を入力します。ここでは、日本語入力に切り替える方法や文字を入力する方法を解説します。また、タブレットのタッチキーボードの操作方法もあわせて解説します。

1 日本語入力に切り替える

メモ　半角／全角キーを利用する

日本語入力の有効／無効は、キーボードの半角／全角キーを押すことで切り替えられます。日本語入力が有効時に半角／全角キーを押すと、半角英数字の入力モードになります。再度、半角／全角キーを押すと、日本語入力モードに戻ります。なお、英語キーボードなどの半角／全角キーが備わっていないキーボードを利用している場合は、Altキーを押しながら、`キーを押すと、日本語入力の有効／無効を切り替えられます。

キーワード　全角／半角とは？

「全角文字」とは、文字の縦幅と横幅が同じサイズの文字のことです。「半角文字」とは、全角文字の横幅を半分にしたサイズの文字のことです。通常、日本語は全角文字で入力します。

ここでは、あらかじめ「メモ帳」を起動しておきます（P.36参照）。

1 通知領域にある日本語入力の状態を示すボタンを確認します。と表示されているときは、半角／全角キーを押します。

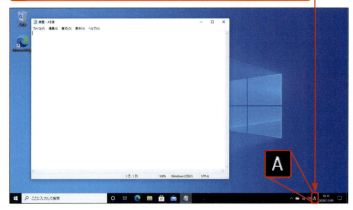

↓

2 入力モードの表示があに切り替わり、日本語入力が有効になります。

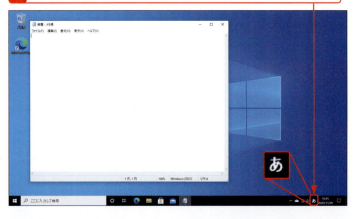

2 タッチキーボードで日本語入力に切り替える

ここでは、「メモ帳」を例に日本語入力の切り替え方法を解説します。

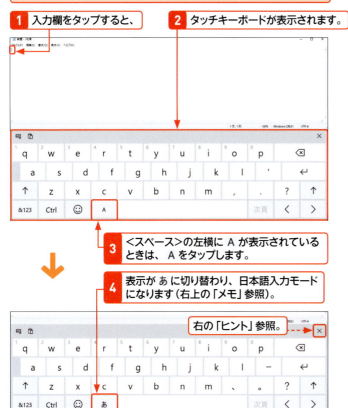

1 入力欄をタップすると、
2 タッチキーボードが表示されます。
3 <スペース>の左横に A が表示されているときは、A をタップします。
4 表示が あ に切り替わり、日本語入力モードになります（右上の「メモ」参照）。
右の「ヒント」参照。

メモ タッチキーボードの場合は？

タッチキーボードの入力モードは、<スペース>の左横にあるキーで切り替えます。A と表示されているときは「半角英数字」入力モード、あ と表示されているときは「日本語」入力モードです。

メモ タッチキーボードが表示されない場合は？

タッチキーボードの自動表示は、タブレットモードで利用しているときにのみ有効な機能です。アプリの入力欄をタップしてもタッチキーボードが表示されないときは、通知領域にある ▭ をタップします。また、▭ が表示されていないときは、タスクバーを長押しし、四角の枠が表示されたら指を離して、<タッチキーボードボタンを表示>をタップすると、通知領域に ▭ が表示されます。

ヒント タッチキーボードを閉じる

タッチキーボードを閉じたいときは、右上の × をタップします。

メモ タッチキーボードのレイアウトを変更する

タッチキーボードには、上の手順 **1** で表示されているワイドキーボードのほか、フリック入力に適した「かな10キー入力」、分割キーボード、片手用QWERTYキーボード、スクリーンキーボードと同じレイアウトの標準キーボード、手書き入力など複数のレイアウトが用意されています。キーボードレイアウトの変更は、次の手順で行えます。

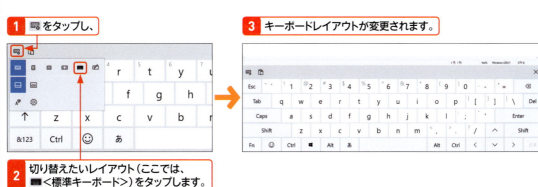

1 ▭ をタップし、
2 切り替えたいレイアウト（ここでは、▭<標準キーボード>）をタップします。
3 キーボードレイアウトが変更されます。

3 漢字変換を行う

 ローマ字入力で入力する

日本語は、ローマ字入力で入力します。右の例の「にほん」は、NIHONNの順にキーを押して、入力します。

 入力モードを切り替える

日本語をローマ字で入力することを「ローマ字入力」と呼び、ひらがなで入力することを「かな入力」と呼びます。この入力モードは、通知領域にある入力モードを示すボタンを右クリックし、＜かな入力＞から切り替えることができます。

タッチ タッチキーボードの場合は？

タッチキーボードの場合は、漢字の読みを入力すると、変換候補が横並びに表示されます。目的の候補をタップすると文字が確定します。変換したい文字がリストにない場合は、候補のリストをスライドすると次の候補が表示されます。

スライドすると候補が表示され、候補をタップすると確定します。

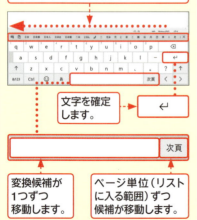

文字を確定します。

変換候補が1つずつ移動します。

ページ単位（リストに入る範囲）ずつ候補が移動します。

ここでは、パソコンにつながっているキーボードで入力する方法を、P.53の続きで説明しています。

1 漢字の読み（ここでは、「にほん」）と入力すると、

2 変換候補のリストが表示されます。

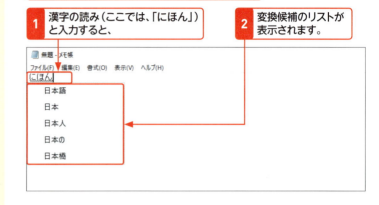

3 候補を↑↓キーで選択し、

4 Enterキーを押します。

5 文字が確定されます。

6 Enterキーを押すと、

7 改行されます。

4 スペースキーで漢字変換を行う

1 漢字の読み（ここでは、「かんじ」）と入力し、スペースキーを押します。

2 第一候補が表示されます。

3 再度、スペースキーを押します。

4 そのほかの候補を示すウィンドウが表示されます。

5 スペース↑↓などの各キーで候補を選択し、Enterキーで確定します。

右下段の「ヒント」参照。

メモ スペースキーで変換する

目的と異なる変換候補が表示されたり、変換候補が何も表示されないときは、左の手順を参考にスペースキーを利用します。

ヒント 小さい「っ」を入力する

ローマ字入力で小さい「っ」を入力したいときは、LTUまたはXTUの順にキーを押します。また、N以外の子音を連続することでも小さい「っ」を入力できます。たとえば、ITTAの順にキーを押すと、「いった」と入力されます。

ヒント 多くの変換候補を表示する

▶ をクリックすると、さらに多くの変換候補を表示できます。

5 入力ミスを修正する

ヒント Deleteキーでも削除できる

右の手順ではBackspaceキーを使用していますが、Deleteキーでも文字を削除できます。Backspaceキーは|（点滅する縦棒）の直前にある文字を削除し、Deleteキーは|の直後の文字を削除します。

メモ 変換してしまったときは？

文字の入力後に表示される変換候補の上にマウスポインターを置くと、入力した文字がその候補に変換されます。もとの「ひらがな」に戻したいときは、F6キーを押します。

タッチ タッチキーボードで文字を削除する

タッチキーボードでは、＜または＞をタップして、入力ミスした部分まで|（点滅する縦棒）を移動させ、⌫（Backspace）をタップして、文字を削除します。

ステップアップ 変換キーとスペースキーの違いは？

変換キーとスペースキーは、いずれも変換に用いるキーですが、Windows 10の日本語入力アプリであるMicrosoft IMEでは、若干役割が異なります。入力／変換済みの単語のあとに|（点滅する縦棒）がある場合、スペースキーを押すと空白が入力されますが、変換キーの場合は再変換が実行されます。

---

1 文字（ここでは、「にほんいっしゅうりょこう」）と入力します。

2 入力ミスした末尾の部分まで、←キーを押して、|（点滅する縦棒）を移動させます。

3 Backspaceキーを押して、間違えた文字（ここでは、「にほん」）を削除します。

4 文字（ここでは、「せかい」）を入力して、

5 スペースキーを押すと、正しく変換されます。

6 Enterキーを押すと、

7 文字が確定されます。

8 Enterキーを押します。

6 カタカナや英数字に変換する

1 文字（ここでは、「ぎじゅつたろう」）と入力し、

2 F7キーを押します。

3 入力した文字が全角カタカナに変換されます。

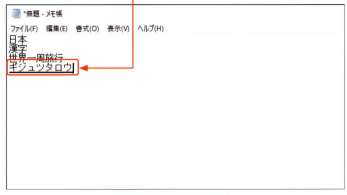

4 F10キーを押します。

5 入力した文字が半角英数字に変換されます。

ヒント 半角カタカナ、全角英数字に変換する

手順**2**で、F8キーを押すと半角カタカナに変換されます。手順**4**でF9キーを押すと、全角英数字に変換されます。

半角カタカナ

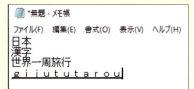

全角英数字

タッチ タッチ操作で変換する

タッチ操作で表示されるキーボードは、通常はF1 F2などのキーがありません。カタカナや英数字に変換したいときは、目的の候補が表示されるまで候補のリストをスライドするか、次頁をタップします。

Section 13 アルファベットや記号を入力する

覚えておきたいキーワード
- ☑ アルファベット
- ☑ 大文字／小文字
- ☑ 特殊記号

ここでは、大文字または小文字のアルファベットを入力する方法や特殊記号を入力する方法を解説します。アルファベットの入力は、日本語が入力できるモードをオフにすることで入力します。また、大文字や特殊記号は、キーボードのShiftキーを押しながら入力します。

1 アルファベットを入力する

👆 タッチ　タッチキーボードで入力するには？

タッチキーボードでは、＜スペース＞の横に あ が表示されていると、日本語入力モードです。あ をタップすると、表示が A に切り替わり、半角英数字入力モードになります。

1 半角/全角 キーを押し、

2 通知領域にある日本語入力の状態を示すボタンを A に切り替え、入力モードを「半角英数字」にします。

3 アルファベットを入力します（ここでは、「windows」）。日本語と異なり、確定操作は必要ありません。

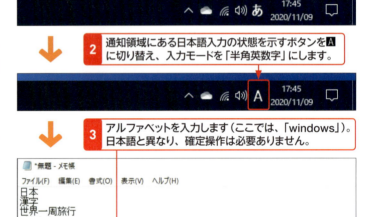

大文字を入力する

1 キーボードの Shift キーを押しながら、

2 大文字入力したいキー（ここでは、A キー）を押します。

📝 メモ　ボタンをクリックして切り替える

デスクトップでは、通知領域にある入力モードの状態を示す A／あ をクリックすることでも、日本語入力の有効／無効を切り替えられます。

3 大文字（ここでは、「A」）が入力されます。

2 特殊記号を入力する

1 キーボードのShiftキーを押しながら、

2 入力したい特殊記号（ここでは、□キー）を押します。

3 特殊記号（ここでは、「_（アンダースコア）」）が入力されます。

メモ 特殊記号を入力する

Shiftキーを押しながら入力すると、アルファベット以外のキーの場合は、キーに刻印されている上の記号が入力されます。

タッチ タッチキーボードの場合は？

タッチキーボードの場合は、&123をタップすると、特殊記号を入力できます。

メモ 絵文字や顔文字、記号を一覧から入力する

⊞キーを押しながら．キーを押すと、絵文字や顔文字、記号の一覧を表示する画面を表示できます。このショートカットキーを使うと、かんたんに絵文字や顔文字、記号の入力を行えます。なお、顔文字や一部の記号は、機種依存文字と呼ばれ、Windows同士以外では正常に表示できない場合があります。使用するときは注意してください。

Section 14 日本語入力のカスタマイズを行う

覚えておきたいキーワード
- Microsoft IME
- IMEツールバー
- 設定

Windows 10に備わっている日本語入力機能は、Microsoft IMEの設定を開くことで、さまざまなカスタマイズを行えます。また、「IMEツールバー」を表示することでツールバーから各種操作をかんたんに行えます。ここでは、Microsoft IMEの設定の開き方やIMEツールバーの表示方法を紹介します。

1 Microsoft IMEの設定を開く

メモ Microsoft IMEの設定とは

Microsoft IMEの設定画面では、日本語入力の詳細なカスタマイズが行えます。変換候補に表示する文字の種類（ひらがな、全角カタカナ、半角カタカナ、ローマ字）や句読点の種類などの入力設定のほか、無変換キーや変換キーを押したときの動作、学習方法の設定や辞書への単語の登録、デザインなどの各種設定が行えます。

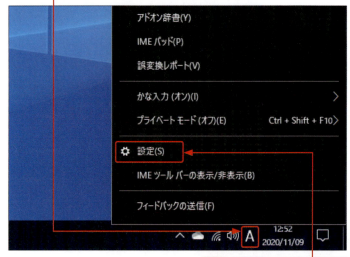

1. 通知領域の A または あ を右クリックし、
2. ＜設定＞をクリックします。
3. Microsoft IMEの設定画面が表示されます。

ヒント 変換候補に半角カタカナを表示する

変換候補に半角カタカナを表示したいときは、右の手順3の画面で＜全般＞をクリックし、「文字の種類と文字セット」の＜半角カタカナ＞の□をクリックして、✓にします。

2 IMEツールバーを表示する

1 通知領域の A または あ を右クリックし、

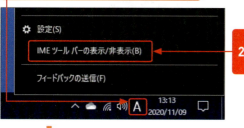

2 ＜IMEツールバーの表示/非表示＞をクリックします。

3 IMEツールバーが表示されます。

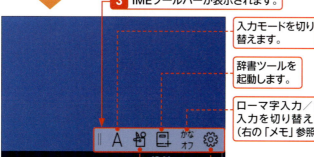

- 入力モードを切り替えます。
- 辞書ツールを起動します。
- ローマ字入力/かな入力を切り替えます（右の「メモ」参照）。
- IMEパッド（手書き入力画面）を表示します。
- 設定メニューを表示します。

メモ ローマ字/かな入力を切り替える

IMEツールバーからローマ字/かな入力を切り替えたいときは、 をクリックし、＜かな入力＞または＜ローマ字入力＞をクリックします。

ヒント IMEツールバーを非表示にする

左のIMEツールバーの表示を行った手順を再度行うと、IMEツールバーを非表示に戻せます。

メモ 古いバージョンのIMEを使用する

Windows 10に備わっている日本語入力機能を使用して、不具合などが発生している場合は、古いバージョンのIMEを使用することで、発生中の不具合を回避できる場合があります。古いバージョンのIMEを使用したいときは、以下の手順で行います。

1 P.60の手順でMicrosoft IMEの設定画面を表示します。

2 ＜全般＞をクリックします。

3 画面をスクロールして、

4 「互換性」の＜以前のバージョンのMicrosoft IMEを使う＞の ● をクリックし、

5 ダイアログボックスが表示されたら、＜OK＞をクリックします。

Section 15 アプリを終了する

覚えておきたいキーワード
- ☑ 保存
- ☑ ファイル
- ☑ 終了

「メモ帳」などで文書を作成したときには、入力した内容が消えないようにするために、アプリを終了する前に保存しておきましょう。ここでは、メモ帳で作成した文書に名前を付けて、ファイルとして保存し、アプリを終了する方法を解説します。

1 ファイルを保存する

メモ ファイルの保存とは？

メモ帳などのように新規のデータ（文書）を作成するアプリでは、作業結果をファイルに保存できます。作業結果をファイルに保存しておくと、あとからファイルを再編集することができます。

1 ＜ファイル＞をクリックし、

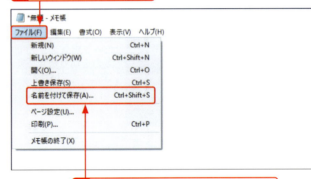

2 ＜名前を付けて保存＞をクリックします。

3 ファイルの名前（ここでは、「文字入力の練習」）を入力し、

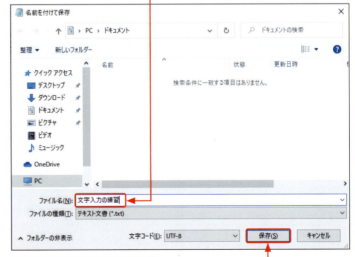

4 ＜保存＞をクリックすると、

5 ファイルが保存されます（ここでは、「ドキュメント」フォルダー）。

ヒント 上書き保存とは？

ファイルの保存方法には、＜名前を付けて保存＞と＜上書き保存＞があります。＜上書き保存＞は、同じファイル名で保存されて、保存先のフォルダー内にあるもとのファイルは、内容が上書きされます。

メモ ファイル名には使えない文字がある

ファイル名には、使えない文字があります。以下の半角文字は、ファイル名には使えません。

¥ / ? : * " > < |

6 タイトルバーにファイル名が表示されます。

```
文字入力の練習 - メモ帳
ファイル(F)  編集(E)  書式(O)  表示(V)  ヘルプ(H)
日本
漢字
世界一周旅行
gijututarou
windows
A
_
```

キーワード　ファイルとは?

「ファイル」とは、データをまとめたものです。Windows 10では、さまざまなデータをファイル単位で管理しています。たとえば、デジタルカメラで撮影した写真は、それぞれ単独のファイルとして管理されています。

2 アプリを終了する

1 終了したいアプリ（ここでは、「メモ帳」）の × をクリックすると、

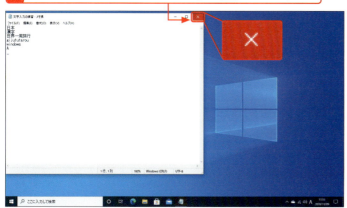

メモ　メニューからアプリを終了する

ここでは、× をクリックして、アプリを終了していますが、アプリの＜ファイル＞メニューをクリックし、＜○○の終了＞をクリックすることでもアプリを終了することができます。

↓

2 対象のアプリが終了します。

メモ　ファイルに保存せずに終了しようとすると

編集した内容をファイルに保存せずにアプリを終了しようとすると、保存するかどうかをたずねるダイアログボックスが表示されます。

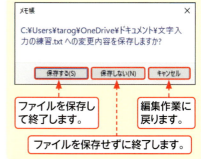

ファイルを保存して終了します。
ファイルを保存せずに終了します。
編集作業に戻ります。

メモ　クリップボード履歴を利用する

クリップボード履歴を利用すると、WebページやWord文書などからコピーした文字列を入力中の文書などに貼り付けることができます。クリップボードとは、コピーした文字列や画像などを一時的に保管しておく作業場です。クリップボード履歴は、クリップボードに保管されている情報の履歴を表示し、再利用できる機能です。通常は、パソコンを再起動したり、シャットダウンしたりするとクリップボードの内容は消えてなくなりますが、クリップボード履歴では、使用頻度が高い文字列などをピン留めして常時利用することもできます。クリップボード履歴は、⊞キーを押しながら、Ⅴキーを押すと表示されます（この操作をはじめて行った場合は、この機能を利用するかどうかの確認画面が表示されます）。タッチキーボードを利用しているときは、をタップすると表示されます。なお、クリップボード履歴を有効にした直後は、最後にコピーした文字列や画像のみしか表示されません。次回以降は、Windows 10を起動中にコピーした文字列や画像などが随時保存され、履歴を遡ることができます。

はじめて利用する場合

1 ⊞キーを押しながら、Ⅴキーを押します。

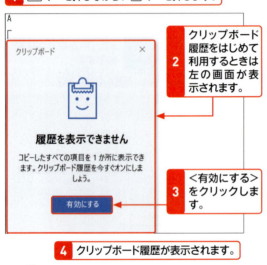

2 クリップボード履歴をはじめて利用するときは左の画面が表示されます。

3 ＜有効にする＞をクリックします。

4 クリップボード履歴が表示されます。

5 最後にコピーした文字列（ここでは、＜タッチキーボード＞）などが表示されるので、クリックすると、

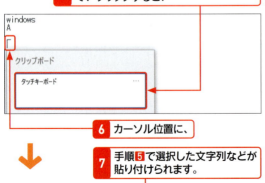

6 カーソル位置に、

7 手順5で選択した文字列などが貼り付けられます。

複数の候補がある場合

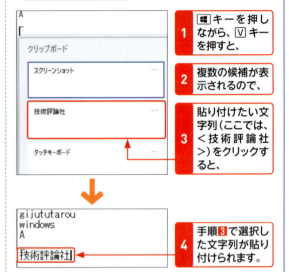

1 ⊞キーを押しながら、Ⅴキーを押すと、

2 複数の候補が表示されるので、

3 貼り付けたい文字列（ここでは、＜技術評論社＞）をクリックすると、

4 手順3で選択した文字列が貼り付けられます。

履歴をピン留めする

1 ⊞キーを押しながら、Ⅴキーを押すと、

2 複数の候補が表示されるので、

3 …をクリックし、

4 ＜ピン留めする＞をクリックすると、その履歴がピン留めされます。

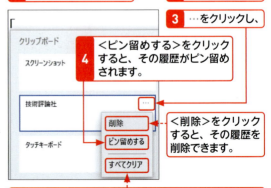

＜削除＞をクリックすると、その履歴を削除できます。

＜すべてクリア＞をクリックすると、ピン留めされた履歴を残し、ほかの履歴をすべて削除します。

Chapter 03

第3章

ファイルやフォルダーの基本操作

Section 16 ファイルやフォルダーを表示する
17 ファイルやフォルダーの名前を変更する
18 新しいフォルダーを作成する
19 ファイルやフォルダーをコピーする
20 ファイルやフォルダーを移動／削除する
21 ファイルを圧縮／展開する
22 USBメモリーを利用する
23 CD-RやDVD-Rなどへ書き込みを行う
24 ファイルを検索する

Section 16 ファイルやフォルダーを表示する

覚えておきたいキーワード
- ☑ エクスプローラー
- ☑ ドキュメントフォルダー
- ☑ リボン

Windows 10には、エクスプローラーというファイルやフォルダーを操作するためのアプリが用意されています。エクスプローラーを使うと、フォルダーの内容を表示したり、ファイルやフォルダーのアイコンの大きさを変えたりすることができます。ここではエクスプローラーの概要を解説します。

1 エクスプローラーでフォルダーの内容を表示する

キーワード エクスプローラーとは?

「エクスプローラー」は、ファイルやフォルダーを操作するために用意されたアプリです。デスクトップでファイルやフォルダーの複製、移動、削除、名前の変更などの各種操作を行うときに利用します。

1 タスクバーの<エクスプローラー>をクリックすると、

2 エクスプローラーが起動します。

メモ タブレットモードの場合は?

タブレットモードでは、タスクバーにエクスプローラーのボタンが表示されません。エクスプローラーを起動するには、をクリックし、<Windows システムツール>→<エクスプローラー>の順にクリックして起動します。

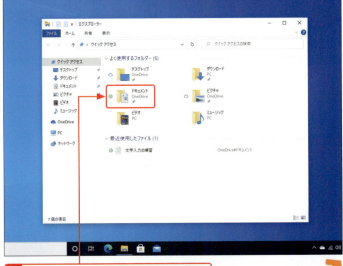

3 <ドキュメント>をダブルクリックすると、

4 「ドキュメント」フォルダーの内容が表示されました。

メモ アイコンの大きさを変更するには？

エクスプローラーで表示されるファイルやフォルダーのアイコンは、大きさを変更できます。アイコンの大きさを変更したいときは、＜表示＞タブをクリックして、アイコンの大きさを選択します。ここでは、アイコンの大きさを「詳細」で解説しています。

メモ エクスプローラーの画面構成

ファイルやフォルダーの操作に使用するエクスプローラーは、起動するとあらかじめ用意されているフォルダーやよく使用するフォルダー、最近使用したファイルなどが表示されます。エクスプローラーは、以下のような画面構成となっています。

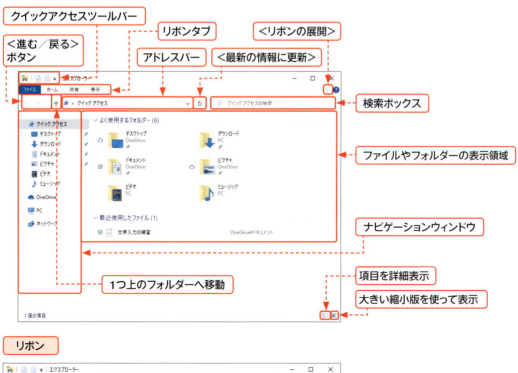

Section 17　ファイルやフォルダーの名前を変更する

覚えておきたいキーワード
- ファイル／フォルダー
- 名前の変更
- エクスプローラー

アプリで作成したファイルの名前やファイルを分類して整理するときに使用されるフォルダーの名前は、Windows 10に標準で用意されているエクスプローラーを利用して変更できます。ここでは、ファイルやフォルダーの名前を変更する方法を解説します。

1 ファイルの名前を変更する

メモ　同じ名前のファイルを作ろうとすると

ここでは、ファイルの名前を変更する方法について解説していますが、フォルダーの名前も同じ手順で変更できます。ただし、同じ名前のファイルやフォルダーを作ろうとすると、以下のようなダイアログボックスが表示されます。

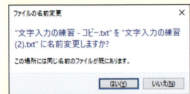

ヒント　ファイルを間違って選択したときには？

名前を変更したいファイルやフォルダーを間違って選択したときは、画面の何も表示されていない部分をクリックすると、選択を解除できます。

メモ　ファイル名には使えない文字がある

一部の文字はファイル名に含めることができません。以下の半角文字は、ファイル名には使えません。

1　名前を変更したいファイル（ここでは、「文字入力の練習」）をクリックして選択します。

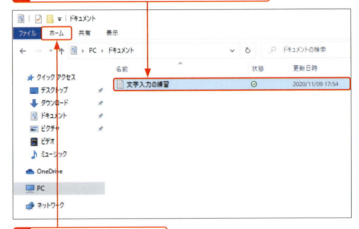

2　＜ホーム＞タブをクリックし、

3　＜名前の変更＞をクリックします。

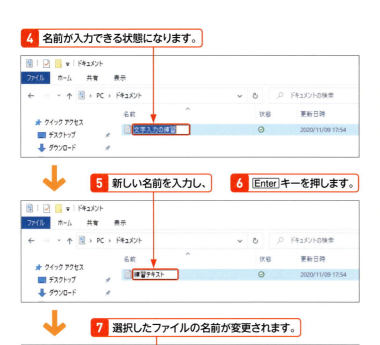

ヒント 名前の一部だけを変更するには

手順④ではファイルの名前が全選択された状態になり、何かキーを押すとすべて消えてしまいます。名前の一部だけを変更したい場合は、手順④で→キーを押します。全選択が解除されて、名前の右端に｜（点滅する縦棒）が表示されるので、←キーを押して変更したい文字の後ろまで｜（点滅する縦棒）を移動します。その後、Backspaceキーで不要な文字を削除して、新しい名前を入力します。

メモ そのほかの名前の変更方法

ファイルやフォルダーの名前の変更は、右クリックメニューを表示することでも行えます。

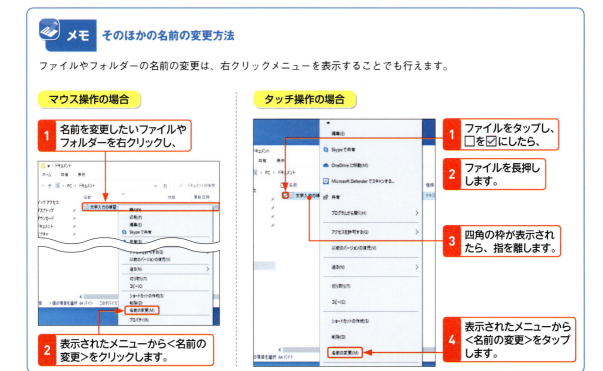

Section 18 新しいフォルダーを作成する

覚えておきたいキーワード
- エクスプローラー
- 新しいフォルダー
- 右クリックメニュー

フォルダーは、ファイルを分類して整理するときに利用する「保管場所」です。フォルダーを利用して関係のあるファイルをまとめて保存しておけば、目的のファイルを見つけやすくなります。ここでは、新しいフォルダーの作成方法を解説します。

1 エクスプローラーで新しいフォルダーを作成する

ヒント フォルダー内にもフォルダーを作成できる

フォルダー内には、ファイルを保存するだけでなく別のフォルダーを作成できます。フォルダー内にファイルが増えてきたら、さらにフォルダーを作成して整理できます。フォルダーは、ファイルと同様に自由に名前を付けることができます。

メモ フォルダー名に使えない文字は?

一部の文字はフォルダー名に含めることができません。以下の半角文字は、フォルダー名には使えません。

¥ / ? : * " > < |

ヒント 間違った名前を付けたときは?

フォルダーに間違った名前を付けたときは、P.68〜69の手順を参考にフォルダー名を変更します。なお、手順 5 で Enter キーを押した直後であれば、Ctrl キーと Z キーを同時に押すことによって、変更する前のファイル名に戻すこともできます。

1 <ホーム>タブをクリックし、
2 <新しいフォルダー>をクリックすると、

3 新しいフォルダーが作成されます。

4 名前が入力できる状態になっているので、名前(ここでは、「練習」)を入力し、

5 Enter キーを押します。

6 手順4で入力した名前のフォルダーが作成されました。

ヒント キーボードショーカットで作成する

新しいフォルダーは、キーボードショートカットで作成することもできます。作成先のフォルダーを開いておいて、Ctrlキーを押しながらShiftキーを押し、続けてNキーを押します。新しいフォルダーが作成されます。

2 デスクトップに新しいフォルダーを作成する

1 デスクトップの何もない場所で右クリックし、

2 メニューが表示されたら、<新規作成>をクリックして、

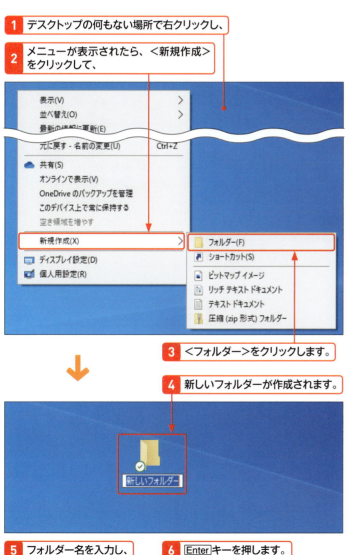

3 <フォルダー>をクリックします。

4 新しいフォルダーが作成されます。

5 フォルダー名を入力し、

6 Enterキーを押します。

メモ 右クリックメニューから作成する

新しいフォルダーの作成は、右クリックして表示されるメニューからも作成できます。エクスプローラーを使用する場合は、ファイルやフォルダーが表示されていない場所を右クリックします。

Section 19 ファイルやフォルダーをコピーする

覚えておきたいキーワード
- ☑ コピー
- ☑ 切り取り／貼り付け
- ☑ 拡張子

特定のファイルやフォルダーをほかの場所に複製したいときは、コピーを作成します。ファイルやフォルダーのコピーの作成は、エクスプローラーを利用します。ここでは、ファイルのコピーの方法を解説していますが、フォルダーも同じ手順でコピーできます。

1 ファイルをフォルダーにコピーする

メモ　コピーを作成する

ファイルやフォルダーのコピーでは、オリジナルと完全に一致したファイルやフォルダーを作成できます。右の手順では、選択したファイルのコピーを別のフォルダー内に作成する手順を説明しています。同じ手順で、フォルダーを選択すると、そのフォルダーのコピーを作成できます。

メモ　そのほかのコピー方法

ファイルやフォルダーのコピーは、手順3の画面で＜コピー先＞をクリックして、コピー先フォルダーを選択することでも行えます。＜コピー先＞をクリックすると、コピー先フォルダーを選択するためのメニューが表示されるので、コピー先フォルダーを選択します。

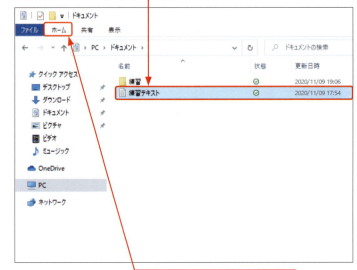

1 コピーを作成したいファイル（ここでは、「練習テキスト」）をクリックし、

2 ＜ホーム＞タブをクリックして、

3 ＜コピー＞をクリックします。

4 コピー先フォルダー（ここでは、「練習」）をダブルクリックして開きます。

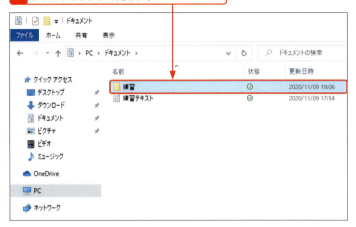

5 ＜ホーム＞タブをクリックします。

6 ＜貼り付け＞をクリックします。

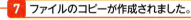

7 ファイルのコピーが作成されました。

メモ キーボードショートカットを利用する

キーボードショートカットを利用して、ファイルやフォルダーをコピーするには、コピーしたいファイルやフォルダーをクリックして選択し、Ctrlキーを押しながらCキーを押します。続いて、Ctrlキーを押しながらVキーを押します。これで選択したファイルやフォルダーのコピーが作成されます。

- コピー
  Ctrl+Cキーを押す。
- 切り取り
  Ctrl+Xキーを押す。
- 貼り付け
  Ctrl+Vキーを押す。

ヒント 拡張子を表示する

ファイルの拡張子を表示したいときは、＜表示＞タブをクリックし、＜ファイル名拡張子＞の☐をクリックします。＜ファイル名拡張子＞の☐が☑になり、ファイル名が「ファイル名．（ドット）拡張子」の形式で表示されます。

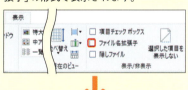

キーワード 拡張子とは？

拡張子とは、ファイルの種類を識別するための文字列です。エクスプローラーでは、通常、拡張子を表示しない設定になっていますが、上の「ヒント」の手順で拡張子を表示できます。

Section 20 ファイルやフォルダーを移動／削除する

覚えておきたいキーワード
- 移動
- ドラッグ＆ドロップ
- ごみ箱

ファイルやフォルダーの移動や削除は、ドラッグ操作で行います。ファイルやフォルダーをほかのフォルダーに移動するときは、移動したいフォルダーにドラッグ＆ドロップします。また、ファイルやフォルダーを削除したいときは、ごみ箱に削除したいファイルやフォルダーをドラッグ＆ドロップします。

1 ファイルをフォルダーに移動する

メモ ファイルやフォルダーの移動について

ファイルやフォルダーの移動は、ドラッグ操作でかんたんに行えます。ここではファイルの移動方法を解説していますが、フォルダーも同じ手順で移動することができます。

ヒント 移動の取り消し

間違ったフォルダーにファイルを移動した場合は、Ctrlキーを押しながらZキーを押します。移動前の状態に戻ります。

メモ 複数ファイルの選択

Ctrlキーを押しながら、ファイルをクリックすると、複数のファイルをまとめて選択できます。

ヒント ドラッグでファイルやフォルダーをコピーする

Ctrlキーを押しながら、ファイルやフォルダーをドラッグし、移動したいフォルダー上で指を離すとコピーできます。この場合、移動元と移動先の両方のフォルダーに同じファイルが存在することになります。

1 ファイルをドラッグし、移動したいフォルダーに重ねると、

2 ＜フォルダー名（ここでは、「練習」）へ移動＞と表示されるので、マウスボタンから指を離します。

3 ファイルがフォルダーの中に移動します。

4 ファイルを移動したフォルダーをダブルクリックすると、

5 ファイルが移動したことを確認できます。

2 不要なファイルをごみ箱に捨てる

1 削除したいファイルまたはフォルダー（ここでは、「練習テキスト」）をクリックし、

2 <ホーム>タブをクリックし、

3 <削除>をクリックすると、

4 選択したファイルまたはフォルダーがごみ箱に移動します。

メモ ドラッグ＆ドロップで削除する

ごみ箱アイコンにファイルやフォルダーを直接ドラッグ＆ドロップしても、ファイルやフォルダーを削除できます。ただし、この時点では、ごみ箱というフォルダーに移動しただけなので、ごみ箱から取り出せば、もとに戻せます。

ドラッグ&ドロップ

メモ キーボード操作で削除する

ファイルを選択して、Deleteキーを押すことでもファイルをごみ箱に移動することができます。

メモ ごみ箱の中のファイルやフォルダーをもとの場所に戻す

ごみ箱にあるファイルやフォルダーは、右の手順で、もとの場所に戻すことができます。また、ごみ箱の中から別の場所へドラッグ＆ドロップしても、ごみ箱から取り出せます。

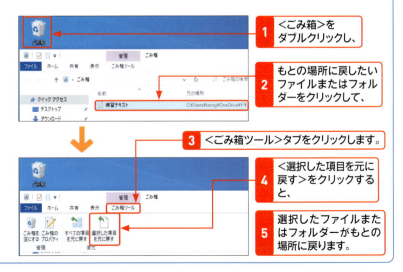

1 <ごみ箱>をダブルクリックし、

2 もとの場所に戻したいファイルまたはフォルダーをクリックして、

3 <ごみ箱ツール>タブをクリックします。

4 <選択した項目を元に戻す>をクリックすると、

5 選択したファイルまたはフォルダーがもとの場所に戻ります。

Section 21 ファイルを圧縮／展開する

覚えておきたいキーワード
☑ 圧縮
☑ 展開
☑ エクスプローラー

メールにファイルを添付するときには、複数のファイルをひとまとめにし、圧縮して**ファイルサイズを小さくする**とスムーズに送受信できます。Windows 10は、**エクスプローラー**を利用することで、かんたんにファイルやフォルダーの圧縮と展開が行えます。

1 ファイルを圧縮する

メモ ファイルの圧縮とは？

ファイルの圧縮とは、ファイルをもとのファイルよりも小さな容量のファイルにすることです。複数のファイルやフォルダーを1つのファイルにまとめることもできます。右の手順では、フォルダー内のすべてのファイルを1つのファイルにまとめて圧縮しています。

メモ OneDriveで同期している場合について

OneDriveと同期しているフォルダーまたはフォルダー内のファイルには、アイコンが表示されます。✓は同期済み、⟳は同期中の状態を示します。OneDriveの同期状態については、P.201を参照してください。

ヒント ファイルをまとめて選択する

キーボードとマウスを利用している場合は、手順 3 で Ctrl キーと A キーを同時に押すと、フォルダー内のファイルをすべて選択できます。1つ1つファイルを選択する場合は、Ctrl キーを押しながらファイルをクリックしていきます。また、ファイルをクリックし、Shift キーを押しながら別のファイルをクリックすると、最初にクリックしたファイルから最後にクリックしたファイルの間のファイルすべてが選択されます。

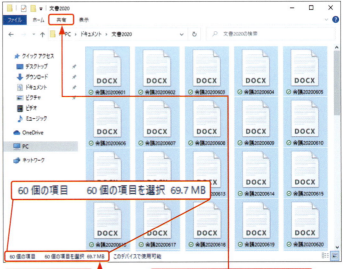

1 圧縮したいファイルやフォルダーをエクスプローラーで開き、
2 <ホーム>タブをクリックし、
3 <すべて選択>をクリックします。
4 ファイルがすべて選択されます。
5 <共有>タブをクリックします。

ファイルの容量が表示されます。

6 <Zip>をクリックします。

7 選択したファイルが圧縮されます。

8 圧縮フォルダーが作成されるので、

9 名前を入力して、

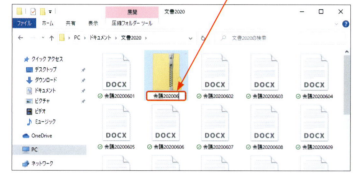

10 Enterキーを押します。

11 ファイルの圧縮が完了しました。

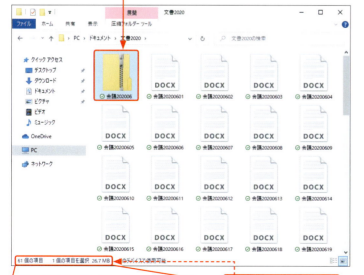

ファイルの容量が小さくなっています。

メモ そのほかの圧縮方法を知る

圧縮したいファイルを選択し、右クリックし、メニューから<送る>→<圧縮(zip形式)フォルダー>を選択してもファイルを圧縮できます。

メモ ファイルとフォルダーを圧縮する

ここでは、ファイルのみを圧縮していますが、フォルダーのみを圧縮したり、ファイルとフォルダーを混在させて圧縮することも可能です。なお、ファイルやフォルダーを1つだけ圧縮する場合は、手順 8 で作成される圧縮フォルダーの名前はもとのファイルやフォルダーの名前と同じになります。

メモ ZIP形式はほかのOSにも対応する

ここで解説している手順でファイルやフォルダーを圧縮すると、手順 8 で作成される圧縮フォルダーは「ZIP(ジップ)形式」のファイルになります。この形式のファイルには、末尾に「.zip」の拡張子(ファイルの種類を識別するための文字列)が付けられます。この拡張子は、<表示>タブをクリックし、<ファイル名拡張子>の□をクリックして☑にすることで表示できます。

ヒント 圧縮後のファイルサイズについて

ファイルの種類によっては、圧縮しても容量が減らない場合があります。たとえば、写真で一般的なJPEG形式や、電子文書でよく使われるPDF形式のファイルは、圧縮してもファイルサイズはほとんど変化しません。これらの形式のファイルは最初から独自の方式で圧縮されており、エクスプローラー上で圧縮しても効果が小さいためです。

Section 21 ファイルを圧縮/展開する

第3章 ファイルやフォルダーの基本操作

77

Section 21 ファイルを圧縮/展開する

2 圧縮されたファイルを展開する

 ファイルの展開とは？

圧縮されたファイルは、そのままではアプリで開くことができません。圧縮されたファイルをもとに戻すことをファイルの「展開」または、「解凍」と呼びます。

 そのほかの展開方法を知る

圧縮ファイルを右クリックし、メニューから<すべて展開>をクリックしても、ファイルを展開できます。タッチ操作の場合は、圧縮ファイルを長押しして、枠が表示されたら指を離すとメニューが表示されます。

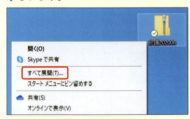

ヒント 展開先を変更する

Windows 10では、通常、展開する圧縮ファイルがあるフォルダー内に新規フォルダーを作成して展開されます。展開先を変更したい場合は、<参照>をクリックして、展開先のフォルダーを指定します。

 ファイルコピーマネージャーで確認する

ファイルの展開中は、ファイルコピーマネージャーが表示され、圧縮ファイルの展開状況が確認できます。✖をクリックすると、展開を中止できます。

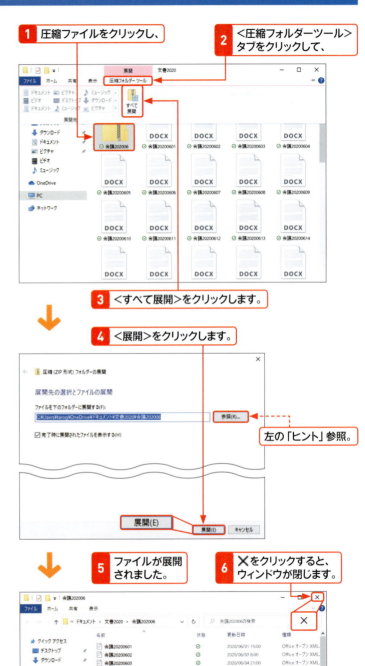

1. 圧縮ファイルをクリックし、
2. <圧縮フォルダーツール>タブをクリックして、
3. <すべて展開>をクリックします。
4. <展開>をクリックします。左の「ヒント」参照。
5. ファイルが展開されました。
6. ✖をクリックすると、ウィンドウが閉じます。

メモ 圧縮ファイルにファイルやフォルダーを追加する

Windowsは、圧縮ファイルを擬似的なフォルダーとして扱っています。このため、圧縮ファイルをダブルクリックすると、その中にあるファイルがエクスプローラーで表示されます。この段階ではファイルは展開されていませんが、エクスプローラーで表示されたファイルは、通常のフォルダーを操作しているときと同じ感覚で各種操作が行えます。たとえば、ファイルをほかのフォルダーにドラッグ＆ドロップすると、展開（コピー）できます。また、以下の手順でファイルやフォルダーを圧縮ファイルに追加することもできます。

1 P.78の手順1の画面で＜ファイル＞タブをクリックし、

2 ＜新しいウィンドウを開く＞をクリックします。

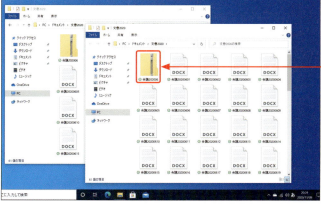

3 同じフォルダーが新しいウィンドウで開きます。

4 圧縮ファイルをダブルクリックします。

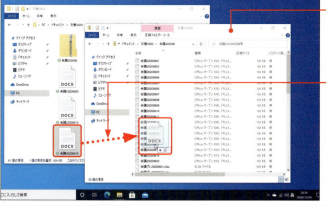

5 圧縮ファイルの内容が表示されます。

6 別のウィンドウから追加したいファイルを圧縮ファイルのウィンドウにドラッグ＆ドロップすると、

7 そのファイルが圧縮ファイルに追加されます。

Section 22 USBメモリーを利用する

覚えておきたいキーワード
- ☑ USB メモリー保存
- ☑ 取り外し
- ☑ フォーマット

USBメモリーは、何度でもデータの読み書きができます。コンパクトで持ち運びがしやすいので、自宅のパソコンで作成したデータやデジタルカメラで撮影した写真を、保存したり、友人に渡したりするときなどに便利です。ここでは、USBメモリーの利用方法を解説します。

1 USBメモリーをパソコンに接続する

ヒント HDDやSDメモリーカードを利用するときは?

右の手順では、USBメモリーをパソコンで利用するときの方法を解説していますが、USB接続の外付けHDDやSSD、SDメモリーカードなどを、パソコンで利用する場合も同じ手順で行えます。

1 パソコンのUSBポートにUSBメモリーを接続します。

キーワード USBメモリーとは?

「USBメモリー」は、データの読み書きができる記憶装置です。小型軽量なものが多く、気軽に持ち運びできるため、データの受け渡しなどに利用されています。

メモ 通知バナーが表示されない

通知バナーは、はじめてパソコンに接続したときに表示されます。次ページの手順3で動作の設定を行うと、次回以降は表示されません。2回目以降は、USBメモリーを接続するだけで自動的にエクスプローラーが開き、USBメモリーの内容が表示されます。

2 通知バナーが表示されるので、クリックします。

3 <フォルダーを開いてファイルを表示>をクリックします。

4 エクスプローラーが起動し、USBメモリーの内容が表示されます。

メモ アプリが起動したときは?

P.80の手順**2**の通知バナーが表示されずに、アプリが起動したときは、そのアプリを終了して、下記の「メモ」を参考にエクスプローラーでUSBメモリーの内容を表示してください。

メモ 通知バナーが消えてしまった場合は?

通知バナーが消えてしまったときは、エクスプローラーを起動し(P.66参照)、ナビゲーションウィンドウのUSBメモリーのアイコンをクリックすると、USBメモリーの内容が表示されます。

ヒント SDメモリーカードを接続する

ここでは、USBメモリーの利用法を解説していますが、SDメモリーカードもUSBメモリーのように利用できます。SDメモリーカードを利用するときは、パソコンのSDメモリーカードスロットにSDメモリーカードをセットします。パソコンがSDメモリーカードスロットを備えていない場合は、USB接続のSDメモリーカードリーダーを利用して接続を行います。

ヒント USB機器が接続できない

現在もっとも一般的なパソコン搭載のUSBコネクターは「USB TypeA」と呼ばれる形状ですが、近年では、「USB TypeC」と呼ばれる形状を搭載するパソコンも増えてきています。また、Windowsタブレットなど一部のパソコンでは、「microUSB」を呼ばれる形状を採用している場合もあります。USB機器が接続できない場合は、パソコン搭載のUSBポートのコネクター形状を調べ、必要に応じて「USBTypeC→USB TypeAプラグメスコネクター変換アダプタ(ケーブル)」や「microUSB→USBAプラグメスコネクター変換アダプタ(ケーブル)」などを用意してください。

microUSB→USB Aプラグメスコネクター変換アダプタ

USB TypeC→USB TypeAプラグメスコネクター変換アダプタ

2 USBメモリーにファイルやフォルダーを保存する

メモ　そのほかのメモリーカードにデータを保存する

右の手順では、USBメモリーにファイルやフォルダーをコピーする方法を解説していますが、SDメモリーカード、USB接続のHDDなどの記憶装置にも、同じ方法でファイルやフォルダーをコピーできます。

ヒント　フォルダーを作成してコピーする

手順 の画面で＜新しいフォルダーの作成＞をクリックすると、選択したコピー先に新しいフォルダーを作成してコピーを行えます。

メモ　多くの記憶装置が利用できる

パソコンで使用できるそのほかの記憶装置には「SDメモリーカード」「miniSDカード」「microSDカード」「SDHCメモリーカード」「miniSDHCカード」「microSDHCカード」「SDXCメモリーカード」「microSDXCカード」などがあります。これらの記憶装置は、パソコン搭載のメモリーカードスロットかUSB接続のカードリーダーを使って接続します。

---

1 USBメモリーに保存したいファイルがあるフォルダー（ここでは、「ドキュメント」）を開き、

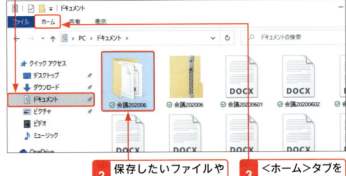

2 保存したいファイルやフォルダーをクリックし、

3 ＜ホーム＞タブをクリックします。

4 ＜コピー先＞をクリックし、

5 ＜場所の選択＞をクリックします。

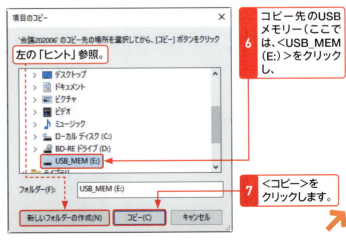

6 コピー先のUSBメモリー（ここでは、＜USB_MEM (E:)＞）をクリックし、

7 ＜コピー＞をクリックします。

8 ファイルコピーマネージャーが表示され、フォルダーのコピーが行われます。

右の「ヒント」参照。

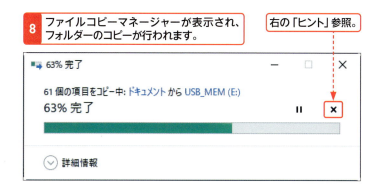

ヒント コピーを中止したいときは？

ファイルやフォルダーのコピーを中止したいときは、ファイルコピーマネージャーの ✕ をクリックします。また、＜詳細情報＞をクリックするとファイルコピーの転送速度を表示できます。

9 コピーが終了するとファイルコピーマネージャーが自動的に終了します。

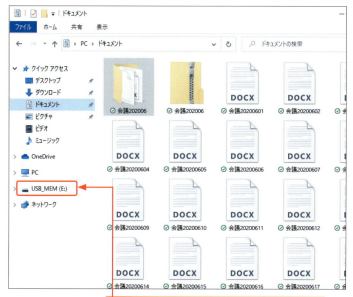

メモ ドラッグ＆ドロップでコピーする

ファイルやフォルダーのコピーは、コピーしたいファイルやフォルダーをナビゲーションウィンドウのUSBメモリーのドライブアイコンにドラッグ＆ドロップすることでも行えます。また、複数のウィンドウを利用してコピーを行うこともできます。複数のウィンドウを利用するときは、＜ファイル＞→＜新しいウィンドウを開く＞の順にクリックして新しいウィンドウを開き、新しく開いたウィンドウでUSBメモリーの内容を表示します。次にもう1つのウィンドウからコピーしたいファイルやフォルダーを、USBメモリーの内容を表示しているウィンドウにドラッグ＆ドロップするとコピーを行えます。

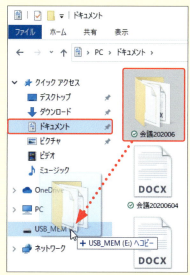

10 USBメモリーのドライブアイコン（ここでは、＜USB_MEM（E:）＞）をクリックします。

 11 ファイルまたはフォルダーがコピーされていることが確認できます。

3 USBメモリーを取り外す

> ⚠️ **注意　USBメモリーの取り外し**
>
> 右の手順を行わずにUSBメモリーを取り外すと、書き込み中のデータが正しく保存されず、USBメモリー内にあるファイルが破壊されてしまう可能性があります。USBメモリーを取り外すときは、必ずここで紹介する操作を行ってください。

1 ナビゲーションウィンドウの<USBメモリーのドライブアイコン（ここでは、<USB_MEM（E:）>）をクリックし、

2 <ドライブツール>タブをクリックします。

3 <取り出す>をクリックします。

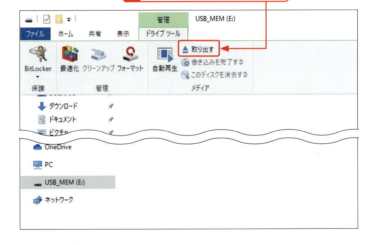

> 📝 **メモ　そのほかの取り外し方法について**
>
> USBメモリーの取り外しは、ナビゲーションウィンドウの<USBメモリーのドライブアイコン（ここでは、<USB_MEM（E:）>）>を右クリックし、メニューから<取り出し>をクリックすることでも行えます。

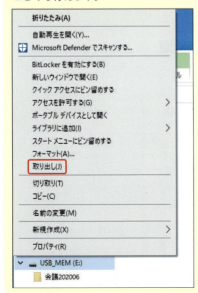

4 通知バナーが表示されます。

5 USBメモリーを取り外します。

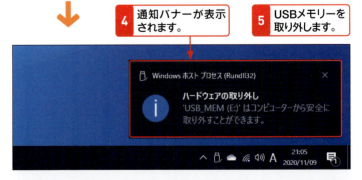

4 USBメモリーをフォーマットする

1 ナビゲーションウィンドウの＜USBメモリーのドライブアイコン（ここでは、＜USB_MEM（E:）＞）＞をクリックし、

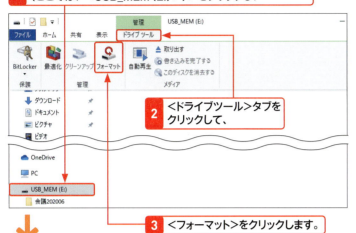

2 ＜ドライブツール＞タブをクリックして、

3 ＜フォーマット＞をクリックします。

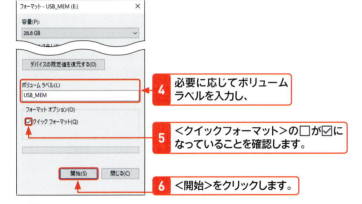

4 必要に応じてボリュームラベルを入力し、

5 ＜クイックフォーマット＞の□が☑になっていることを確認します。

6 ＜開始＞をクリックします。

7 ダイアログボックスが表示されたら＜OK＞をクリックします。

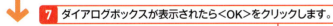
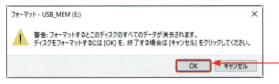

8 フォーマットが完了するとダイアログボックスが表示されます。

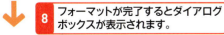

9 ＜OK＞をクリックします。

10 手順4の画面の＜閉じる＞をクリックします。

キーワード フォーマットとは？

「フォーマット」は、USBメモリー内のデータをすべて消去し、OS（ここでは、「Windows 10」）で利用可能な状態にすることです。一般にUSBメモリーは、フォーマット済みで販売されています。通常は、USBメモリー内のデータをすべて消去したいときに利用します。ここでは、USBメモリーのフォーマット手順を解説していますが、USB接続の外付けHDDも同じ手順でフォーマットを行えます。

注意 データはすべて消去される

フォーマットを行うと、USBメモリー内のデータはすべて消去されます。フォーマットは、必要なデータが残っていないかを確認してから行ってください。

メモ そのほかのフォーマット方法について

フォーマットは、ナビゲーションウィンドウの＜USBメモリーのドライブアイコン（ここでは、＜USB_MEM（E:）＞）＞を右クリックし、メニューから＜フォーマット＞をクリックすることでも行えます。

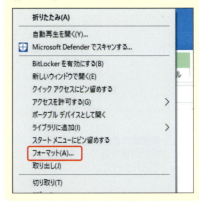

Section 23 CD-RやDVD-Rなどへ書き込みを行う

覚えておきたいキーワード
- ☑ ライブファイルシステム
- ☑ マスター
- ☑ 通知バナー

デジタルカメラで撮影した写真や、アプリで作成した文書などを友人に渡したり、バックアップしておくときには、CD-RやDVD-Rなどに書き込んで保存すると便利です。ここでは、エクスプローラーを使って、ファイルやフォルダーをCD-RやDVD-Rに書き込む方法を解説します。

1 2つある書き込み方法

Windows 10では、CD-RやDVD-Rなどに書き込む方法として、USBメモリーと同じように使用するための「ライブファイルシステム」と、CD/DVDプレーヤーで使用するメディアを作成するための「マスター」の2種類を用意しています。

ライブファイルシステムの特徴

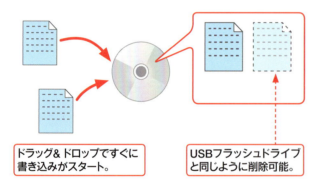

ドラッグ&ドロップですぐに書き込みがスタート。

USBフラッシュドライブと同じように削除可能。

OK ファイル・フォルダーの削除/移動/名前変更

■ メリット
・手軽に扱える。
・ファイルを頻繁に書き込むときに便利。

■ デメリット
・使用前のフォーマットが必要。
・Windows XP以前のパソコンで読めないことがある。

マスターの特徴

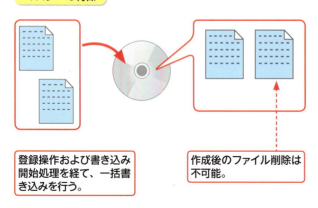

登録操作および書き込み開始処理を経て、一括書き込みを行う。

作成後のファイル削除は不可能。

NG ファイル・フォルダーの削除/移動/名前変更

■ メリット
・長期保存するデータ向け。
・ファイルを友人に渡す場合に便利。
・事前のフォーマットは不要。
・パソコンだけではなく、家電製品もほとんどの機器が対応している。

■ デメリット
・作成までの手順が多い。
・作成後のファイル操作が不可能。

2 ライブファイルシステムでデータを書き込む

1 空のディスクをドライブにセットします。

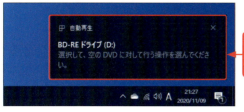

2 通知バナーが表示されるのでクリックし、

3 <ファイルをディスクに書き込む>をクリックします。

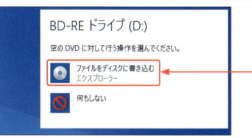

4 「ディスクの書き込み」ダイアログボックスが表示されます。

5 必要に応じてディスクのタイトルを入力し、

6 <USB フラッシュ ドライブと同じように使用する>をクリックし、◉となっているのを確認し、

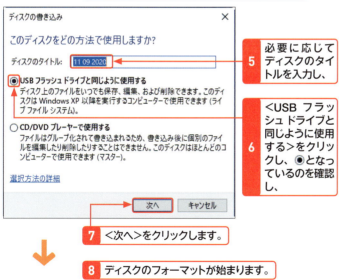

7 <次へ>をクリックします。

8 ディスクのフォーマットが始まります。

メモ ライブファイルシステムの書き込みについて

ライブファイルシステムで書き込みを行うときは、ディスクの「フォーマット」を行う必要があります。フォーマットは、一度行えばよく、次回書き込みを行うときは、USBメモリーなどと同様の操作でファイルやフォルダーを書き込めます。

メモ 異なるメニューが表示される

市販のライティングソフトなどがインストールされている場合、手順3とは異なる画面が表示される場合があります。異なる画面が表示されたときは、<ファイルをディスクに書き込む>の下に「エクスプローラー」と表示されている項目を手順3でクリックしてください。

メモ 通知バナーが表示されない場合は？

通知バナーは、ディスクをはじめてパソコンにセットしたときに表示されます。手順3で操作を選択すると、次回以降は表示されなくなり、手順4の「ディスクの書き込み」ダイアログボックスが表示されます。

メモ アプリが起動した場合は？

ディスクをセットしたときに、手順2の通知バナーが表示されずにアプリが起動した場合は、そのアプリを終了します。続いて、エクスプローラーを起動し、ナビゲーションウィンドウの光学ドライブのアイコンをダブルクリックします。

メモ ダイアログボックスが表示されない

「ディスクの書き込み」ダイアログボックスが表示されないときは、エクスプローラーを起動し、ナビゲーションウィンドウの光学ドライブのアイコンをダブルクリックします。

Section 23 CD-RやDVD-Rなどへ書き込みを行う

メモ ドラッグ&ドロップで書き込む

ライブファイルシステムでは、USBメモリーと同じ操作でファイルやフォルダーを書き込むことができます。ここでは、エクスプローラーのリボンを使って書き込んでいますが、エクスプローラーのウィンドウを2つ開き、光学ドライブを開いているほうのウィンドウにファイルやフォルダーをドラッグ&ドロップすることでも書き込みを行えます。

メモ エクスプローラーが起動しなかったときは？

手順 9 でエクスプローラーが起動しなかったときは、■をクリックしてエクスプローラーを起動し、手順 10 に進んでください。

ヒント ファイルコピー時の詳細を確認する

ファイル／フォルダーのコピー中は、ファイルコピーマネージャーが表示され、コピーの残り時間などの詳細な情報を表示できます。詳細情報の表示は、手順 13 の画面で＜詳細情報＞をクリックします。

メモ 書き込みを中止するには？

手順 13 の画面で をクリックすると、書き込みを中止できます。その際、CD-R、DVD-R/+R、BD-Rなどのメディアは書き込み済みファイルを物理的に削除できないため、残りの容量が減ります。CD-RW、DVD-RW/+RW、BD-REは不要なファイルを削除できるため、書き込み前の容量に戻せます。

---

9 フォーマットが完了すると、エクスプローラーが起動し、ウィンドウが開きます（左中段の「メモ」参照）。

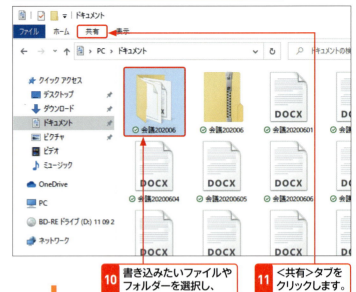

10 書き込みたいファイルやフォルダーを選択し、

11 ＜共有＞タブをクリックします。

12 ＜ディスクに書き込む＞をクリックします。

13 書き込みが始まります。 左下段の「メモ」参照。

左の「ヒント」参照。

14 書き込みが完了すると、内容が自動的に表示されます。

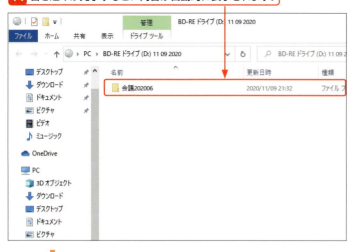

15 <ドライブツール>タブをクリックし、

16 <取り出す>をクリックします。

17 取り出し処理が行われ、

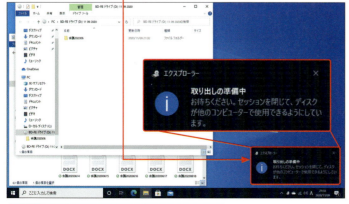

18 完了後にディスクが自動的に排出されます。

メモ 書き込んだデータを削除したい

書き込んだデータを削除するには、削除したいファイルまたはフォルダーをクリックし、<ホーム>タブをクリックして、<削除>をクリックします。また、削除したいファイルまたはフォルダーをごみ箱にドラッグ＆ドロップすることでも削除できます。なお、CD-R、DVD-R/DVD+R、BD-Rは、データの削除を行っても記録容量は増加しません。

メモ 取り出し処理とは？

取り出し処理とは、取り出したディスクが古いパソコンでも読み出せるようにするための処理です。この処理には、数分程度かかる場合があります。

メモ DVD-R DLとDVD+R DLの制限を知る

DVD-R DLとDVD+R DLをライブファイルシステムで使用すると、取り出し処理に30分近くかかる場合があります。また、一度取り出し処理を行うと、以降の書き込みが行えません。DVD-R DLとDVD+R DLは、このような使用上の制限があるので、ライブファイルシステムでの利用はおすすめしません。

メモ Windows 10で作成できるDVDについて

Windows 10では、市販の映画などと同等のDVD（DVDビデオ）は作成できません。ここで紹介した手順で作成できるDVDは、パソコンでの利用を前提としたものです。

3 マスターで書き込みを行う

🔍 キーワード　マスターとは?

Windows XPなどの古いWindowsでも読み出せるディスクを作成したいときは、「マスター」で書き込みを行います。マスターで書き込んだディスクは、データの削除やファイル名の変更などの操作は行えないので注意してください。

📝 メモ　データの追加書き込みについて

「マスター」でデータを書き込んだディスクは、空き領域がなくなるまで、右の手順でデータの追加書き込みができます。ただし、書き込み済みのファイルやフォルダーを削除したり、上書きすることはできません。また、ライブファイルシステムの場合と同じく、DVD-R DL/+R DLのメディアは追加の書き込みができません。

📝 メモ　通知バナーが表示されたときは?

通知バナーが表示されたときは、P.87の手順を参考に通知バナーをクリックし、次の画面が表示されたら<ファイルをディスクに書き込む>をクリックします。また、「ディスクの書き込み」ダイアログボックスが表示されないときは、エクスプローラーを起動し、ナビゲーションウィンドウの光学ドライブのアイコンをダブルクリックします。

📝 メモ　<管理>が表示されない場合は?

P.91の手順⑩でリボンに<管理>が表示されないときは、ウィンドウ内の何もない場所をクリックします。

---

1 空のディスクをドライブにセットします。

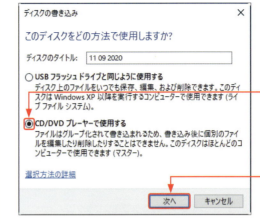

2 「ディスクの書き込み」ダイアログボックスが表示されます。

3 <CD/DVDプレーヤーで使用する>をクリックし、◉となっているのを確認し、

4 <次へ>をクリックします。

5 ウィンドウが開きます。

6 書き込みたいファイルやフォルダーを選択し、

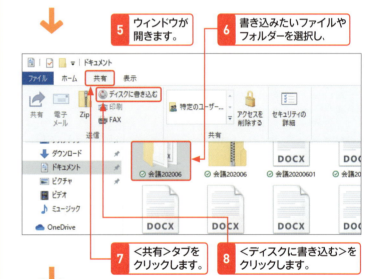

7 <共有>タブをクリックします。

8 <ディスクに書き込む>をクリックします。

9 ウィンドウが開き、通知バナーが表示されます。

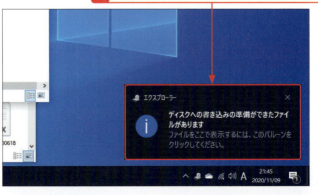

10 <ドライブツール>タブをクリックし、

11 <書き込みを完了する>をクリックします。

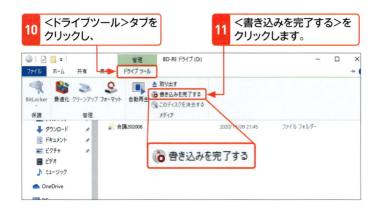

12 必要に応じてディスクのタイトルを入力し、

13 <次へ>をクリックします。

14 ディスクの書き込みが終了すると、ディスクが自動的に排出されます。

 右の「ヒント」参照。

15 <完了>をクリックします。

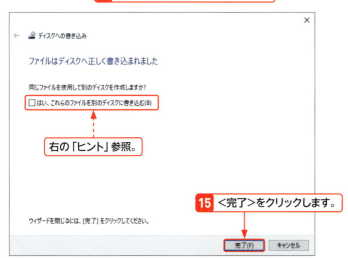

メモ 通知バナーが何度も表示される

P.90の手順9の<ディスクへの書き込みの準備ができたファイルがあります>の通知バナーが何度も表示されるときは、書き込みが完了していないデータがあります。そのときは、手順10以降を参考にデータの書き込みを行ってください。また、データを書き込みたくないときは、光学ドライブのアイコンを右クリックし、<一時ファイルの削除>をクリックしてください。

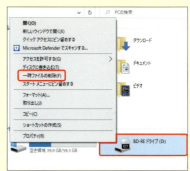

ヒント 同じディスクを作成する

マスターでディスクへ書き込みを行う際、手順15の画面で<はい、これらのファイルを別のディスクに書き込む>をクリックして□を☑にすると、ボタンが<完了>から<次へ>に変わります。ドライブに新しいディスクを挿入し、<次へ>をクリックすることで、同じ内容のディスクを作成できます。

Section 24 ファイルを検索する

覚えておきたいキーワード
- ☑ タスクバー
- ☑ 検索ボックス
- ☑ エクスプローラー

目的のファイルが見つからない場合は、検索を利用しましょう。Windows 10には、パソコン内のアプリやファイルなどを検索する機能があるので、かんたんな操作で目的のファイルを見つけ出せます。検索は、タスクバーの検索ボックスまたはエクスプローラーの検索ボックスから行えます。

1 タスクバーから検索する

 メモ　タスクバーから検索を行う

タスクバーの検索ボックスは、パソコン内のファイルの検索が行えるほか、インターネットの検索を行うこともできます。ここでは、タスクバーの検索ボックスを利用して、パソコン内のファイルを探す手順を紹介しています。

 ヒント　検索ボックスが表示されていない場合は？

タブレットモードで利用している場合は、検索ボックスが表示されていない場合があります。そのときは、をクリックすると、検索ボックスが表示されます。

 メモ　アプリの起動も行える

検索ボックスに起動したいアプリ名を入力してもアプリを起動することができます。たとえば「メモ帳」と入力し、表示される検索ウィンドウの＜メモ帳＞をクリックすると、「メモ帳」を起動できます。

1 タスクバーの検索ボックスをクリックします。

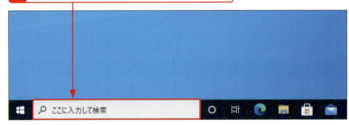

2 検索ウィンドウが表示されます。

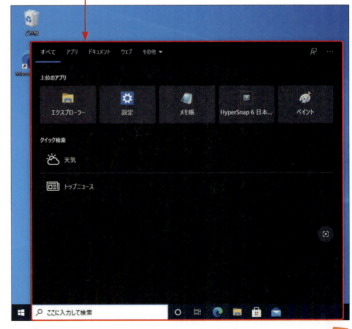

③ キーワード（ここでは、「ワイン」）を入力し、

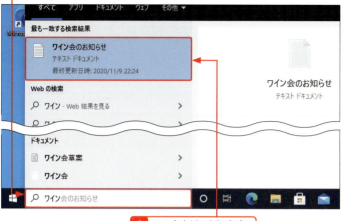

④ ここをクリックします。

⑤ ファイルが開いて、内容が表示されます。

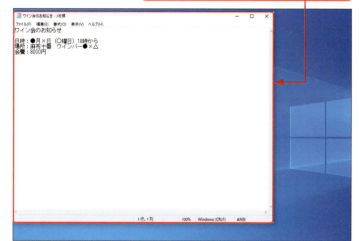

 インクリメンタル検索とは？

インクリメンタル検索とは、手順③の画面のようにキーワードの文字列の一部分を入力するだけで、自動的に検索が始まる検索方法です。インクリメンタル検索では、入力する文字列を追加していくことで、表示される検索結果を絞り込むことができます。

メモ アプリの選択画面が表示された

手順④のあとに、起動するアプリの選択画面が表示されたときは、アプリをクリックして選択し、＜OK＞をクリックしてください。

メモ インターネット検索を行う

タスクバーの検索ボックスは、ファイルだけでなくインターネット検索を行うこともできます。入力したキーワードのインターネット検索の結果は、＜ウェブ＞をクリックすると表示されます。

Section 24 ファイルを検索する

第3章 ファイルやフォルダーの基本操作

Section 24 ファイルを検索する

2 エクスプローラーで検索する

メモ エクスプローラーの検索対象について

エクスプローラーの検索ボックスから検索を行うときは、そのときに開いているフォルダー内が対象になります。右の例では、「ドキュメント」フォルダーを開いているので、「ドキュメント」フォルダー内のファイルやフォルダーを検索しています。

メモ 全文検索を行う

エクスプローラーでは、通常、インデックスが作成されたフォルダーのみを全文検索の対象としています。インデックスは、ユーザーフォルダーと呼ばれる「ドキュメント」「ピクチャ」または「画像」「ビデオ」「ミュージック」「ダウンロード」などのフォルダーを対象に作成されています。これらのフォルダー以外でも全文検索を行いたいときは、右の手順 4 のあとに<検索>タブをクリックして、<詳細オプション>→<ファイルコンテンツ>の順にクリックします。

ヒント 検索対象を広げる

検索結果に目的のファイルやフォルダーが見つからなかったときは、検索対象をすべての場所にして再検索してみましょう。すべての場所を対象に再検索を行うときは、右の手順 4 でキーワードを入力後、<検索>タブをクリックし、<PC>をクリックします。

1 検索したいフォルダーを開き(ここでは、<ドキュメント>)、

2 画面右上の検索ボックスにキーワード(ここでは、「ワイン」)を入力し、

3 →をクリックするか、Enterキーを押します。

4 検索結果が表示されます。

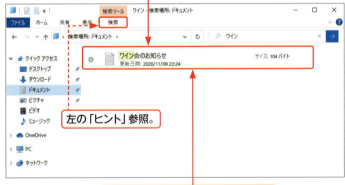

左の「ヒント」参照。

5 検索結果をダブルクリックすると、

6 ファイルが表示されます。

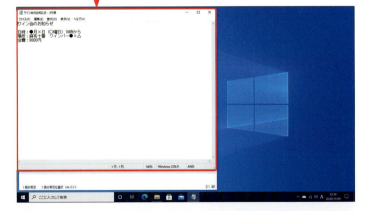

Chapter 04

第4章

インターネットの利用

Section		
	25	インターネットを使えるようにする
	26	Webブラウザーを起動する
	27	Webページを閲覧する
	28	タブを利用してWebページを閲覧する
	29	Webページをコレクションで管理する
	30	Webページを検索する
	31	お気に入りを登録する
	32	履歴を表示する
	33	Webページをアプリとして利用する
	34	ファイルをダウンロードする
	35	PDFを閲覧・編集する

Section 25 インターネットを使えるようにする

覚えておきたいキーワード
☑ インターネット
☑ 有線／無線 LAN
☑ セキュリティ

仕事や日常生活において、さまざまなシーンで活用されているのが インターネット です。インターネットを介することで、さまざまなサービスを利用することができます。ここでは、家庭内などの ネットワークへの接続方法 や セキュリティの確認方法 について解説します。

1 接続のための準備を行う

インターネットを利用するには、通信（回線）事業者やインターネットサービスプロバイダー（以下、ISP）と契約を結ぶ必要があります。通常、通信（回線）事業者は「光ファイバー」などのインターネット接続専用の「通信回線」を提供し、ISPは契約通信回線を利用したインターネット接続サービスを提供します。また、ケーブルテレビで提供されているインターネット接続サービスのように、通信事業者がISPを兼ねている場合もあります。家庭内などでインターネットを利用するときは、回線終端装置やケーブルモデムなどの通信回線専用の通信機器とルーターを接続し、さらにパソコンとルーターを有線または無線LANで接続します。なお、通信事業者では、ルーター機能付きの回線終端装置やケーブルモデムなどをレンタルしている場合があります。この場合は、ルーター機能付きの回線終端装置やケーブルモデムとパソコンを有線または無線LANで接続します。

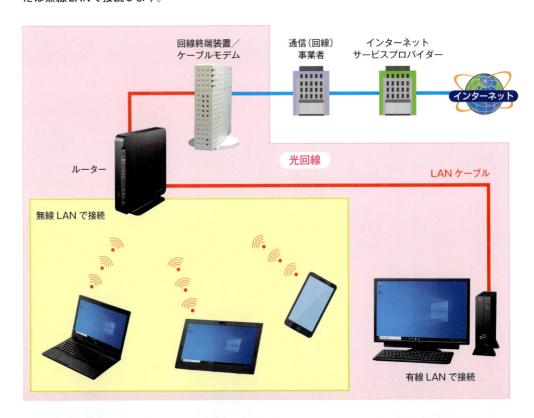

2 有線LANで接続する

1 パソコンのLAN端子とルーターをLANケーブルで接続します。

ルーター

2 はじめて接続するネットワークでは、メッセージが表示されます。

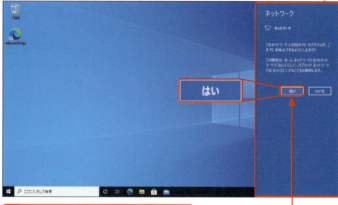

3 ここでは、＜はい＞をクリックします。

4 デスクトップに戻ります。

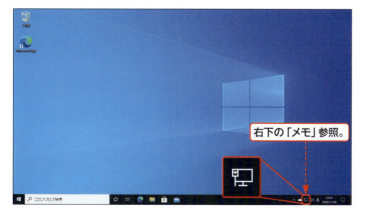

右下の「メモ」参照。

メモ 有線LANと無線LANの違い

有線LANではルーターとパソコンをケーブルで接続します。無線LANはパソコンに搭載されている無線機能を用いて、同じく無線機能を持つルーターと接続するため、ケーブルを配線する手間がかかりません。インターネットを利用するためのパソコンとルーターの接続にはこの2つがあります。

ヒント LANケーブルを接続する端子とは？

ルーターには、LANケーブルを接続する端子が複数搭載されています。パソコンとの接続は、どの端子を利用してもかまいません。

注意 ここで行っている設定は？

手順3は、家庭内や社内ネットワークで利用するための設定です。ホテルなど公共の場所にあるネットワークでインターネットを利用するときは、＜いいえ＞をクリックします。

メモ 接続の確認は？

正常に接続できているかどうかは、通知領域にあるネットワークアイコンで確認できます。ネットワークアイコンに警告マークが表示されているときは、インターネット接続に問題があります。なお、無線機能を利用している場合は、これらのアイコンは表示されません。

問題がある場合 / 問題がない場合 / 利用できない場合

3 無線LANで接続する

🔍 キーワード 無線LANとは?

「無線LAN」とは、一定の限られたエリア内で無線を利用してデータのやり取りを行う通信網(ネットワーク)のことで、Wi-Fiとも呼ばれます。家庭内で無線LANを利用するには、無線LANに対応した(無線通信機能を持った)パソコン、同じく無線LANに対応したルーターが必要です。

📝 メモ 無線LANと有線LANのアイコンの違いとは?

有線LANで接続している場合は、有線LANのアイコンが表示されます。無線LANを利用しているときは、無線LANのアイコンが表示されます。どちらも利用していない場合は、無線LANのアイコンが表示されます。

💡 ヒント 接続先とは?

手順2の「接続先」は、SSIDとも呼ばれるもので、このルーターの識別名を指します。自分が利用するルーターの識別名を選択することで、ルーターとの交信(接続)が可能になります。通常この識別名は、ルーター本体にシールで貼り付けられている場合が多いので、不明な場合は確認してみましょう。

💡 ヒント PINで設定を行う

接続先によっては、手順3の画面のあとに、「PIN」の入力画面が表示される場合があります。「PIN」の入力画面が表示されたときは、ルーターのラベルなどに記載されている数字を入力し、<次へ>をクリックして設定を行うか、<セキュリティキーを使用して接続>をクリックして、P.99の手順4に進んでください。

1 通知領域のをクリックします。

2 接続先(ここでは、<Taro_home>)をクリックします。

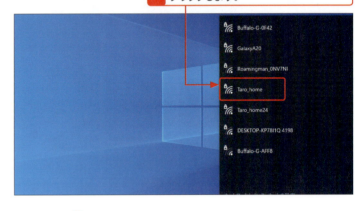

3 <接続>をクリックします。

4 ネットワークセキュリティキーを入力し、

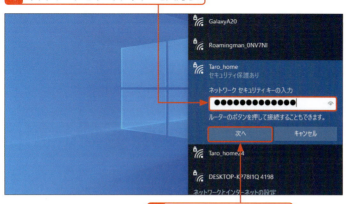

5 <次へ>をクリックします。

6 このメッセージが表示されたときは、

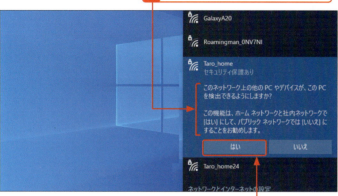

7 <はい>または<いいえ>（ここでは、<はい>）をクリックします。

8 選択した接続先に<接続済み>と表示されます。

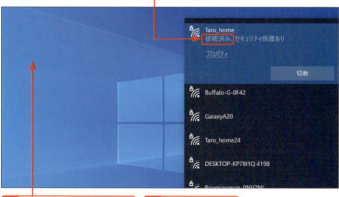

9 デスクトップの何もないところをクリックすると、

10 デスクトップに戻ります。

 ヒント ネットワークセキュリティキーとは？

手順4の画面で入力する「ネットワークセキュリティキー」は、無線LANに接続するためのパスワードのようなもので、無線LANルーターのマニュアルや本体のシールなどに記載されています。一度接続に成功した無線LANでは、次回以降はネットワークセキュリティキーを入力せずに接続できます。

 ヒント ルーターのボタンで設定を行う

WPS（Wi-Fi Protected Setup）対応の無線LAN機器を利用している場合は、ルーターのセットアップボタンを押すことでも設定できます。その場合は、手順4でボタンを押し、しばらく待つと手順7または8の画面が表示されます。

注意 ここで行っている設定は？

手順7は、家庭内や社内ネットワークで利用するための設定です。ホテルなど公共の場所にあるネットワークでインターネットを利用するときは、<いいえ>をクリックします。

ヒント 接続中の無線LANを切断する

接続中の無線LANを切断するには、通知領域のアイコンをクリックし、接続先の無線LANの<切断>をクリックします。

4 セキュリティの状態を確認する

メモ Windowsセキュリティについて

Windows 10では、「Windowsセキュリティ」にセキュリティ対策の管理をまとめており、状況確認や各種設定の変更が行えます。他社製のセキュリティ対策アプリを利用している場合も、このWindowsセキュリティから、利用中のアプリ名の確認やそのアプリの管理画面を表示できます。Windowsセキュリティの詳細についてはP.278を参照してください。

ヒント 通知領域から起動する

Windowsセキュリティは、通知領域からも起動できます。通知領域からWindowsセキュリティを起動するときは、∧をクリックして、 をクリックします。

メモ 確認する項目について

Windowsセキュリティでは、「ウイルスと脅威の防止」「アカウントの保護」「ファイアウォールとネットワーク保護」「アプリとブラウザーコントロール」「デバイスセキュリティ」「デバイスのパフォーマンスと正常性」「ファミリーのオプション」の7項目の状況確認および設定を行えます。このうち、パソコンのセキュリティ対策に関わる重要な項目は、「アカウントの保護」「ファミリーのオプション」を除く、5項目です。「デバイスのパフォーマンスと正常性」と「ファミリーのオプション」に✓が付いていなくてもセキュリティ対策に問題はありません。

1 ⊞をクリックします。

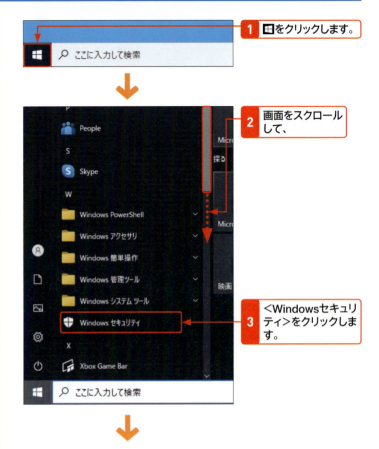

2 画面をスクロールして、

3 <Windowsセキュリティ>をクリックします。

4 Windowsセキュリティが表示されます。

5 <ウイルスと脅威の防止><ファイアウォールとネットワーク保護><アプリとブラウザーコントロール><デバイス セキュリティ>の4項目に、✓が付いていれば安全です。

6 保護機能（ここでは、＜ウイルスと脅威の防止＞）をクリックすると、

↓

7 その保護機能（ここでは、＜ウイルスと脅威の防止＞）の詳細を確認できます。

8 ←をクリックすると、1つ前の画面（ここでは、手順 **6** の画面）に戻ります。

各保護機能の詳細は、この手順で確認できます。また、表示される内容は、選択した保護機能によって異なります。

ヒント 項目に が付いていたときは？

確認した項目に ✕ が付いているときは、重要な機能がオフに設定されています。＜有効にする＞をクリックして、機能をオンに設定してください。

メモ 他社製のセキュリティ対策アプリを利用している場合

Windowsセキュリティ以外の他社製セキュリティ対策アプリを利用しているときは、手順 **7** の画面でそのアプリに関する情報が表示されます。他社製セキュリティ対策アプリの詳細な情報を確認したいときは、そのアプリの管理画面で行います。たとえば、カスペルスキーインターネットセキュリティの場合は、＜アプリを開く＞をクリックすると、管理画面が表示されます。

メモ 項目に ⚠ が付いていたときは？

Windows 10にMicrosoftアカウントでサインインしていない場合やOneDriveを利用していない場合、「ウイルスと脅威の防止」や「アカウントの保護」に ⚠ が付く場合があります。⚠ が表示されないようにするには、⚠ が表示された項目の設定を行うか、＜無視＞をクリックします。なお、通常、⚠ は重大な警告を示すわけではなく、オプションの警告の意味合いが強いものとなっています。このため、＜無視＞をクリックしても問題はありませんが、一部のセキュリティがマイクロソフトの推奨設定を満たせなくなる場合があります。

Section 26 Webブラウザーを起動する

覚えておきたいキーワード
☑ Webブラウザー
☑ Microsoft Edge
☑ 起動／終了

Webページを閲覧するには、Webブラウザーを利用します。Windows 10にはMicrosoft EdgeとInternet Explorer 11の2種類のWebブラウザーが標準搭載されています。ここでは、Microsoft Edgeを例にWebブラウザーの起動方法と終了方法を解説します。

1 Microsoft Edgeを起動する

メモ Microsoft Edgeとは？

「Microsoft Edge」は、Windows 10に搭載されているWebブラウザーです。最新のWindows 10（バージョン20H2）には、Windows 10が登場時に備えていたMicrosoft Edgeの設計を一新した新しいMicrosoft Edgeが搭載されています。本書では、この新しいMicrosoft Edgeの使用を前提に解説しています。このため、古いMicrosoft Edgeとは画面構成や機能など一部の操作が異なります。

ヒント 起動後に表示される画面を変更する

新しいMicrosoft Edgeでは、通常、起動後に「新しいタブ」と呼ばれるページを表示します。新しいタブは、画面中央に検索ボックスが、その下にクイックリンクが表示されます。また、画面をスクロールするとニュースを表示します。新しいタブは、をクリックすることで表示する内容をカスタマイズできます。

1 タスクバーのをクリックします。

↓

2 「Microsoft Edge」が起動します。 **3** をクリックすると、

左の「ヒント」参照。

4 「Microsoft Edge」が終了します。

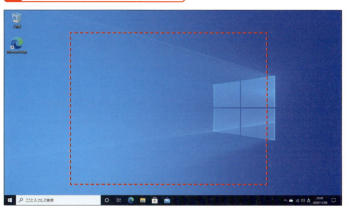

メモ ＜スタート＞メニューから起動する

Microsoft Edgeは、＜スタート＞メニューの 🌐 または Microsoft Edge をクリックすることでも起動できます。

メモ Microsoft Edgeの画面構成

最新のWindows 10（バージョン20H2）に備わっているMicrosoft Edgeは、旧バージョンのMicrosoft Edgeから設計が一新されているため、画面構成などに違いがあります。また、新しいMicrosoft Edgeは進化を続けており、今後も機能追加が予定されています。このため、画面構成などが変更になる可能性があります。

Section 27 Webページを閲覧する

覚えておきたいキーワード
☑ Microsoft Edge
☑ Web ページ閲覧
☑ リンク

Microsoft Edgeを利用してWebページを閲覧してみましょう。ここでは、Microsoft EdgeでWebページを表示して、興味のあるリンクをたどったり、もとの画面に戻ったりする方法を解説します。ここで解説している操作は、Webページを閲覧するときの基本操作となります。

1 目的のWebページを閲覧する

🔍 キーワード　URLとは？

インターネットで目的のWebページを閲覧するための住所に相当する情報を「URL」と呼びます。URLは、「アドレス」と呼ばれることもあります。

P.102を参考にMicrosoft Edgeを起動します。

1 <検索またはWebアドレスを入力>をクリックすると、

2 URLが入力できるようになります。

💡 ヒント　接続先候補が表示される

Microsoft Edgeは、URLの一部を入力しただけでURLの候補が表示されます。表示された候補をクリックすると、目的のWebページを開くことができます。

URLの一部を入力すると、接続先URLの候補が表示されます。

3 表示したいWebページのURL（ここでは、「https://gihyo.jp/book」）を入力し、

4 Enterキーを押します。

5 Webページが表示されます。

2 興味のあるリンクをたどる

1 興味があるリンク（ここでは、＜新刊書籍＞）をクリックします。

2 クリックしたリンクのWebページが表示されました。

3 ←をクリックすると、直前に表示していたWebページに戻ります。

ヒント　Webページの拡大／縮小

下記のキーボードショートカットを使用することで、Webページの拡大／縮小が行えます。

・拡大
　Ctrl＋+キーを押します。
・縮小
　Ctrl＋-キーを押します。
・初期状態に戻す
　Ctrl＋0キーを押します。

キーワード　リンクとは？

画像や文書をクリックすると別ページが表示されるWebページのしくみを「リンク」または「ハイパーリンク」と呼びます。多くのWebページではリンクの文字列の色は、青色系の文字になっています。また、ボタンやバナーがリンクとなっていることもあります。

メモ　Webページによって違いがある

閲覧するWebページによっては、ページ内に＜や＞が表示される場合があります。＜をクリックすると、前の記事を表示し、＞をクリックすると次の記事を表示します。＜や＞は、すべてのWebサイトで表示されるわけではありません。

前の記事を表示　　次の記事を表示

Section 28 タブを利用してWebページを閲覧する

覚えておきたいキーワード
- ☑ タブ
- ☑ Webページの閲覧
- ☑ タブのピン留め

タブを利用すると、複数のWebページを1つのウィンドウ内で同時に開いて閲覧できます。また、Microsoft Edgeでは、タブで開いているWebページをピン留めしておき、毎回読み出すページとして固定できます。ここでは、タブを利用したWebページの閲覧方法を解説します。

1 新しいタブでWebページを開く

🔍キーワード タブとは?

タブは、複数のWebページを1つのウィンドウ内で開き、切り替えて表示するために利用されます。タブを利用することで、複数のWebページを同時に開き、切り替えて表示できます。

ここでは、P.105の続きで説明しています。

1 ＋（新しいタブ）をクリックすると、

2 新しいタブが表示され、URLが入力できるようになります。

3 開きたいWebページのURL（ここでは、「https://www.microsoft.com/ja-jp」を入力し、

💡ヒント 新しいタブをキーボード操作で開く

新しいタブをキーボード操作のみで開きたいときは、Ctrlキーを押しながら、Tキーを押します。

左の「メモ」参照。

✍メモ 新しいタブに表示される内容について

手順3の新しいタブに表示される内容は、⚙をクリックすることでカスタマイズできます。カスタマイズを行っているときは、右の手順3の画面と異なる画面が表示されます。

4 Enterキーを押します。

5 新しいWebページが表示されます。

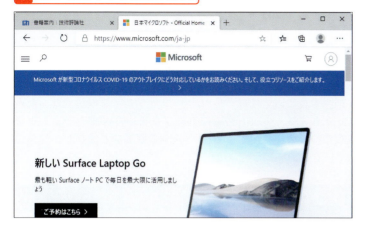

 **メモ** 新しいタブでリンクを開く

Webページ内のリンクは、新しいタブで開くことができます。新しいタブで開きたいときは、リンクを右クリックし、＜リンクを新しいタブで開く＞をクリックします。

2 タブを切り替える

1 表示したいタブをクリックします。

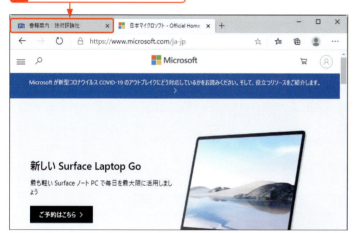

 メモ タブの切り替え

タブの切り替えは、リンクによってはクリックすると、自動的に新しいタブで開くように設定されている場合があります。

メモ タブをピン留めする

閲覧中のタブをピン留めすることもできます。ピン留めしたタブは、左詰めで固定され、起動時に毎回読み出しが行われます。毎日閲覧するようなWebページをピン留めしておけば便利です。タブのピン留めは、ピン留めしたいタブを右クリックし、＜タブのピン留め＞をクリックします。

2 選択したタブでWebページが表示されます。

3 マウスポインターをタブ上に置いて、表示される ✕ をクリックします。

4 タブが閉じます。

ステップアップ タブをキーボードで操作する

キーボード操作では、Ctrlキーを押しながらTabキーを押すと、表示中のタブを右回りに切り替えられます。CtrlキーとShiftキーを押しながらTabキーを押すと、左回りに切り替えられます。

Section 29 Webページをコレクションで管理する

覚えておきたいキーワード
- ☑ コレクション
- ☑ カード
- ☑ 表示／削除

コレクションを利用すると、気になるWebページをグループ単位でかんたんに管理できます。たとえば、ネット通販の気になる商品のWebページをまとめたり、仕事や授業のために利用するWebページの収集などをグループ単位で分類・管理したりできます。

1 Webページをコレクションに追加する

メモ コレクションとは

コレクションは、気になるWebページをグループ単位で管理する機能です。よく似た機能にブックマークがありますが、ブックマークよりも手軽に使えて、追加や削除などの整理がかんたんに行えることが特長です。

ヒント はじめて使用するときは

コレクションをはじめて使用するときは、コレクションの説明画面が3回表示されます。画面の指示に従って＜次へ＞を3回クリックし、最後の画面で＜始める＞をクリックすると、手順 3 の画面が表示されます。

1 登録したいWebページを表示します。
2 をクリックします。
3 画面右側にコレクション画面が表示されます。
4 ＜新しいコレクションを開始する＞をクリックします。

Section 29 Webページをコレクションで管理する

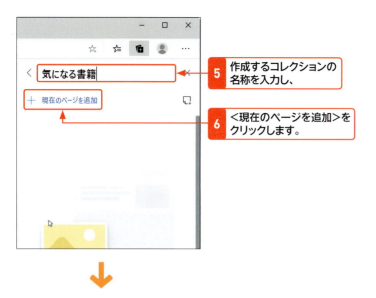

5 作成するコレクションの名称を入力し、

6 ＜現在のページを追加＞をクリックします。

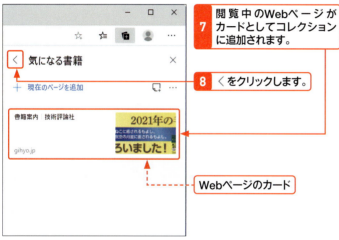

7 閲覧中のWebページがカードとしてコレクションに追加されます。

8 ＜をクリックします。

Webページのカード

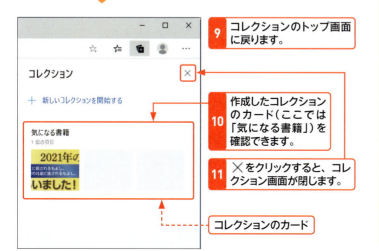

9 コレクションのトップ画面に戻ります。

10 作成したコレクションのカード（ここでは「気になる書籍」）を確認できます。

11 ×をクリックすると、コレクション画面が閉じます。

コレクションのカード

ヒント リンクを登録する

リンクを右クリックし、＜コレクションに追加＞→＜追加したいコレクション（ここでは＜気になる書籍＞）＞とクリックすると、Webページ内のリンクを直接登録できます。また、手順7の画面で、リンクをコレクションの画面にドラッグ＆ドロップすることでもリンクを登録できます。

メモ コレクションの名称を変更する

コレクションの名称を変更したいときは、手順7の画面で名称をクリックするか、手順9の画面でコレクションのカードを右クリックし、＜コレクションの編集＞をクリックします。

ヒント カードにメモを追加する

手順8の画面でWebページのカードを右クリックし、＜メモの追加＞をクリックすると、Webページのカードにメモを追加できます。また、追加したメモは、Webページのカードを右クリックし、＜メモの削除＞をクリックすると削除できます。

第4章 インターネットの利用

109

2 コレクションのWebページを表示する

メモ コレクションのWebページをすべて開く

手順3の画面でコレクションのカードを右クリックし、＜すべて開く＞または＜新しいウィンドウですべてを開く＞をクリックすると、コレクションに登録されているすべてのWebページがタブで開かれます。また、手順4の画面で、…をクリックし、＜すべて開く＞をクリックすると新しいウィンドウが開き、登録されているすべてのWebページがタブで開かれます。

ヒント カードを並び替える

コレクションのカードやコレクションに登録されているWebページのカードは、ドラッグ＆ドロップ操作で並び順を変更できます。

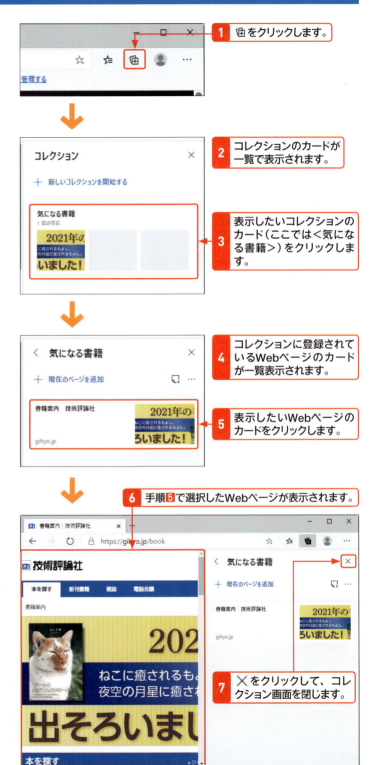

1 ⊞ をクリックします。

2 コレクションのカードが一覧で表示されます。

3 表示したいコレクションのカード（ここでは＜気になる書籍＞）をクリックします。

4 コレクションに登録されているWebページのカードが一覧表示されます。

5 表示したいWebページのカードをクリックします。

6 手順5で選択したWebページが表示されます。

7 ✕ をクリックして、コレクション画面を閉じます。

ヒント　Webページの情報をコピーする

手順7の画面で…をクリックし、＜すべてコピー＞をクリックするとコレクションに登録されているWebページやメモなどの情報をすべてコピーし、メールなどに貼り付けて友達などに送付できます。また、特定のWebページの情報のみをコピーしたいときは、コピーしたいカードを右クリックし、＜コピー＞または＜リンクのコピー＞をクリックします。＜コピー＞をクリックすると、そのカードのすべての情報をコピーし、＜リンクのコピー＞をクリックすると、URLリンクの情報のみをコピーします。

メモ　コレクションやコレクションのWebページを削除する

コレクションやコレクションに登録されているWebページは、以下の操作で削除できます。また、コレクションは削除を行っても、コレクション画面を閉じたり、ほかのカードを開くなどの操作を行うまでは復元できますが、コレクションを開き、登録されているWebページの削除を行った場合は復元できません。ここでは、コレクションの削除を例に手順を説明していますが、コレクションに登録されたWebページを削除する場合も同じ手順で削除できます。

1 削除したいコレクションまたはWebページのカードの上にマウスポインターを移動させると☐が表示されます。

2 ☐をクリックします。

3 ☐が☑になります。

4 複数のコレクションまたはWebページを削除したいときは、手順2と3の操作を繰り返します。

5 削除したいすべてのコレクションまたはWebページを選択したら🗑をクリックします。

6 コレクションまたはWebページが削除されます。

7 コレクションを削除したときは、＜元に戻す＞をクリックすると、削除したコレクションをもとに戻せます。

Section 30 Webページを検索する

覚えておきたいキーワード
- ☑ Microsoft Edge
- ☑ 検索
- ☑ アドレスバー

インターネットから必要な情報を探し当てるには、検索サイトで検索を行うと効率的です。Microsoft Edgeでは、アドレスバーに検索キーワードを入力すると、検索結果が表示されます。これによって、検索サイトを表示しなくてもMicrosoft Edgeからかんたんに検索を行えます。

1 インターネット検索を行う

メモ Microsoft Edgeで利用される検索サイト

「検索サイト」とは、インターネット検索サービスを行っているWebサイトです。Microsoft Edgeで利用される検索サイトには、通常、マイクロソフトが提供している検索サイト「Bing（ビング）」が設定されています。

メモ ページ内検索を行う

閲覧中のWebページ内の文字列を検索したいときは、「ページ内の検索」を行います。をクリックし、＜ページ内の検索＞をクリックすると、アドレスバーの下にページ検索用の検索ボックスが表示され、Webページ内の検索が行えます。

1  の右横にマウスポインターを移動して、表示されているURLをクリックすると、

2 検索キーワードが入力できるようになるので、

3 検索したいキーワード（ここでは、「インテル」）を入力して、

4 Enterキーを押します。

5 検索結果が表示されます。　**6** 表示したい項目のリンク（ここでは、＜インテル(R)公式サイト＞）をクリックすると、

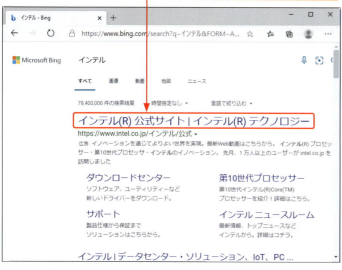

7 目的のWebページが表示されます。

ヒント キーワード検索のポイントは？

多くの検索サイトでは、複数の検索キーワードをスペースで区切るか、特殊な記号を併用することで、検索結果を絞り込めます。たとえば、「技術評論社 Windows」というキーワードで検索すると、技術評論社のWindows関連のページが見つかります。

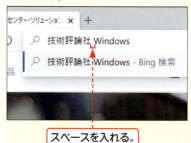

スペースを入れる。

メモ 検索結果を新たなタブに表示する

Microsoft Edgeは、検索結果を新しいタブに表示する機能を搭載しています。この機能を利用するには、P.112の手順 4 で Alt キーを押しながら Enter キーを押して、検索を実行します。

ステップアップ タスクバーの検索ボックスから検索する

Webページの検索は、次の手順でタスクバーの検索ボックスからも行えます。なお、タブレットモードの場合は、タスクバーの をクリックすることで、検索ボックスが表示されます。

1 検索ボックスをクリックし、　**2** ＜ウェブ＞をクリックします。

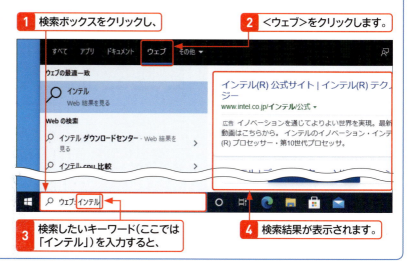

3 検索したいキーワード（ここでは「インテル」）を入力すると、　**4** 検索結果が表示されます。

Section 31 お気に入りを登録する

覚えておきたいキーワード
☑ お気に入り
☑ 閲覧
☑ ピン留め

よく見るWebページをお気に入りに登録しておくと、そのページを見たいときにかんたんに表示できます。たとえば、毎日チェックする必要があるWebページを登録しておくと、複雑なURLを入力しなくてもかんたんな操作で目的のWebページを表示できます。

1 Webページをお気に入りに登録する

メモ お気に入りに登録する

Microsoft Edgeでは、☆をクリックすると、表示中のWebページをお気に入りに登録できます。

メモ タスクバーにピン留めする

閲覧中のWebページは、タスクバーにピン留めすることもできます。ピン留めするときは、ピン留めしたいWebページを表示して、…をクリックし、<その他のツール>→<タスクバーにピン留めする>をクリックします。

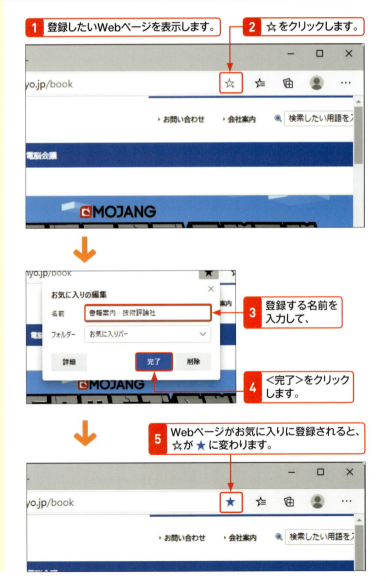

1 登録したいWebページを表示します。
2 ☆をクリックします。
3 登録する名前を入力して、
4 <完了>をクリックします。
5 Webページがお気に入りに登録されると、☆が★に変わります。

2 お気に入りから Web ページを閲覧する

ヒント お気に入りを削除する

登録したお気に入りを削除したいときは、手順3の画面で削除したいお気に入りを右クリックし、＜削除＞をクリックします。

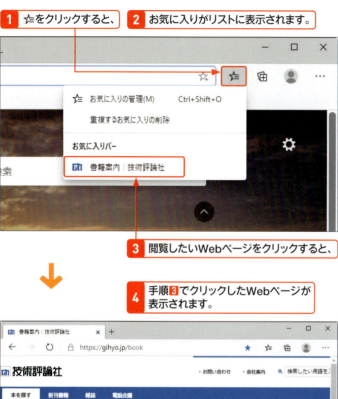

メモ すべてのタブをお気に入りに登録する

Microsoft Edge は、タブで閲覧中のすべての Web ページをまとめてお気に入りに登録する機能を備えています。タブで閲覧中のすべての Web ページをお気に入りに登録したいときは、開いているタブのいずれかを右クリックし、＜すべてのタブをお気に入りに追加＞をクリックします。「すべてのタブをお気に入りに追加」画面が表示されるので、＜保存＞をクリックします。

Section 32 履歴を表示する

覚えておきたいキーワード
- ☑ Webページ
- ☑ 履歴
- ☑ 削除

Microsoft Edgeでは、過去に表示したWebページの情報を記録しておく<u>履歴</u>という機能があります。この機能を利用すると、<u>直近に閲覧したWebページ</u>をかんたんな操作で<u>閲覧</u>できます。ここでは、履歴機能を利用してWebページを閲覧する方法を解説します。

1 履歴から目的のWebページを表示する

メモ 履歴の表示について

Webページの閲覧履歴を参照したいときは、右の手順で操作します。閲覧履歴は、「今日」「昨日」「先週」「さらに前」で絞り込んで表示できるほか、検索を行って目的の履歴を探し出すこともできます。

ヒント 履歴を絞り込んで表示する

履歴を絞り込んで表示したいときは、P.117の手順4の画面で ≡ をクリックし、「今日」「昨日」「先週」「さらに前」のいずれかをクリックします。なお、ウィンドウサイズによっては、「今日」「昨日」「先週」「さらに前」がはじめから表示されている場合があります。そのときは、≡ は表示されません。

1 … をクリックします。

2 <履歴>をクリックし、

3 <履歴の管理>をクリックします。

4 Webページの閲覧履歴が一覧表示されます。

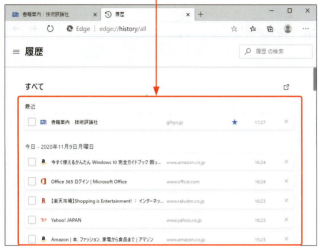

5 画面をスクロールして、

6 閲覧したい履歴をクリックします。

7 選択したWebページが表示されます。

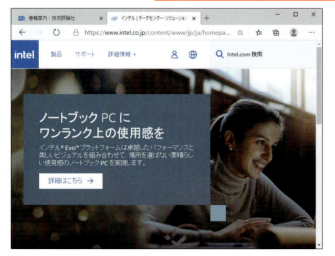

メモ 履歴を検索する

履歴の検索は、履歴の検索ボックスで行います。検索ボックスにキーワードを入力すると、検索結果が表示されます。履歴の検索を終了したいときは、入力したキーワード右の × をクリックします。なお、履歴の検索ボックスの表示位置は、ウィンドウサイズによって画面左上に表示される場合と画面右上に表示される場合があります。

メモ 履歴を削除する

履歴を削除したいときは、削除したい履歴の × をクリックします。また、すべての履歴を削除したいときは、□ をクリックし、「閲覧データをクリア」画面が表示されたら、削除したい時間の範囲と削除項目を選択し、＜今すぐクリア＞をクリックします。

Section 33 Webページを アプリとして利用する

覚えておきたいキーワード
☑ アプリ
☑ インストール
☑ ピン留め

Microsoft Edgeでは、Webページをアプリとしてインストールする機能を備えています。この機能を使用してインストールされたWebページは、スタートメニューに追加され、タブを含めたウィンドウフレームが取り除かれた状態でMicrosoft Edgeとは別の独立したウィンドウで利用できます。

1 Webページをアプリとしてインストールする

メモ Webページのアプリ化とは？

Webページをアプリとしてインストールすると、Webページをあたかも1つのアプリのように利用できます。アプリとしてインストールされたWebページは、Microsoft Edgeとは独立したウィンドウで表示され、タブやアドレスバー／検索ボックスなどのWebブラウザー特有のボタンなどは一切表示されません。

メモ インストールしたWebページを起動する

アプリとしてインストールされたWebページは、通常のアプリと同様に<スタート>メニューから起動できます。

1 Microsoft EdgeでアプリとしてインストールしたいWebページを開いておきます。

2 …をクリックします。

3 <アプリ>をクリックし、

4 <このサイトをアプリとしてインストール>をクリックします。

Section 33 Webページをアプリとして利用する

5 必要に応じて名称を変更し、

6 <インストール>をクリックします。

7 Webページがアプリとしてインストールされて起動します。

8 ⊞をクリックして<スタート>メニューを表示すると、

9 Webページが<スタート>メニューにアプリとして登録されています。

ヒント Webページのアプリをピン留めする

アプリとしてインストールされたWebページは、通常のアプリ同様にスタート画面にピン留めしたり、タスクバーにピン留めできます。ピン留めを行いたいときは、<スタート>メニューを表示し、アプリとしてインストールしたWebページを右クリックして<スタートにピン留めする>または<その他>→<タスクバーにピン留めする>をクリックします。

メモ Webページのアプリをアンインストールする

アプリとしてインストールしたWebページをアンインストールしたいときは、削除したいWebページのアプリを起動し、┅をクリックして<○○（アプリの名称、ここでは「書籍案内 技術評論社」）のアンインストール>をクリックします。

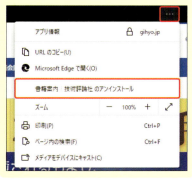

Section 34 ファイルをダウンロードする

覚えておきたいキーワード
☑ ダウンロード
☑ 開く
☑ 実行

Webページでは、文書ファイルやアプリなどが配布されている場合があります。これらを入手し、利用しているパソコンに保存することをダウンロードと呼びます。ここでは、Webページで配布されているファイルをパソコンにダウンロードする方法を解説します。

1 ファイルをダウンロードする

📝 メモ　ファイルのダウンロードについて

ここでは、アプリのインストーラー（アプリをインストールするためのソフトウェア）のダウンロード方法を紹介しています。ここでダウンロードしているWindows 10のメディア作成ツールとは、最新バージョンのWindows 10へのアップグレードを行うほか、Windows 10のインストール用USBメモリーやインストールDVDの作成などを行えるアプリです。

ここでは、Windows 10のメディア作成ツールをダウンロードする方法を例に説明しています。

1 Microsoft Edgeを起動し、

2 「https://www.microsoft.com/ja-jp/software-download/windows10」を開きます。

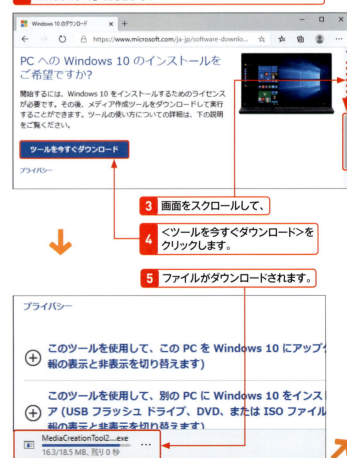

3 画面をスクロールして、

4 ＜ツールを今すぐダウンロード＞をクリックします。

5 ファイルがダウンロードされます。

📝 メモ　ダウンロードをキャンセルする

ファイルのダウンロードをキャンセルしたいときは、手順 **5** の画面でダウンロード中のファイルを右クリックし、＜キャンセル＞をクリックします。

6 ダウンロードが完了したら、

7 …をクリックします。

8 <フォルダーに表示>をクリックします。

9 エクスプローラーが起動し、

10 ダウンロードしたファイルを確認できます。

Section 34 ファイルをダウンロードする

ヒント 進捗状況は表示されない場合がある

左の手順のようにファイルのダウンロード中の進捗状況が表示されるのは、アプリのインストーラーなどの実行形式のファイルや圧縮ファイルなどをダウンロードするときのみです。PDFファイルや写真などのダウンロードを行った場合は、その内容がMicrosoft Edgeで直接表示され、ダウンロード中の進捗状況などは表示されません。

メモ ダウンロードしたファイルを開く／実行する

手順**8**の画面で<開く>をクリックすると、ダウンロードしたファイルが圧縮ファイルだった場合は、エクスプローラーが起動し、ファイルの内容を表示します。また、ダウンロードしたファイルがアプリのインストーラーなどの実行ファイルだった場合は、そのファイルをすぐに実行します。

ヒント ダウンロードしたファイルをすべて表示する

手順**7**の画面で右下に表示される<すべて表示>をクリックすると、これまでダウンロードしたファイルの一覧を表示します。

第4章 インターネットの利用

Section 35 PDFを閲覧・編集する

覚えておきたいキーワード
- ☑ PDF
- ☑ ハイライト
- ☑ 手書き

Microsoft Edgeは、資料やマニュアルなどの文書の配布に広く利用されているPDFファイルの閲覧機能を備えています。また、かんたんな編集機能も備えており、選択した文字列をハイライトで表示したり、手書きで文字や図形を書き込んだりといったことが行えます。

1 PDFを表示する

キーワード PDFファイルとは?

「PDFファイル」とは、「Portable Document Format」の略称で、どんな環境のパソコンでも同じように見ることができるファイルの形式です。PDFは、会社などで利用される資料やマニュアルの配布など、文書の配布形式として広く普及しています。

ヒント 違うアプリが起動したときは?

手順 3 でMicrosoft Edgeではなく、別のアプリでPDFファイルが表示されたときは、パソコンにPDF閲覧用のアプリがインストールされています。Microsoft EdgeでPDFファイルを表示したいときは、PDFファイルを右クリックし、<プログラムから開く>→<Microsoft Edge>とクリックします。

1 エクスプローラーを起動し、閲覧したいPDFファイルが保存されたフォルダーを表示します。

2 閲覧したいPDFファイルをダブルクリックします。

3 PDFファイルがMicrosoft Edgeで表示されます。

2 選択した文字をハイライトで表示する

1  をクリックします。

2  が  に変わります。

3 ∨ をクリックし、

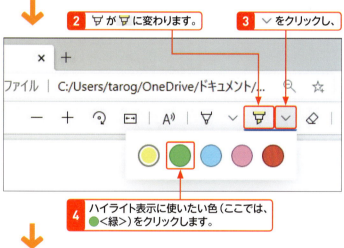

4 ハイライト表示に使いたい色（ここでは、●＜緑＞）をクリックします。

5 ハイライト表示したい文字列をドラッグして指定すると、

6 その範囲がハイライト表示されます。

キーワード ハイライトとは？

「ハイライト」とは、選択した文字列を指定した背景色で強調表示する機能です。重要な用語などをハイライト表示することで、その用語を目立たせることができます。左の手順では、指定した文字列を緑色の背景色でハイライトする手順を例に解説しています。

ヒント ハイライト表示を解除する

ハイライト表示を解除したいときは、解除したい文字列を右クリックし、＜ハイライト＞→＜なし＞とクリックします。

3 PDFに手書きする

メモ PDFに手書きする

PDFに手書きしたいときは、右の手順で行います。タッチ対応のパソコンでは、画面を指でタッチしてなぞるか、専用のペンで文字や図形などを描けます。また、マウスを利用する場合は、左ボタンを押したままマウスを動かすことで文字や図形などを描けます。

1. ▽ をクリックします。
2. ▽ が ▽ に変わります。
3. ∨ をクリックし、
4. 手書きの色（ここでは、●＜赤＞）をクリックします。
5. 「太さ」のスライドバーをドラッグして先の太さを設定し、
6. ∨ をクリックします。
7. PDFに手書きします。

8. 手書きを終えるときは、▽ をクリックします。

ヒント 手書きを消去する

間違った文字や図形を描いてしまった場合など、手書きを消去したいときは、◇ をクリックし、消去したい部分をクリックします。

4 編集済みのPDFを保存する

1 をクリックします。

2 ファイル名を入力し、

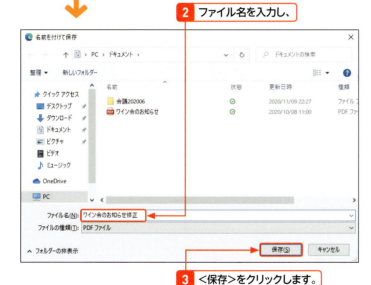

3 ＜保存＞をクリックします。

4 修正したPDFファイルが保存され、そのファイルが読み込まれます。

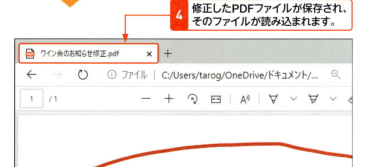

メモ 修正済みファイルの保存について

PDFファイルにハイライト表示を行ったり、手書きしたりしたときは、保存する必要があります。保存せずに、PDFファイルが表示されているタブをクリックしてタブを閉じたり、Microsoft Edgeを終了したりすると、ダイアログボックスが表示されます。そこで、＜移動＞をクリックすると、修正内容を保存せずにPDFファイルを閉じます。＜キャンセル＞をクリックすると、終了操作をキャンセルし、もとの状態に戻ります。

ヒント 上書き保存する

左の手順では、編集したPDFファイルを別名で保存していますが、をクリックすると上書き保存します。

メモ ツールバーの固定を解除する

手順1の画面でをクリックすると、ツールバーの固定が解除されます。これによって、一定時間が経過するとツールバーは自動的に非表示になり、マウスポインターをアドレスバー付近に移動させると再表示されるようになります。

メモ Webページの閲覧履歴をタイムラインに表示する

最新のWindows 10（バージョン20H2）に標準で備わっている新しいMicrosoft Edgeで閲覧したWebページの履歴をタイムラインに表示するには、Google Chrome用に提供されている拡張機能をインストールする必要があります（本稿執筆時点）。ここでは、Google Chrome用に提供されている拡張機能をインストールし、新しいMicrosoft EdgeでWebページの閲覧履歴をタイムラインに表示する手順を紹介します。なお、マイクロソフトでは、機能追加による新しいMicrosoft Edgeにおけるタイムラインへの将来的な対応を予定しています。現状では、この機能がいつ実装されるかはわかりませんが、この機能に対応した場合、Google Chrome用に提供されている拡張機能のインストールは不要になります。

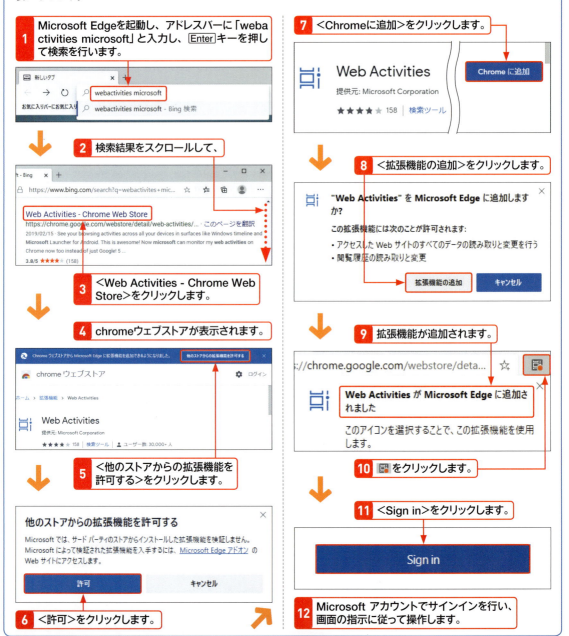

Chapter 05

第5章

メールの利用

Section	36	「メール」アプリを起動する
	37	「メール」アプリを設定する
	38	メールを送信する
	39	メールを受信する
	40	メールを返信／転送する
	41	ファイルを添付して送信する
	42	メールに添付されたファイルを保存する
	43	迷惑メールに登録する
	44	メールを検索する
	45	メールに署名を追加する

Section 36 「メール」アプリを起動する

覚えておきたいキーワード
- ☑ メールアプリ
- ☑ 起動
- ☑ 閲覧

「メール」アプリは、メールの閲覧や送受信を行うためのアプリです。Windows 10にあらかじめインストールされています。Outlook.comで取得したメールアカウントやプロバイダーメールのアカウントの管理を行えます。ここでは、「メール」アプリをはじめて起動した場合について解説します。

1 「メール」アプリを起動する

メモ 「メール」アプリとは？

Windows 10に最初からインストールされている「メール」アプリは、メールの管理や送受信を行うためのアプリです。マイクロソフトが無償提供している@outlook.jpや@outlook.comなどのOutlook.comのメールアカウントでWindows 10にサインインしている場合は、「メール」アプリの送受信の設定が自動的に行われます。

1 ✉ をクリックします。

2 「メール」アプリが起動します。

⚠ 注意 すでにメールを利用している場合は？

Windows 10に用意されている「メール」アプリ以外のアプリでメールを利用している場合やGmail／Yahoo!メールなどのWebメールをすでに利用している場合は、利用環境を無理に変更する必要はありません。メールの利用環境を変更したいときのみ、本書を参考に設定を行ってください。

2 メールを閲覧する

1 読みたいメールをクリックすると、

2 メールの内容が表示されます。

3 をクリックすると手順**1**の画面に戻ります。

メモ 「アカウントの追加」画面が表示される

ローカルアカウントでWindows 10を利用している場合にはじめて「メール」アプリを起動すると、以下の「アカウントの追加」画面が表示されます。「メール」アプリを利用する場合は、P.131の手順を参考にメールアカウントの追加を行ってください。

メモ 画面デザインが異なる

「メール」アプリは、ウィンドウサイズによって、画面デザインが変更されます。手順**1**のように小さめのウィンドウサイズの場合は、「ナビゲーションバー」と「メッセージ一覧」の2つの領域で構成され、ある程度大きくすると「ナビゲーションバー」「メッセージ一覧」「メッセージウィンドウ」の3つの領域で構成されます。また、ナビゲーションバーは、ウィンドウサイズによって展開される場合と展開されない場合があります。展開されていない場合は画面左上の ≡ をクリックすると展開されます。本書では、2つの領域で構成される画面デザインの場合を例に解説しています。

Section 37 「メール」アプリを設定する

覚えておきたいキーワード
☑ メールアカウント
☑ 複数アカウント
☑ アカウントの切り替え

「メール」アプリには、複数のメールアカウントを登録し、それぞれを別々に管理する機能があります。たとえば、仕事用とプライベート用のメールアカウントを登録しておけば、「メール」アプリのみで両方のメールアドレスを使い分けることができます。

1 メールアカウントを追加する

メモ 複数のメールアカウントを管理する

「メール」アプリは、複数のメールアカウントの管理に対応しています。ここでは、@outlook.jpや@outlook.comなどのOutlook.comのメールアカウントがすでに設定されている状態で、プロバイダーが提供しているメールや会社のメールアカウントを追加する方法を解説しています。

キーワード アカウントとは？

パソコンやネットワークの特定の領域にログインするための権利を「アカウント」といいます。メールアカウントの場合は、メールを利用するための権利で、プロバイダーなどのメールサービス提供事業者と契約したときに取得したユーザーIDなどがアカウント名になります。

メモ 追加できるメールアカウントとは？

「メール」アプリは、POP3やIMAP、「Exchange ActiveSync」（以降は、Exchangeと表記）で利用できるメールサービスであれば、プロバイダーメールとWebメールのどちらでもメールアカウントを追加できます。

ここでは、プロバイダーメールの設定方法を解説します。

1 をクリックし、

2 <アカウントの管理>をクリックします。

3 <アカウントの追加>をクリックします。

Section 37 「メール」アプリを設定する

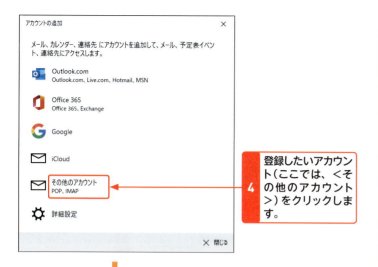

4 登録したいアカウント（ここでは、＜その他のアカウント＞）をクリックします。

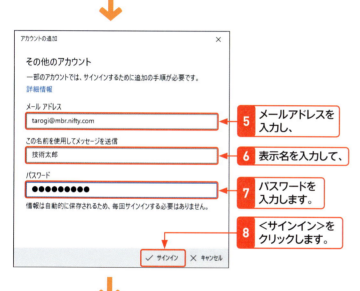

5 メールアドレスを入力し、

6 表示名を入力して、

7 パスワードを入力します。

8 ＜サインイン＞をクリックします。

9 設定が反映されるまで、しばらく待ちます。

メモ　GmailやiCloudのアカウントを追加する

Gmailアカウントを追加するときは、左の手順 4 で＜Google＞をクリックし、画面の指示に従って登録を行います。@outlook.jpや@outlook.comなどのOutlook.comのメールアカウントを登録するときは、＜Outlook.com＞をクリックし、iCloudのアカウントを登録するときは、＜iCloud＞をクリックして、画面の指示に従って登録を行います。なお、iCloudのアカウントを追加するときは、パスワードに「App用パスワード」を設定しないとメールの送受信が行えない場合があります。「App用パスワード」の詳細については、Apple社のサポートページ（https://support.apple.com/ja-jp/HT204397）をご参照ください。

注意　サインインに失敗するときは？

手順 8 のあとに「そのアカウントの情報は見つかりませんでした。」と表示された場合は、入力情報の確認を行い、手順をやり直してみてください。なお、3度失敗すると自動的にP.134の手順 6 の画面が表示されます。プロバイダー加入時に送付された資料などをもとに、送信メールサーバーや受信メールサーバーのアドレス（URLまたはIPアドレス）の情報やそのサーバーにサインインするためのユーザー名とパスワードなどの情報を入力してください。

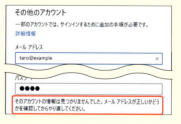

メモ　表示名とは？

手順 6 で入力する表示名は、送信メールに付与される送信者の名前です。自分の名前をアルファベットまたは漢字で入力してください。

Section 37 「メール」アプリを設定する

ヒント：さらにアカウントを追加したいときは？

さらにアカウントを追加したいときは、手順12の画面で、＜アカウントの追加＞をクリックして、P.131の手順4からの作業を再び行います。

メモ：プレビューテキストを非表示にする

「メール」アプリは、通常、メッセージ一覧にメールの「送信者名」と「件名」に加えて、メール本文の一部をプレビューテキストとして表示しています。プレビューテキストの表示がセキュリティ上、好ましくない場合は、プレビューテキストを非表示に設定してください。プレビューテキストを非表示にするには、⚙→＜メッセージ一覧＞の順にクリックし、＜メッセージのテキストのプレビューを表示します＞の 🔘 をクリックして ◯ に設定します。

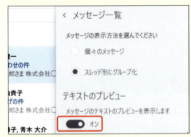

ヒント：メールアカウントを切り替える

「メール」アプリに複数のメールアカウントを登録したときは、アカウントを切り替えて利用します。手順14の画面のようにアカウントのリストが表示されていないときは 👤 または ≡ をクリックします。

---

10 アカウントが正しく設定されると、この画面が表示されます。

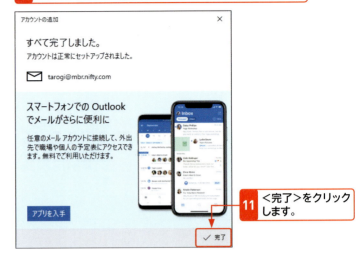

11 ＜完了＞をクリックします。

12 メールアカウントが追加されました。

13 設定画面以外の場所をクリックすると、設定画面が閉じます。

14 追加したメールアカウント（ここでは、＜Nifty＞）をクリックします。

プレビューテキスト（左の「メモ」参照）

15 追加したメールアカウントで受信したメールが表示されます。

ヒント メールはスレッド別にグループ化される

「メール」アプリでは、同じ件名のメールを1つのグループとして扱い、最新メールから順に表示するように設計されています。この機能は、「スレッド別のグループ化」と呼ばれます。 > をクリックすると、そのほかのメールが表示されます。

2 詳細セットアップでアカウントを追加する

1 ⚙ をクリックし、 **2** ＜アカウントの管理＞をクリックします。

メモ 詳細セットアップで設定する

詳細セットアップは、メールの送受信に関する設定をすべて手動で行う方法です。詳細セットアップで設定を行うには、送信メールサーバーや受信メールサーバーのアドレス（URLまたはIPアドレス）の情報やそのサーバーにサインインするためのユーザー名とパスワードなどの情報が必要になります。入力する内容は、プロバイダーによって異なるので、プロバイダー加入時に送付された資料などをもとにあらかじめ調べておいてください。

3 ＜アカウントの追加＞をクリックします。

キーワード サーバーとは？

インターネット上に設置され、メールサービスやWebサービスなど、自身に備わっている機能やサービスをほかのコンピューター（パソコン）に対して提供するコンピューター（パソコン）を「サーバー」といいます。

Section 37 「メール」アプリを設定する

ヒント ユーザー名について

手順7で入力するユーザー名は、受信／送信メールサーバーのログインに利用されるユーザー名です。プロバイダーによっては、メールアドレスとユーザー名が同じ場合があります。プロバイダー加入時に送付された資料などをもとに正確に入力を行ってください。

キーワード ポート番号とは？

接続先のサーバーでは、さまざまなプログラムが動作しており、それを特定するために利用されるのが「ポート番号」です。接続先のURLが正しくてもポート番号が間違っていると、そのサーバーに接続できません。ポート番号を入力する必要があるときは、情報を間違えないように入力する必要があります。

ヒント 受信メールサーバーとは？

「受信メールサーバー」は、自分宛てに送信されたメールを受け取るために用意されたサーバー（インターネット上のコンピューター）です。自分宛てに送られたメールは、すべて受信メールサーバーに保存されています。ここで入力する内容は、プロバイダーによって異なるので、プロバイダー加入時に送付された資料などをもとに正確に入力を行ってください。なお、ポート番号を指定して受信メールサーバーの情報を入力する場合は、受信メールサーバーのURLとポート番号を「:（コロン）」で区切って入力します。

受信メール サーバー
imap.nifty.com:993

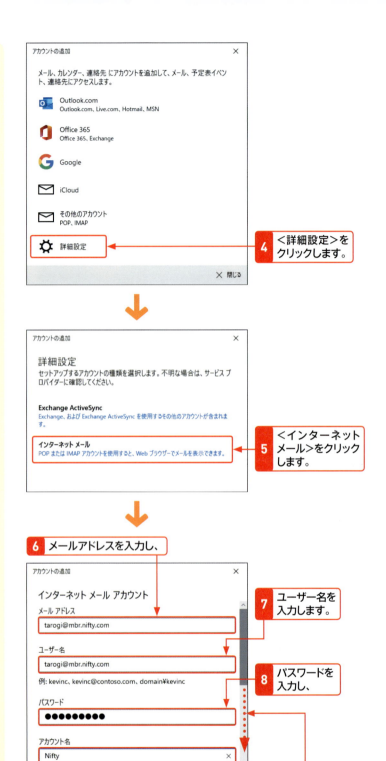

4 ＜詳細設定＞をクリックします。

5 ＜インターネットメール＞をクリックします。

6 メールアドレスを入力し、

7 ユーザー名を入力します。

8 パスワードを入力し、

9 アカウント名を入力します。

10 画面を下にスクロールします。

第5章 メールの利用

134

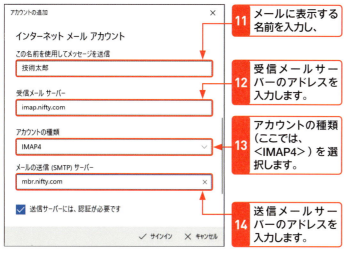

11 メールに表示する名前を入力し、

12 受信メールサーバーのアドレスを入力します。

13 アカウントの種類（ここでは、<IMAP4>）を選択します。

14 送信メールサーバーのアドレスを入力します。

15 そのほかの設定を行います。

16 <サインイン>をクリックします。

17 アカウントが正しく設定されると、この画面が表示されます。

18 <完了>をクリックすると、アカウントが追加されます。

ヒント　送信メールサーバーとは？

メールの送信を行うときに利用されるサーバーです。メールの送信は、すべて「送信メールサーバー」を介して行われます。ここで入力する内容は、プロバイダーによって異なるので、プロバイダー加入時に送付された資料などをもとに正確に入力を行ってください。なお、ポート番号を指定して送信メールサーバーの情報を入力する場合は、送信メールサーバーのURLとポート番号を「：（コロン）」で区切って入力します。

> メールの送信 (SMTP) サーバー
> mbr.nifty.com:587

キーワード　POP3とは？

「POP3」は、メールサーバーから自分宛てのメールを取り出すときに利用される規約です。POP3では、自分宛てのメールをパソコンにすべてダウンロードして、メールアプリで読み出しを行います。

キーワード　IMAP4とは？

「IMAP4」は、POP3と同様にメールサーバーから自分宛てのメールを取り出すときに利用される規約です。POP3とは異なり、メールはすべてメールサーバー上で管理され、メールをパソコンにダウンロードするかどうかは、ユーザーが件名や送信者の情報を見て決められます。

Section 38 メールを送信する

覚えておきたいキーワード
- ☑ 新規作成
- ☑ 送信
- ☑ CC／BCC

「メール」アプリは、メールの受信や、受け取ったメールの返信や転送などを行うアプリです。ここでは、「メール」アプリでメールを送信する方法を解説します。自分宛てにメールの送信を行うことで、メールアカウントが正しく設定されているかどうかの確認を行ってみましょう。

1 新規メールを送信する

メモ　メールを新規作成する

ここでは、メールアプリで新規にメールを作成して送信する手順を解説します。受信したメールへの返信、受信したメールの転送については、P.142〜143を参照してください。

ステップアップ　Peopleアプリを利用する

手順①の画面でをクリックすると、「People」アプリ（P.236参照）に切り替えることができます。「People」アプリからメールを送信したいときは、メールを送信したい連絡先をクリックして表示し、＜メール＞をクリックすると、手順②の画面が表示されます。

ヒント　宛先を確定する

「メール」アプリは、宛先メールアドレスの一部を入力すると宛先候補を表示する機能を備えており、表示された候補をクリックすると宛先に入力できます。

① ＋＜メールの新規作成＞をクリックします。

左の「ステップアップ」参照。

② 送信先のメールアドレス（ここでは、「自分のメールアドレス」）を入力し、

P.137右上の「メモ」参照。

③ ＜件名＞をクリックします。

Section 38 メールを送信する

4 件名を入力し、

5 件名の下をクリックします。

6 本文を入力し、 **7** ＜送信＞をクリックします。

右中段の「メモ」参照。

8 メールが送信され、

9 メールの一覧画面に戻り、

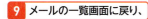

10 しばらくすると送信したメールが届きます。

メモ　CCとBCCの違い

P.136の手順 **2** で、＜CCとBCC＞をクリックしてメールアドレスを入力すると、同じ内容のメールを複数の相手に送信できます。CCに入力したメールアドレスはすべて受信者に公開されますが、BCCに入力したメールアドレスは公開されません。「同じメールが誰に送信されたのか」について、受信者に知らせる場合はCC、知らせてはいけない場合はBCCを利用しましょう。

メモ　作成中のメールを破棄する

手順 **6** の画面で＜破棄＞をクリックすると、作成中のメールを破棄できます。

注意　メールの送信に失敗したときは？

新規取得したMicrosoft アカウントや長期間使用していなかったMicrosoft アカウントを使用する場合、メールの送信に失敗し、以下のメールが届く場合があります。このメールが届いたときは、メールに記載されている＜sign in＞をクリックし、「Outlook.com」のWebページでサインインを行い、画面の指示に従って初期設定と本人確認を行ってください。

メモ　送信済みメールを確認する

送信済みのメールを確認したいときは、＜フォルダー＞または＜その他＞をクリックし、＜送信済み＞をクリックします。

Section 39 メールを受信する

覚えておきたいキーワード
- ☑ 受信
- ☑ 削除
- ☑ 手動

ここでは、メールの手動受信を行う方法と不要な受信メールを削除する方法を解説します。「メール」アプリは、起動していない状態でも新着メールの自動受信を行う機能を備えていますが、急を要する場合など手動で新着メールのチェックを行うこともできます。

1 メールを手動で受信する

 メモ　新着メールを受信する

「メール」アプリは、新着メールの受信を自動的に行うため、受信操作は必要ありません。右の手順では、新着メールを手動で確認したいときの手順を紹介しています。

 メモ　通知の設定を行う

「メール」アプリは、新着メールを受信したときに通知を表示して受信を知らせる機能を搭載しています。この機能は、⚙をクリックし、＜通知＞をクリックして表示される画面で設定できます。＜通知のバナーを表示＞の☐をクリックして☑にすると、新着メールを受信したときに通知を表示します。＜音を鳴らす＞の☐をクリックして☑にすると、新着メールを受信したときに音を鳴らします。

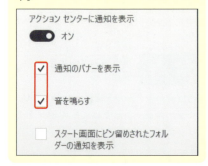

1 ⟳をクリックします。

2 新着メールがあるときは、新しいメールが受信されて表示されます。

2 不要なメールを削除する

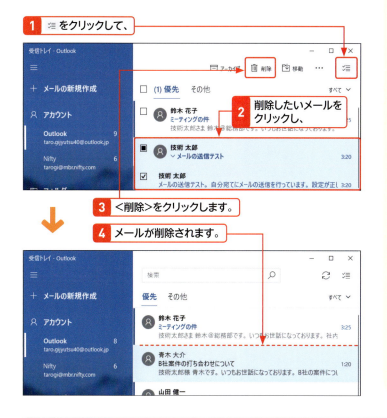

ヒント メールを削除する

左の手順や下の「ステップアップ」で削除したメールは、「削除済みアイテム」や「ごみ箱」などのフォルダーに移動しただけで完全に削除されたわけではありません。

メモ そのほかのメールの削除方法について

不要なメールの削除は、削除したいメールの上にマウスポインターを移動させると表示される🗑をクリックすることでも削除できます。

ステップアップ 複数のメールをまとめて操作する

複数のメールをまとめて削除したり、未読、既読にしたいときは、メッセージリストの≡をクリックして、作業を行います。また、選択解除をまとめて行いたいときは、再度≡をクリックします。

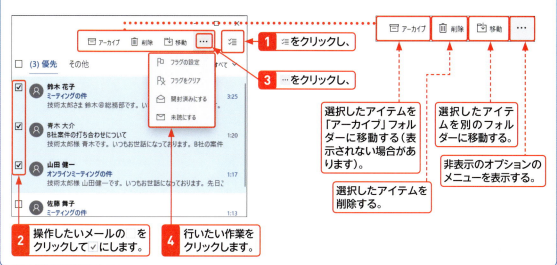

3 フォルダーを開く

メモ 利用するメールアカウントを切り替える

複数のメールアカウントを「メール」アプリで管理しているときは、<アカウント>以下に並んでいるメールアカウントをクリックして、アカウントを切り替えます。<アカウント>以下にメールアカウントが表示されていないときは、<アカウント>をクリックすると、フォルダーが展開され、メールアカウントのリストが表示されます。

メモ 表示されるフォルダーについて

右の手順1で<フォルダー>をクリックしたときに表示されるフォルダーの種類は、選択中のアカウントによって異なります。また、アカウントによっては、フォルダー名が日本語ではなく、英語表記の場合もあります。

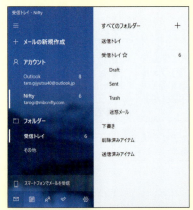

1 <フォルダー>をクリックします。

2 表示したいフォルダー（ここでは、<ごみ箱>）をクリックします。

3 フォルダー内（ここでは、「ごみ箱」）にあるメールが表示されます。

4 <受信トレイ>をクリックすると、受信トレイ内にあるメールを表示します。

4 メールをダウンロードする期間を変更する

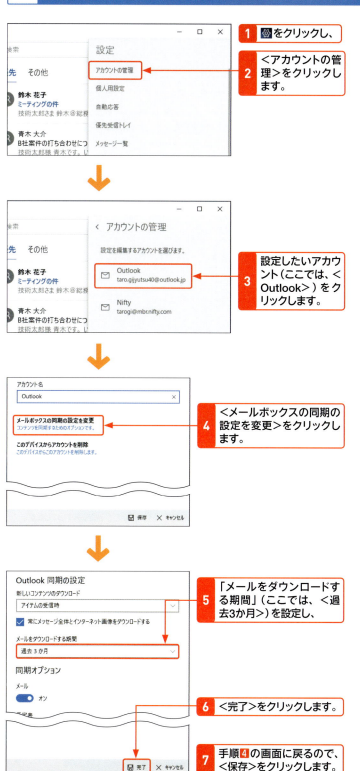

1 ⚙をクリックし、
2 <アカウントの管理>をクリックします。
3 設定したいアカウント（ここでは、<Outlook>）をクリックします。
4 <メールボックスの同期の設定を変更>をクリックします。
5 「メールをダウンロードする期間」（ここでは、<過去3か月>）を設定し、
6 <完了>をクリックします。
7 手順4の画面に戻るので、<保存>をクリックします。

メモ メールをダウンロードする期間

「メール」アプリは、通常、これまで受信したすべてのメールを表示するように設定されています。メールをダウンロードする期間を変更したいときは左の手順で行います。

ヒント 設定できる期間について

メールをダウンロードする期間は、「過去3日間」「過去7日間」「過去2週間」「過去1か月」「過去3か月」「指定なし」の中から選択できます。「指定なし」を選択すると、すべてのメールをダウンロードします。また、「指定なし」を選択した場合、すべてのメールがダウンロードされるまで時間がかかる場合があります。なお、「指定なし」は「すべて」と表記されている場合があります。その場合は「すべて」を選択してください。

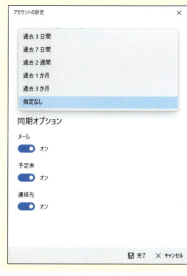

Section 40 メールを返信／転送する

覚えておきたいキーワード
- ☑ 返信／転送
- ☑ RE:
- ☑ FW:

受信したメールは、返信したり、別の相手に転送したりできます。返信メールと転送メールは、もとのメールにメッセージを書き加えるなどの編集が行えます。また、件名の先頭には、返信あるいは転送メールを示す「RE:」「FW:」の文字が追加されます。

1 メールを返信する

メモ 全員に返信する

CCなどによって複数の送信先が指定されたメールに返信する場合、手順2で＜全員に返信＞をクリックすると、送信先に指定された全員に返信できます。部署内など、同じ情報を共有したい場面に便利です。

1 返信したいメールを表示して、

2 ＜返信＞をクリックします。　左の「メモ」参照。

3 返信メールの作成画面が表示されます。

- メールを送信してきた相手のメールアドレスが自動的に挿入されます。
- 件名は引用され、先頭に返信メールを示す「RE:」の文字が付けられます。
- ここにメッセージを入力します。

キーワード RE:とは？

「RE:」は、ラテン語の名詞「res（レース）」の奪格となる「re」をもとに、英語の前置詞に転じたものです。現在でも英文レターの件名に使われ、「〜について」の意味です。

4 メッセージを入力し、

5 <送信>をクリックし、メールを送信します。

ヒント 返信後の受信メールにはアイコンが付く

メールを返信すると、返信したメールに  のアイコンが付きます。返信したメールと返信していないメールを区別できます。

2 受信したメールを転送する

1 転送したいメールを表示しておき、

2 <転送>をクリックします。

3 転送メールの作成画面が表示されます。

4 転送相手のメールアドレスを入力し、

キーワード FW:とは？

「FW:」は、「Forward（フォワード）」の略称です。転送メールには、転送したことを示すために件名に「FW:」が利用されています。

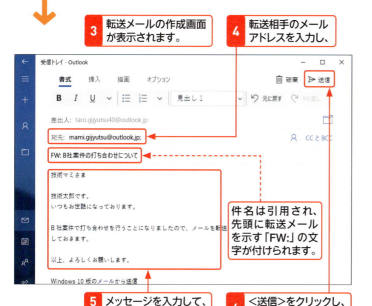

件名は引用され、先頭に転送メールを示す「FW:」の文字が付けられます。

5 メッセージを入力して、

6 <送信>をクリックし、メールを送信します。

ヒント 転送後の受信メールにはアイコンが付く

メールを転送すると、転送したメールに→のアイコンが付きます。転送したメールがすぐにわかるようになっています。

Section 41 ファイルを添付して送信する

覚えておきたいキーワード
- ☑ 添付ファイル
- ☑ インライン画像
- ☑ 写真

メールは文字だけでなく、画像や動画などのファイルを添付して送信することもできます。あまり容量が大きいファイルを送信するのには向きませんが、仕事で使う資料や旅先で撮影した写真など、ちょっとしたファイルを受け渡しする場合に便利です。

1 メールにファイルを添付して送信する

 メモ　ファイルの添付方法

「メール」アプリでメールにファイルを添付するには、「添付ファイル」と「インライン画像」の2つの方法があります。ここでは、もっとも一般的に利用されている「添付ファイル」を例に、メールへのファイルの添付方法を紹介します。インライン画像については、P.145の下の「メモ」を参照してください。

 メモ　添付ファイルのサイズに注意

一般に、プロバイダーはメール1通あたりの最大容量を規定しています。容量が大きいファイルを添付すると、相手が受信できない場合があります。

 **ヒント　実行形式のファイルは添付できない**

「メール」アプリは、アプリなどの実行形式のファイルを添付できません。添付できないファイルを添付しようとすると、警告が表示されます。その場合は、P.206の手順を参考にOneDriveを利用してファイルの共有を行ってください。

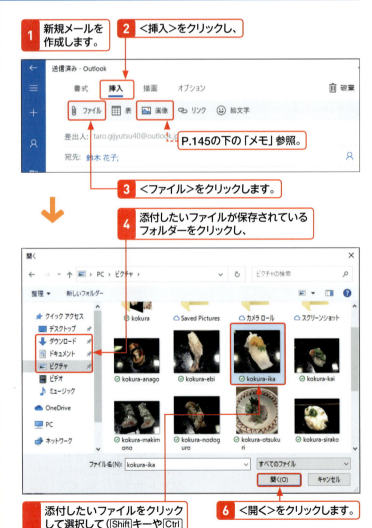

1 新規メールを作成します。
2 <挿入>をクリックし、
　P.145の下の「メモ」参照。
3 <ファイル>をクリックします。
4 添付したいファイルが保存されているフォルダーをクリックし、
5 添付したいファイルをクリックして選択して（ShiftキーやCtrlキーを押しながら、ファイルをクリックすると、まとめて選択できます）、
6 <開く>をクリックします。

第5章 メールの利用

144

7 選択したファイルが作成中のメールに添付されます。

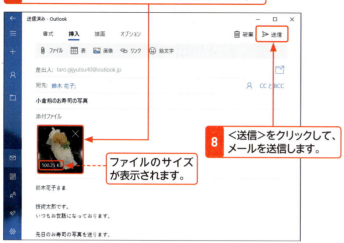

8 <送信>をクリックして、メールを送信します。

ファイルのサイズが表示されます。

メモ 添付ファイルが送れないときは?

添付したいファイルの容量が大きすぎて、相手が受け取れなかったり、実行形式のファイルなど添付できないファイルをやり取りしたいときは、OneDriveなどのクラウドストレージを利用してファイルのやり取りを行います。クラウドストレージには、ファイルの共有機能が備わっており、この機能を利用することでメールで送ることができないファイルのやり取りを行えます（P.206参照）。

メモ インライン画像でファイルを添付する

「メール」アプリでは、「添付ファイル」以外にも、「インライン画像」を使ってメールにファイルを添付できます。「インライン画像」は、画像ファイルをメール本文の中に直接追加する方法で、アルバムのようなメールを送りたいときに便利な方法です。「インライン画像」でファイルを添付したいときは、次の手順で行います。

1 新規メールを作成します。

2 写真を挿入したい場所に｜（点滅する縦棒）を移動させ、

3 <挿入>をクリックし、

4 <画像>をクリックします。

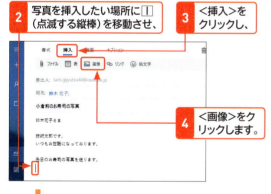

5 添付したい写真をクリックして選択し、

6 <挿入>をクリックします。

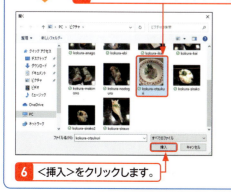

7 選択した写真がメールに挿入されます。

8 <サイズ>をクリックし、

9 <高さ>または<幅>のいずれかのサイズを入力し、

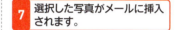

10 Enterキーを押します。

11 画面の比率を維持したまま、サイズが変更されます。

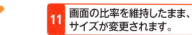

12 <送信>をクリックし、メールを送信します。

インライン画像

Section 42 メールに添付されたファイルを保存する

覚えておきたいキーワード
☑ 添付ファイル
☑ 保存
☑ 表示

メールに添付されたファイルは、本文とは別に扱われます。「メール」アプリでは、添付されたファイルをクリックすると、対応したアプリで開いて内容を閲覧できます。また、任意のフォルダーに保存することもできます。ここでは、添付ファイルの閲覧や保存について解説します。

1 添付されたファイルをアプリで表示する

 添付ファイルを表示する

右の手順では、添付ファイルが写真の場合を例に解説しています。圧縮ファイルの場合は、以下のようなアイコンが表示されます。

 プレビューが表示されないときは?

添付されたファイルが写真の場合、通常は、右の手順 1 のように写真のプレビューが表示されますが、プレビューが表示されないケースも確認されています。プレビューが表示されないときは、添付ファイルをクリックすると＜名前を付けて保存＞画面が表示されます。

 ダイアログボックスが表示されたときは?

サムネイルをクリックしたときに、添付ファイルの表示に利用するアプリを選択するためのダイアログボックスが表示される場合があります。ダイアログボックスが表示されたときは、表示に利用するアプリをクリックして選択し、＜OK＞をクリックしてください。

「メール」アプリを起動し、ファイルが添付されたメールを開いておきます。

1 添付ファイルのサムネイルをクリックすると、

2 対応したアプリ（ここでは、「フォト」アプリ）で、添付されたファイルの内容が表示されます。

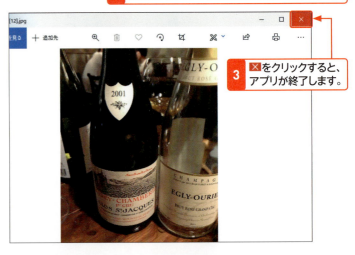

3 をクリックすると、アプリが終了します。

2 ファイルを保存する

1 添付されているファイルを右クリックし、
2 <保存>をクリックします。

3 必要に応じて保存先を選択し、
4 ファイル名を入力したら、
5 <保存>をクリックします。

 ヒント 「インライン画像」でファイルが添付されたときは？

「インライン画像」でメールに写真が添付されているときは、画像がメールの文中に表示されます。画像をクリックしても対応アプリによる表示は行われません。「インライン」で添付された画像を保存したいときは、画像を右クリックして<画像を保存>をクリックします。

メモ 添付した写真が必ずインラインで表示される

「メール」アプリは、写真が添付されたメールを「インライン画像」として表示する場合があります。この現象は、他社製メールアプリの一部で送信されたメールで発生しています。この現象が発生したときは、左の手順で添付された写真を保存することはできません。

メモ 対応アプリからファイルを保存する

メールに添付されているファイルが写真の場合は、通常、「フォト」アプリ（P.174参照）で写真を表示します。「フォト」アプリで表示中の写真は、以下の手順で保存できます。

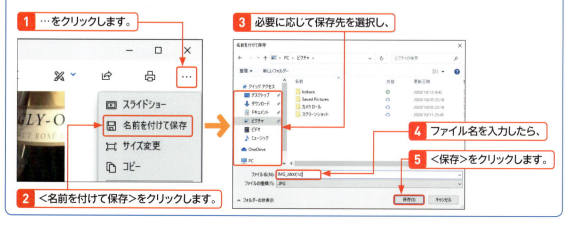

1 …をクリックします。
2 <名前を付けて保存>をクリックします。
3 必要に応じて保存先を選択し、
4 ファイル名を入力したら、
5 <保存>をクリックします。

Section 43 迷惑メールに登録する

覚えておきたいキーワード
☑ 迷惑メール
☑ スパムメール
☑ スパイウェア

メールを利用していると、スパムメールやスパイウェアを潜ませたメールが送られてくる場合があります。一般的にこれらを総称して、迷惑メールと呼びます。ここでは、Outlook.comのメールアドレスに迷惑メールが届いてしまった場合の対処方法を紹介します。

1 特定のメールを迷惑メールに登録する

キーワード 迷惑メールとは？

「迷惑メール」とは、無断で送信されてくる宣伝や勧誘のメール、詐欺や情報漏えいの危険が潜んでいる可能性が高いメールなどの総称です。Outlook.comのメールアドレスに迷惑メールが届いた場合は、ここで解説している操作を行うと、同じメールアドレスから届いたメールが自動的に「迷惑メール」フォルダーに移動するようになります。

注意 迷惑メール登録時の制限について

迷惑メールの登録機能を利用できるのは、アカウントの種類を「IMAP」に設定し、あらかじめ「迷惑メール」フォルダーに該当するフォルダーが作成されている場合に限ります。また、プロバイダーメールでは、「迷惑メール」フォルダーにメールが移動しただけで登録が行えなかったり、正常に移動しなかったりなど、この機能が正常に動作しない場合があります。

キーワード スパムメールとは？

業者などが入手したメールアドレスをもとに、営利目的のメールなどを無差別に大量配布するメールを「SPAM（スパム）メール」と呼びます。

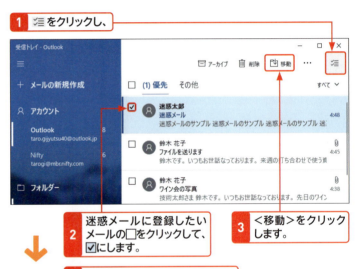

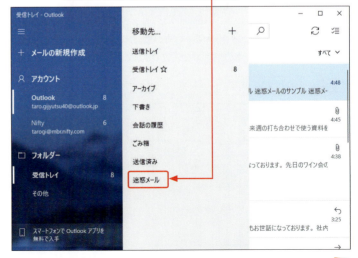

5 選択したメールが「迷惑メール」に移動します。

6 <フォルダー>をクリックし、

7 <迷惑メール>をクリックすると、

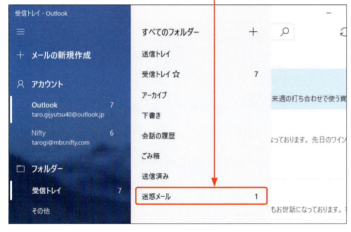

8 選択したメールが「迷惑メール」フォルダーに移動していることを確認できます。

Section 43 迷惑メールに登録する

🔍 キーワード スパイウェアとは？

「スパイウェア」とはユーザーのプライバシー情報を収集し、その情報を盗み出すアプリ（ソフトウェア）のことです。スパイウェアは、メールの添付ファイルを経由して感染する可能性もあるので、送信元が不明なメールの添付ファイルは開かないようにしましょう。

📝 メモ 「迷惑メール」フォルダーが見つからない

利用環境によっては、一部のフォルダー名が英語表記になっている場合があります。英語表記になっている場合、「Junk Email」フォルダーが「迷惑メール」フォルダーとなります。

📝 メモ そのほかの迷惑メール登録方法

迷惑メールの登録は、迷惑メールとして登録したいメールを右クリックし、<迷惑メールにする>をクリックすることでも行えます。

📝 メモ 迷惑メールから解除する

大切なメールを間違って迷惑メールに登録したときは、手順 **8** の画面で右クリックし、<迷惑メールにしない>をクリックします。

第 5 章 メールの利用

Section 44 メールを検索する

覚えておきたいキーワード
- ☑ メールの検索
- ☑ 検索キーワード
- ☑ フォルダー

受信メールがたまってくると、目的のメールがかんたんには見つからなくなってしまいます。目的のメールが見つからない場合や過去のメールを確認したい場合は、<u>メールの検索</u>を行ってみましょう。「メール」アプリは、かんたんな操作でメールの検索を行えます。

1 メールを検索する

メモ 検索対象のフォルダーは変えられる

「メール」アプリでは、受信トレイを表示した状態で検索を行うと「すべてのフォルダー」を対象に検索を実行します。また、送信済みやごみ箱など、受信トレイ以外を開いた状態で検索を行うと、そのフォルダー内を対象に検索を実行します。

1 <検索>をクリックします。

左の「メモ」参照。

2 検索キーワード（ここでは、「セミナー」）を入力し、

3 をクリックするか、Enterキーを押します。

ヒント 複数のキーワードで検索するには？

検索キーワードは、複数入力できます。複数の検索キーワードを入力したいときは、キーワードをスペースで区切って入力します。

4 検索結果が表示されます。

5 目的のメールをクリックすると、

右上の「ヒント」参照。

6 メールの内容が表示されます。

7 ←をクリックすると、

8 検索が解除され、手順1の画面に戻ります。

ヒント 「受信トレイ」のみを検索するには？

手順5の画面で＜すべてのフォルダー＞をクリックし、＜受信トレイの検索＞をクリックすると、受信トレイを対象に現在入力中のキーワードで検索し直します。

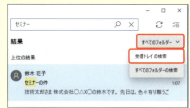

ヒント メールアドレスで検索する

ここでは、例としてキーワードで検索を行っていますが、検索はメールアドレスでも行えます。たとえば、P.150の手順2で検索ボックスにメールアドレスをキーワードとして入力すると、そのメールアドレスから届いたメールと送信したメールを表示できます。

メモ ←が表示されない

「メール」アプリを「ナビゲーションバー」「メッセージ一覧」「メッセージウィンドウ」の3つの領域で構成されるウィンドウサイズで利用しているときは、←は表示されません。このときは、手順5で目的のメールをクリックすると、そのメールの内容が「メッセージウィンドウ」に表示されます。検索を終了するときは、検索ボックスの×をクリックします。

Section 45 メールに署名を追加する

覚えておきたいキーワード
- ☑ 署名
- ☑ アカウント
- ☑ 連絡先

メールの末尾に記載される送信者の名前や連絡先などの情報を、署名と呼びます。署名を設定しておくと、メールの末尾にあらかじめ決めておいた定型文書が自動挿入され、手動で情報を入力する必要がありません。ここでは、「メール」アプリで署名を設定する方法を紹介します。

1 署名を設定する

🔍 キーワード 署名とは？

「署名」は、メールの末尾に記載されるメール送信者の名前や連絡先、勤務先などの情報です。「メール」アプリにはあらかじめ「Windows 10版のメールから送信」という文面が署名に設定されています。ここでは、この署名を変更する手順を解説しています。

1 をクリックします。

⬇

2 <署名>をクリックします。

📝 メモ アカウント単位で設定できる

「メール」アプリでは、アカウント単位で署名を設定できます。複数のアカウントを「メール」アプリで管理しているときは、手順でアカウントを選択してアカウントごとに署名を設定してください。

3 「メールの署名」が表示されます。

4 ＜電子メールの署名を使用する＞がになっているときはクリックしてにします。

5 署名を設定するアカウント（ここでは、＜Outlook＞）を選択し、

ヒント 文字列を削除したとき

署名に設定されている文字列をすべて消去すると、「電子メールの署名を使用する」の設定が自動的にに変更されることがあります。署名を利用する場合は、署名の入力後にこの設定をに変更する必要があります。

6 ＜Windows 10版のメールから送信＞の文字列を削除します。

7 署名の内容を入力し、

右中段の「メモ」参照。

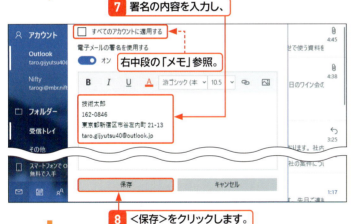

ヒント 署名に入力する情報について

署名に入力する情報は、送信者の名前や住所、電話番号、メールアドレスなどです。仕事で利用する場合は、会社名や部署名、電話番号、FAX番号なども追加しておくのがおすすめです。

メモ すべてのアカウントに同じ署名を適用する

＜すべてのアカウントに適用する＞の□をクリックして✓にすると、すべてのアカウントに同じ署名を利用できます。

8 ＜保存＞をクリックします。

9 設定が保存され、「メールの署名」が消えます。

メモ 署名の確認を行う

メールの新規作成を行うと、設定した署名が自動的に挿入されていることを確認できます。

メモ　Outlook.comをWebブラウザーで利用する

「Outlook.com」は、マイクロソフトが無償提供しているWebメールサービスです。通常は、@outlook.jp、@outlook.com、@hotmail.co.jp、@live.jp、@msn.co.jp、@msn.comなどのメールアカウントで利用されています。本書では、「メール」アプリでこれらのメールアカウントを利用する方法を解説していますが、Outlook.comは、メールの閲覧や送受信などの操作をWebブラウザーで行うこともできます。WebブラウザーでOutlook.comを利用するときは、以下の手順でOutlook.comのWebページを開いて作業を行います。なお、MicrosoftアカウントでWindows 10にサインインしているときは自動的にサインインが行われ、以下の手順 3 から手順 9 の画面は表示されません。また、外出先や他人のパソコンから利用するときは、パスワードの保存やサインイン状態の維持を行わないようにしてください。

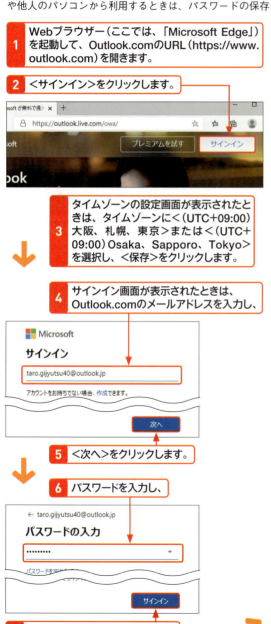

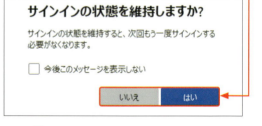

Chapter 06

第6章

音楽／写真／ビデオの活用

Section		
	46	**Windows Media Playerの初期設定を行う**
	47	音楽CDを再生する
	48	音楽CDから曲を取り込む
	49	「Grooveミュージック」アプリで曲を再生する
	50	写真や動画を撮影する
	51	デジタルカメラから写真を取り込む
	52	iPhoneと写真や音楽をやり取りする
	53	Androidスマートフォンと写真や音楽をやり取りする
	54	写真を閲覧する
	55	写真を編集する
	56	オリジナルのビデオを作成する
	57	ビデオを再生する

Section 46 Windows Media Playerの初期設定を行う

覚えておきたいキーワード
☑ Windows Media Player
☑ 起動／終了
☑ 初期設定

Windows 10で音楽データを利用するためのアプリは、「Windows Media Player」と「Grooveミュージック」アプリ（P.162参照）の2つがあります。ここでは、Windows Media Playerの起動と終了の方法を確認し、初期設定を行います。

1 Windows Media Playerの起動と終了

メモ　Windows Media Playerの主な機能

Windows Media Playerは、音楽やビデオなどのファイルの再生だけでなく、音楽CDの再生や取り込みなどの機能を備えたデスクトップアプリです。Windows Media Playerには、多くの機能があります。主な機能は、以下の通りです。

- 音楽CDの再生
- ビデオファイルの再生
- 音楽CDの取り込み
- 音楽ファイルの再生
- 音楽CDの作成
- 音楽ファイルやビデオファイルを書き込んだCDやDVDの作成

1 ⊞をクリックし、
2 メニューをスクロールして、
3 <Windows Media Player>をクリックします。

「Windows アクセサリ」フォルダーの中に表示されることもあります。

4 はじめて起動したときは、以下の画面が表示されるので、

5 <推奨設定>をクリックして、●にします。

6 <完了>をクリックします。

メモ　設定画面は最初の起動時だけ表示される

手順 4 の初期設定画面は、Windows Media Playerをはじめて起動したときにのみ表示されます。すでに初期設定を済ませているときはこの画面が表示されず、Windows Media Playerが起動します。

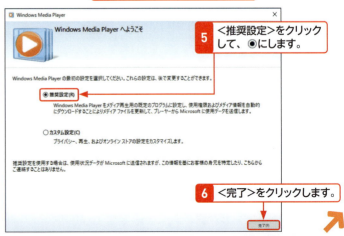

7 Windows Media Playerが起動します。

8 ×をクリックすると、

9 Windows Media Playerが終了します。 右の「メモ」参照。

Windows Media Playerの画面構成（ライブラリモード）

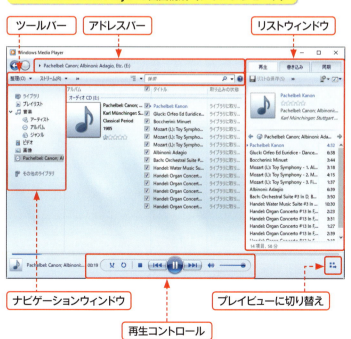

ツールバー／アドレスバー／リストウィンドウ／ナビゲーションウィンドウ／再生コントロール／プレイビューに切り替え

メモ ライブラリとプレイビューについて

Windows Media Playerには、ライブラリとプレイビューの2種類の表示モードがあります。手順**7**の画面は、ライブラリモードです。 ＜プレイビューに切り替え＞をクリックすると、プレイビューモードに切り替わります。なお、タブレットモードでは、プレイビューモードも全画面で表示されます。

プレイビューモード

ライブラリに切り替え

再生コントロール領域

ヒント リストウィンドウの表示／非表示を切り替える

リストウィンドウは、＜再生＞＜書き込み＞＜同期＞の3種類のタブをクリックすると、表示の切り替えを行えます。非表示にしたい場合は ＜リストオプション＞をクリックし、＜リストの非表示＞をクリックします。なお、ここでは をリストオプション＞と呼んでいますが、＜再生＞タブの場合のみこの名称になります。＜書き込み＞タブでは＜書き込みオプション＞、＜同期＞タブでは＜同期オプション＞とボタンの名称が変わります。また、 は のアイコンで表示されている場合があります。

Section 46 Windows Media Playerの初期設定を行う

第6章 音楽／写真／ビデオの活用

157

Section 47 音楽CDを再生する

覚えておきたいキーワード
- ☑ Windows Media Player
- ☑ プレイビューモード
- ☑ ライブラリモード

Windows Media Playerでは、音楽CDを再生できます。音楽CDを挿入したときに、アルバムの写真や曲の情報をインターネットから自動的に取得することもできます。ここでは、音楽CDを再生する方法と、画面の表示を切り替える方法を解説します。

1 Windows Media Playerで音楽CDを再生する

 メモ　音楽CDの再生

Windows 10で音楽CDを再生するには、Windows Media Playerを利用します。また、音楽CDの再生には、光学ドライブが必要です。パソコンに光学ドライブが搭載されていない場合は、USB接続の光学ドライブなどを使用する必要があります。なお、パソコンに取り込んだ曲は、「Grooveミュージック」アプリで再生することもできます（P.162参照）。

 メモ　通知バナーが表示されない場合は?

パソコンによっては、手順2の通知バナーが表示されないことがあります。この場合は、デスクトップのタスクバーから＜エクスプローラー＞ボタン→＜PC＞の順にクリックし、光学ドライブのアイコンをダブルクリックすると、音楽CDが再生されます。

キーワード　プレイビューモードとは?

「プレイビューモード」は、シンプルな画面でメディアを再生できるモードです。Windows Media Playerを起動していない状態でパソコンに音楽CDをセットすると、このプレイビューモードで音楽が再生されます。

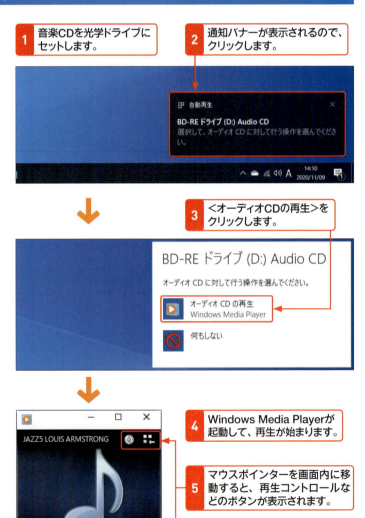

1. 音楽CDを光学ドライブにセットします。
2. 通知バナーが表示されるので、クリックします。
3. ＜オーディオCDの再生＞をクリックします。
4. Windows Media Playerが起動して、再生が始まります。
5. マウスポインターを画面内に移動すると、再生コントロールなどのボタンが表示されます。

- 一時停止／再生を切り替えます。
- 次の曲を再生します。
- ミュート（消音）／ミュート解除を切り替えます。
- 音量を調整します。
- 前の曲を再生します。
- 再生を停止します。

> **メモ　音楽CDをセットしたときの動作を変更する**
>
> ここでは、音楽CDをセットすると、Windows Media Playerで自動再生が始まるように設定しています。この設定は、「コントロールパネル」（P.249参照）を開き、＜ハードウェアとサウンド＞→＜自動再生＞の順にクリックして表示される画面で変更できます。

2 ライブラリモードで音楽CDを再生する

1. マウスポインターを＜プレイビュー＞の上に移動して、
2. ボタンを表示します。
3. ＜ライブラリに切り替え＞をクリックすると、
4. ライブラリモードに切り替わります。
5. 再生したい曲をダブルクリックすると、
6. その曲の再生が始まります。

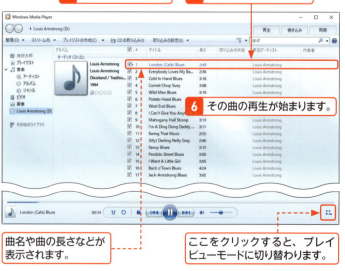

- 曲名や曲の長さなどが表示されます。
- ここをクリックすると、プレビューモードに切り替わります。

> **キーワード　ライブラリモードとは？**
>
> 「ライブラリモード」は、Windows Media Playerで音楽CDの取り込みやCD/DVDへの書き込み、プレイリストの作成などの機能を利用するときに使います。

> **メモ　アルバム名や曲名は表示されないことも**
>
> 音楽CDのアルバム名や曲名は、インターネット上に構築された曲名データベースから取得しています。曲名データベースには、多くの楽曲が登録されていますが、発売されたすべての音楽CDの情報を網羅しているわけではありません。このため、音楽CDのアルバム名や曲名は、表示されない場合があります。なお、曲名を右クリックし、表示されるメニューから＜アルバム情報の検索＞をクリックすると、曲名を取得できることもあります。
>
>

159

Section 48 音楽CDから曲を取り込む

覚えておきたいキーワード
- Windows Media Player
- 音楽CDの取り込み
- 音楽ファイル

Windows Media Playerでは、音楽CDから好きな曲をパソコンに取り込むことができます。好きな曲をパソコンに取り込んでおくと、音楽CDを光学ドライブにセットせずに曲を再生できるようになります。ここでは、音楽CDをパソコンに取り込む方法を解説します。

1 音楽CDをパソコンに取り込む

 メモ 音楽CDの取り込みについて

音楽CDの取り込みとは、音楽CDに収録されている曲をパソコンで再生できるファイルとして保存することです。ここで取り込んだ曲は、Windows Media PlayerやWindowsアプリの「Grooveミュージック」アプリ（P.162参照）で再生できます。

ここでは、前ページの続きで説明しています。

1 ＜CDの取り込み＞をクリックします。

 メモ 音楽ファイルの保存先は？

Windows Media Playerで取り込んだ音楽CDの内容（ファイル）は、「ミュージック」フォルダー内のアーティスト名が付いたフォルダーに保存されます。

2 最初に音楽CDを取り込むときは「取り込みオプション」ダイアログボックスが表示されます。

 注意 音楽にコピー防止を追加する

＜取り込んだ音楽にコピー防止を追加する＞は、音楽ファイルにライセンス情報を埋め込ませ、音楽CDを取り込んだパソコン以外では再生できないようにする設定です。この設定は、以前は、選択できるようになっていましたが、現在では、選択できないように変更されています。仮に選択できる場合でも、この設定は、選択しないようにしてください。

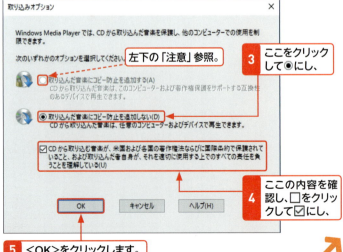

左下の「注意」参照。

3 ここをクリックして◉にし、

4 ここの内容を確認し、☐をクリックして☑にし、

5 ＜OK＞をクリックします。

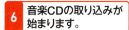

6 音楽CDの取り込みが始まります。

7 取り込んでいる曲の状況が表示されます。

8 しばらくすると、取り込みが完了します。

9 取り込みが終了したら、光学ドライブから音楽CDを取り出します。

ヒント 曲の取り込みを中止するには?

曲を取り込んでいるときに、＜取り込みの中止＞をクリックすると、取り込みを中止できます。

メモ 音楽ファイルの形式について

音楽CDを取り込むときのファイル形式は、＜整理＞→＜オプション＞の順にクリックして、「オプション」ダイアログボックスの＜音楽の取り込み＞タブで確認できます。あらかじめ＜MP3＞形式が選択されていますが、より高音質にしたい場合は、＜WAV＞などを選択します。なお、高音質にすると、ファイルのサイズも大きくなります。

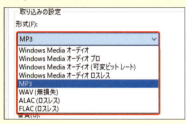

メモ プレビューモードで取り込む

Windows Media Playerを起動していない状態で音楽CDをセットすると、プレビューモードでWindows Media Playerが起動します。そのときは、以下の手順で音楽CDの取り込みを開始できます。

Section 49 「Grooveミュージック」アプリで曲を再生する

覚えておきたいキーワード
- ☑ 音楽ファイル
- ☑ Grooveミュージック
- ☑ アルバム

Windows Media Playerを利用してパソコンに取り込んだ曲は、音楽ファイルとして「ミュージック」フォルダー内に保存されます。音楽ファイルは、Windowsアプリの「Grooveミュージック」アプリで再生できます。ここでは、「Grooveミュージック」アプリの再生方法を解説します。

1 「Grooveミュージック」アプリで曲を再生する

> **メモ 「Grooveミュージック」アプリとは?**
> 「Grooveミュージック」アプリは、「ミュージック」フォルダー内に保存された音楽ファイルの管理／再生を行えるアプリです。起動時に新しい曲が追加されていないかチェックし、曲の追加が自動実行されます。

> **メモ はじめて起動したときは?**
> 「Grooveミュージック」アプリは、はじめて起動したときに画面中央に「すべてが表示されませんか?」と表示されます。これを消去したいときは、この表示右の✕をクリックします。

> **メモ 曲の表示方法は3種類ある**
> 手順5では、＜アルバム＞を選択していますが、＜アーティスト＞をクリックするとアーティスト単位で曲の一覧が表示されます。＜曲＞をクリックすると、すべての曲が一覧表示されます。

> **ヒント 画面デザインが異なるときは?**
> 「Grooveミュージック」アプリは、ウィンドウサイズによって画面のデザインが自動的に変更されます。左のナビゲーションウィンドウが展開されていないときは、ウィンドウサイズを大きくするか、画面左上の≡をクリックするとナビゲーションウィンドウが展開されます。

 ⊞をクリックし、

 スタート画面から＜Grooveミュージック＞をクリックします。

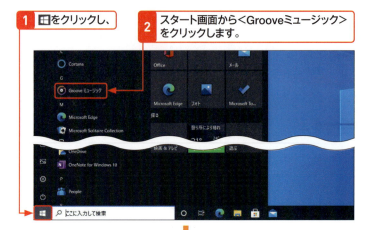

 ＜アプリ＞が起動します。

 ＜マイ ミュージック＞をクリックし、

5 曲の表示方法（ここでは、＜アルバム＞）をクリックすると、

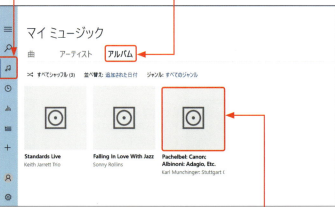

6 アルバムリストが表示されます。

7 再生したいアルバム（ここでは、＜Pachelbel...＞）をクリックします。

Section 49 「Grooveミュージック」アプリで曲を再生する

8 アルバムの曲一覧が表示されます。

9 再生したい曲をクリックします。

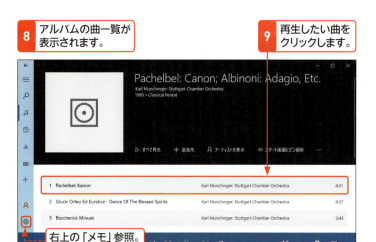

10 ▶をクリックします。

1つの前の画面に戻ります。

11 ■<再生中>にアルバムの曲が登録され、選択した曲の再生が始まります。

アルバムをすべて再生

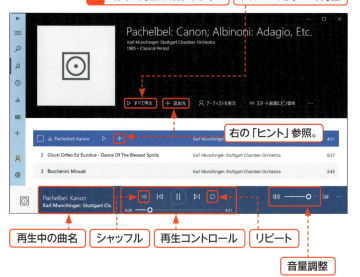

右の「ヒント」参照。

再生中の曲名 / シャッフル / 再生コントロール / リピート / 音量調整

メモ 音楽の登録先フォルダーを追加する

「Grooveミュージック」アプリは、通常「ミュージック」フォルダーに保存された音楽のみを登録します。音楽の登録先フォルダーを追加したいときは、をクリックし、＜音楽を探す場所を選択＞をクリックして、＋をクリックします。

メモ 再生動作を知る

「Grooveミュージック」アプリは、「リピートオフ、シャッフルオフの連続再生」です。このため、左の手順では、選択した曲から再生が始まり、リストの末尾の曲で再生が停止します。

ヒント ■<再生中>に曲を追加する

＋追加先 または曲の＋をクリックすると、再生中のアルバムや曲を■<再生中>に追加したり、新しいプレイリストに追加したりできます。■<再生中>は、一時的な再生リストのようなもので、左の手順で再生を開始したアルバムや曲、再生中のプレイリストの曲が自動的に登録されます。＋追加先 をクリックすると、アルバム単位で追加でき、曲の＋をクリックすると、その曲を追加できます。■をクリックすることで＜再生中＞のリストを表示できます。

メモ 「Grooveミュージック」アプリの色について

「Grooveミュージック」アプリの再生コントロールの色や曲を選択したときの色は、利用している「テーマ」によって異なります。テーマは、「設定」を起動して、＜個人用設定＞→＜テーマ＞と順にクリックすることで変更できます。また、ナビゲーションウィンドウの色は、透明効果が有効になっているため、ユーザーの利用環境によって違いがあります。

Section 50 写真や動画を撮影する

覚えておきたいキーワード
- ☑ 「カメラ」アプリ
- ☑ 写真撮影
- ☑ 動画撮影

カメラを搭載したパソコンを利用している場合は、＜スタート＞メニューから「カメラ」アプリを起動することで、写真や動画を撮影できます。カメラが前面と背面の2箇所に設置されているタブレットなどでは、それらを切り替えることもできます。ここでは、写真や動画の撮影について解説します。

1 写真または動画を撮影する

メモ はじめて起動したとき

「カメラ」アプリをはじめて起動したときは、位置情報を利用するかどうかの設定画面が表示される場合があります。位置情報を利用するときは、＜はい＞をクリックします。位置情報を利用しないときは、＜いいえ＞をクリックします。

1 ⊞をクリックし、

2 メニューをスクロールして、

3 ＜カメラ＞をクリックします。

4 「カメラ」アプリが起動します。

P.165の「メモ」参照。

ヒント カメラの前面／背面を切り替える

ここでは、背面に設置されたカメラで撮影を行っています。撮影に利用するカメラを変更したいときは、をクリックします。前面と背面にカメラがない場合は、このアイコンは表示されません。

5 ◉をクリックすると、

6 シャッター音がして写真撮影が行われます。

7 をクリックすると、

8 「フォト」アプリが起動して撮影した写真を確認できます。

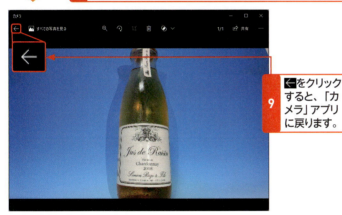

9 をクリックすると、「カメラ」アプリに戻ります。

ヒント オートフォーカスを利用する

利用しているパソコンによっては、ピントを合わせたい場所をクリックすると、オートフォーカスによってピントや明るさなどが自動調整されます。また、ストレッチ／ピンチなどのタッチ操作でズームを利用できる場合があります。

ヒント 写真や動画の保存先は？

撮影した写真や動画は、「ピクチャ」または「画像」フォルダー内の「カメラロール」フォルダーに保存されます。

ヒント そのほかの撮影モード

利用しているパソコンによっては、や🗎、🖻が表示されている場合があります。🖼をクリックするとパノラマ撮影を行えます。また、🗎をクリックすると、ドキュメントの撮影に適したモードとなり、🖻をクリックすると、ホワイトボードの撮影に適したモードになります。

メモ 動画を撮影する

「カメラ」アプリは、動画の撮影も行えます。動画を撮影したいときは、以下の手順で行います。また、写真撮影に戻すときは、📷 をクリックします。

1 📹 をクリックすると、

2 ビデオに切り替わります。

3 📹 をクリックすると、撮影が始まります。

4 ⏺ をクリックすると撮影を停止します。

Section 50 写真や動画を撮影する

第6章 音楽／写真／ビデオの活用

Section 51 デジタルカメラから写真を取り込む

覚えておきたいキーワード
☑ 「フォト」アプリ
☑ 写真の取り込み
☑ デジタルカメラ

Windows 10にプリインストールされている「フォト」アプリには、デジタルカメラやデジタルビデオカメラから写真やビデオ映像を取り込む機能が搭載されています。この機能を利用すると、かんたんな操作で写真やビデオ映像をパソコンに取り込めます。

1 デジタルカメラの写真をパソコンに取り込む

 写真の取り込み

写真の取り込み機能は、「フォト」アプリに搭載されています。ここでは、「フォト」アプリの起動前にデジタルカメラを接続していますが、「フォト」アプリの起動後にデジタルカメラを接続した場合も、同じ手順で取り込みできます。

 「フォト」アプリとは?

「フォト」アプリは、パソコンに取り込んだ写真の閲覧や編集などを行うためのアプリです。Windows 10では、「フォト」アプリを利用することでデジタルカメラで撮影した写真やデジタルビデオカメラで撮影したビデオをパソコンに取り込めます。

 通知バナーが表示されない場合

デジタルカメラを接続しても通知バナーが表示されないときや別アプリが起動したときは、「フォト」アプリを起動し（P.174参照）、 をクリックし、<USBデバイスから>をクリックすると、P.167の手順 4 の画面が表示されます。

1 デジタルカメラをパソコンに接続し、デジタルカメラの電源を入れます。

2 しばらくすると通知バナーが表示されるので、クリックします。

3 <写真とビデオのインポート>をクリックします。

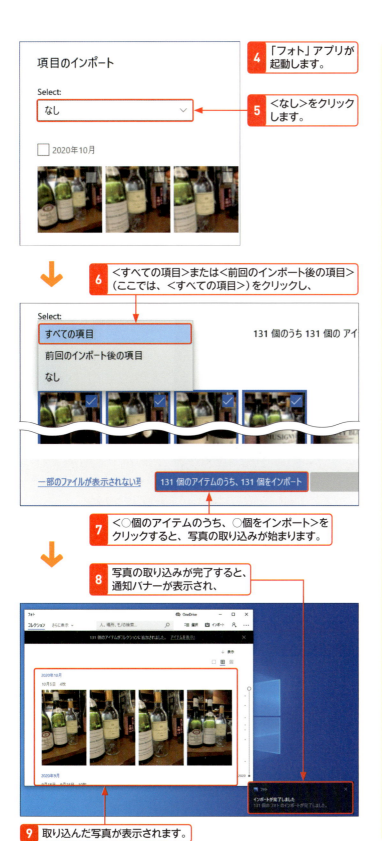

4 「フォト」アプリが起動します。

5 <なし>をクリックします。

6 <すべての項目>または<前回のインポート後の項目>（ここでは、<すべての項目>）をクリックし、

7 <○個のアイテムのうち、○個をインポート>をクリックすると、写真の取り込みが始まります。

8 写真の取り込みが完了すると、通知バナーが表示され、

9 取り込んだ写真が表示されます。

Section 51 デジタルカメラから写真を取り込む

第6章 音楽／写真／ビデオの活用

メモ ビデオ映像の取り込み

ここでは、デジタルカメラで撮影した写真の取り込み方法を解説していますが、デジタルビデオカメラで撮影したビデオ映像をパソコンに取り込むときも同じ手順で行えます。

ヒント 写真の取り込み設定を行う

左の手順4の画面で右上にある<インポートの設定>をクリックすると、写真の取り込み設定を行えます。写真の取り込み設定では、取り込んだ写真の保存先フォルダーの設定や、取り込んだ写真をグループ化する方法、写真の取り込み後にデジタルカメラやメモリーカード内の写真を削除するかどうかの設定が行えます。

ヒント 写真やビデオ映像の取り込み先

取り込まれた写真やビデオ映像は、通常「ピクチャ」または「画像」フォルダー内に保存されます。

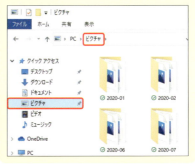

Section 52 iPhoneと写真や音楽をやり取りする

覚えておきたいキーワード
- ☑ iPhone
- ☑ 写真
- ☑ 音楽

ここでは、iPhoneで撮影した写真やビデオ映像をパソコンに取り込んだり、パソコンに保存されている音楽ファイルをiPhoneに転送したりする方法を解説します。写真やビデオ映像の取り込みには、「フォト」アプリを利用します。また、音楽ファイルの転送には、iTunesを利用します。

1 iPhoneを接続して写真をパソコンに転送する

メモ 写真やビデオ映像をパソコンに取り込む

iPhoneで撮影した写真やビデオ映像をパソコンに転送するときは、iPhoneとパソコンをUSBケーブルで接続し、「フォト」アプリを利用します。P.169の手順8以降の操作は、デジタルカメラで撮影した写真をパソコンに取り込むときと同じです。詳細な取り込み手順については、P.167を参照してください。

メモ iTunesのインストールについて

iPhoneで撮影した写真やビデオ映像の取り込みのみを行う場合は、Appleが無償配布しているアプリ「iTunes」のインストールを行う必要はありません。パソコンにiPhoneのバックアップを保存したり、音楽ファイルのやり取りを行いたい場合にiTunesのインストール（P.225参照）を行ってください。

1 iPhoneのロックを解除して、USBケーブルでパソコンと接続します。

2 ＜許可＞をタップします。

3 ⊞をクリックし、

4 ＜フォト＞をクリックします。

5 「フォト」アプリが起動します。　　**6** ＜インポート＞をクリックし、

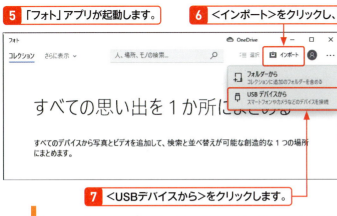

ヒント エクスプローラーで操作する

iPhoneで撮影した写真やビデオ映像のパソコンへの取り込みは、エクスプローラーを利用することでも行えます。エクスプローラーを利用するときは、エクスプローラーを起動し、＜PC＞→＜Apple iPhone＞→＜Internal Storage＞→＜DCIM＞とダブルクリックし、「DCIM」フォルダー内にあるフォルダーをダブルクリックすると写真やビデオ映像が表示されます。

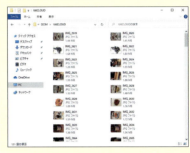

7 ＜USBデバイスから＞をクリックします。

8 「項目のインポート」画面が表示されます。P.167の手順を参考に写真のインポートを行います。

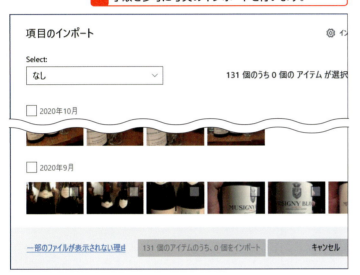

 **はじめてiPhoneをパソコンに接続したときは**

iPhoneをはじめてパソコンに接続したときは、iPhoneの利用に必要となるソフトのインストールやセットアップなどが自動実行され、すべての設定が完了すると、「デバイスの準備ができました」という通知バナーが表示されます。iPhoneで撮影した写真のパソコンへの取り込みは、この通知バナーが表示されてから行ってください。なお、これらの作業は初回接続時のみに必要な作業で、次回からは行われません。

2 音楽ファイルをパソコンからiPhoneに転送する

メモ　パソコンに取り込んだ音楽ファイルを転送する

音楽CDなどからパソコンに取り込んだ音楽ファイルをiPhoneに転送したいときは、Appleが無償配布しているアプリ「iTunes」を利用し、iTunesで管理している音楽ファイルをiPhoneに同期（転送）します。iTunesをインストールしていない場合は、P.225を参考にiTunesのインストールを行っておいてください。

1 P.168の手順を参考に、iPhoneとパソコンをUSBケーブルで接続しておきます。

2 ⊞をクリックし、

3 <iTunes>をクリックします。

4 iTunesが起動します。

5 □をクリックします。

6 接続中のiPhoneの情報が表示されます。

7 <ミュージック>をクリックします。

メモ　ようこそ画面が表示されたときは？

iPhoneをパソコンに接続した状態で、はじめてiTunesを起動すると、「ようこそ」の画面が表示される場合があります。この画面が表示されたときは<同意します>をクリックしてください。

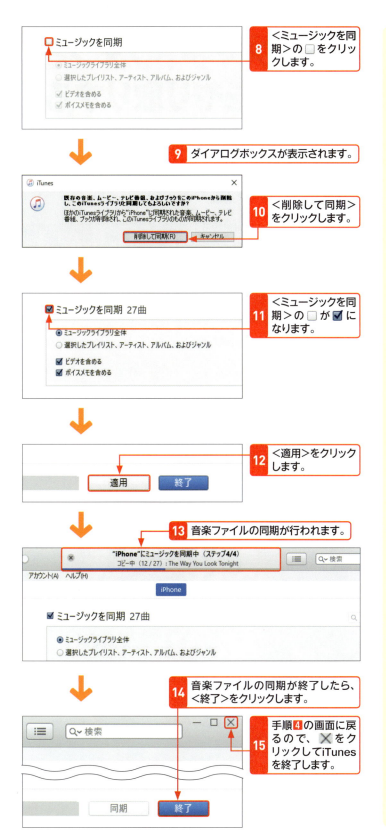

ヒント 音楽ファイルをiTunesのライブラリに追加する

P.160の手順でパソコン内に取り込んだ音楽ファイルや、iTunesのインストール前にパソコン内に取り込んだ音楽ファイルは、iTunesのライブラリに自動追加されません。音楽ファイルをiTunesに追加したいときは、＜ファイル＞をクリックし、＜フォルダをライブラリに追加＞または＜ファイルをライブラリに追加＞をクリックします。「ライブラリに追加」画面が表示されるので、追加したい音楽ファイルまたはフォルダーを選択し、＜フォルダーの選択＞または＜開く＞をクリックします。

ヒント iPhoneに同期する音楽ファイルを選択する

左の手順では、ライブラリに追加されている音楽ファイルすべてをiPhoneと同期しています。この設定で利用するとiTunesに新しい音楽ファイルを追加する場合、その音楽ファイルは、iPhoneとの次回同期時に自動的に同期されます。同期したい音楽ファイルを選択したいときは、手順11の画面で＜選択したプレイリスト…＞の○をクリックして◉にすると、iPhoneと同期する音楽ファイルを「プレイリスト」や「アーティスト」「アルバム」「ジャンル」などを利用して選択できます。

メモ iTunesの同期設定をオフにしたときは？

iTunesとiPhoneのミュージックの同期設定をオフにすると、次回同期時にiPhoneからすべての音楽ファイルが削除されます。また、iTunesに登録されている音楽ファイルの登録を削除すると、同様にその音楽ファイルは、次回同期時にiPhoneから削除されます。

Section 53 Androidスマートフォンと写真や音楽をやり取りする

覚えておきたいキーワード
☑ Android
☑ 写真
☑ 音楽

ここでは、Androidスマートフォンで撮影した写真やビデオ映像をパソコンに取り込んだり、パソコンにある音楽ファイルをAndroidスマートフォンに転送したりする方法を解説します。写真やビデオ映像の取り込みには、「フォト」アプリ、音楽ファイルの転送にはエクスプローラーを利用します。

1 Androidスマートフォンを接続して写真をパソコンに転送する

 写真やビデオ映像をパソコンに取り込む

Androidスマートフォンで撮影した写真やビデオ映像をパソコンに転送するときは、スマートフォンとパソコンをUSBケーブルで接続し、「フォト」アプリを利用します。ここでは、OSに「Android 10」を採用したAndroidスマートフォンから写真を取り込む方法を紹介しています。なお、P.173の手順8以降の操作は、デジタルカメラで撮影した写真をパソコンに取り込むときと同じです。詳細な取り込み手順については、P.167を参照してください。

 はじめてパソコンに接続したときは

Androidスマートフォンをはじめてパソコンに接続したときは、スマートフォンの利用に必要となるソフトのインストールやセットアップなどが自動実行されます。「デバイスの準備ができました」という通知バナーが表示されたら、パソコンへの取り込み作業を行ってください。なお、これらの作業は初回接続時のみに必要な作業で、次回からは行われません。

1 Androidスマートフォンのロックを解除して、USBケーブルでパソコンと接続します。

2 <許可>をタップします。

3 ⊞をクリックし、

4 <フォト>をクリックします。

5 「フォト」アプリが起動します。　**6** <インポート>をクリックし、

7 <USBデバイスから>をクリックします。

8 「項目のインポート」画面が表示されます。P.167の手順を参考に写真のインポートを行います。

メモ　エクスプローラーで音楽ファイルを転送する

音楽ファイルを転送したいときは、USBケーブルでAndroidスマートフォンとパソコンを接続し、エクスプローラーでスマートフォンを開いて「Music」フォルダー内に音楽ファイルをコピーします。

メモ　写真やビデオの転送について

エクスプローラーを利用すると、スマートフォン内の写真やビデオ映像をパソコンにコピーしたり、逆にパソコンからスマートフォンに写真をコピーすることもできます。Androidスマートフォンで撮影した写真やビデオ映像は、「DCIM」フォルダー内にある「Camera」フォルダーに保存されています。また、「Pictures」フォルダー内にある「Screenshots」フォルダーには、スクリーンショットが保存されています。

ヒント　OSがAndroid 9 Pie以下の場合は？

AndroidスマートフォンのOSがAndroid 9 Pie以下の場合は、USBケーブルでパソコンと接続したときに通常は「充電モード」で動作しており、スマートフォン内の写真をパソコンに取り込めません。このため、USBケーブルでパソコンとスマートフォンを接続した上で、以下の手順でスマートフォンの動作モードを変更する必要があります。

1 Androidスマートフォンのロックを解除して、USBケーブルでパソコンと接続します。

2 Androidスマートフォンの画面上端から下にスワイプし、

3 <Androidシステム・この端末をUSBで充電中>をタップします。

4 <この端末をUSBで充電中>をタップします。

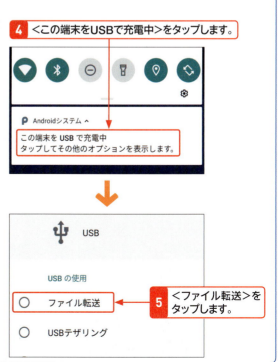

5 <ファイル転送>をタップします。

Section 54 写真を閲覧する

覚えておきたいキーワード
- ☑「フォト」アプリ
- ☑ 回転／スライドショー
- ☑ 拡大／縮小

「カメラ」アプリを使って撮影した写真やデジカメやスマートフォンから取り込んだ写真は、「フォト」アプリを使って閲覧できます。「フォト」アプリは、写真を一覧で表示したり、日付ごとに分けて表示したりできるほか、不要な写真を削除することもできます。

1 「フォト」アプリで閲覧する

メモ 「フォト」アプリを利用する

「フォト」アプリは、写真の閲覧やトリミング、色補正などの写真編集が行えるアプリです。ここでは、「フォト」アプリを利用して写真を閲覧するときに必要な基本操作を解説しています。

メモ 「フォトとは」画面が表示されたときは?

「フォト」アプリをはじめて起動したときは、「フォトとは」画面が表示されます。この画面が表示されたときは、<次へ>をクリックし、画面の指示にしたがって操作してください。

ヒント タイルサイズを変更する

「フォト」アプリに表示される写真のタイルサイズは、大中小の3種類から選択できます。通常は、中サイズで表示されていますが、よりたくさんの写真を表示したいときや大きく表示したいときは、タイルサイズの変更を行ってください。

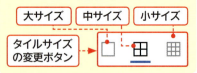

1 をクリックし、

2 <フォト>をクリックします。

3 「フォト」アプリが起動します。

4 スクロールすると、

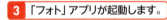
左の「ヒント」参照。

5 撮影月ごとにまとめられた写真が表示されます。

閲覧したい写真を表示する

1 閲覧したい写真をクリックすると、

2 写真が表示されます。

3 ←をクリックすると、写真の一覧に戻ります。

次の写真を表示する＜次へ＞（マウスポインターを写真右端に移動させると表示される）。

タッチ操作で左にスライドすると次の写真が表示され、右にスライドすると前の写真が表示されます。

前の写真を表示する＜前へ＞（マウスポインターを写真左端に移動させると表示される）。

全画面表示を行います。全画面表示を終了する場合は、Escキーを押すか、⤢をクリックします。

Section 54 写真を閲覧する

メモ　閲覧対象を切り替える

「フォト」アプリには、「コレクション」「アルバム」「人物」「フォルダー」「ビデオプロジェクト」（「ビデオエディター」と表示される場合もあります）の5つの閲覧対象が用意されています。これらの項目すべてが表示されていないときは、＜さらに表示＞をクリックします。また、ウィンドウサイズによって、表示される閲覧対象の数が増減します。

- コレクション
  コレクションは、ソースフォルダーと呼ばれる読み出し元フォルダー内の写真を日付ごとに分けて表示します。OneDriveに写真をバックアップする設定を行っている場合、ソースフォルダーは、OneDriveの「ピクチャ」または「画像」フォルダーが指定されています。バックアップを行っていない場合は、「ピクチャ」フォルダーとOneDriveの「ピクチャ」または「画像」フォルダーが指定されています。

- アルバム
  アルバムは、「フォト」アプリに取り込んだ写真やビデオの中からお気に入りの写真などを集めたアルバムを作成したり、作成済みのアルバムを一覧表示します。

- 人物
  人物には、人物の顔が写っている写真が一覧表示されます。一覧表示された写真には、名前をタグ付けして、整理できます。

- フォルダー
  フォルダーは、フォルダーを選択して写真を表示できます。選択できるフォルダーは、ソースフォルダーとして指定されているフォルダー内にあるフォルダーとなります。

- ビデオプロジェクト
  「フォト」アプリに取り込んだ写真やオリジナルビデオを作成したり、作成済みのビデオを表示したりします。なお、「ビデオエディター」と表示されている場合があります。

第6章　音楽／写真／ビデオの活用

2 不要な写真を削除する

メモ 閲覧中の写真を削除する

閲覧中の写真を削除したいときは、削除したい写真を表示しておき、ツールバーの🗑をクリックして、ダイアログボックスが表示されたら、＜削除＞をクリックします。

ヒント そのほかの方法で削除する

写真の削除は、削除したい写真を右クリックして、＜削除＞を選択することでも行えます。

ヒント 🗑が表示されていない場合

ウィンドウサイズが小さい場合、🗑は画面内に表示されません。🗑が表示されていないときは、…をクリックし、＜削除＞をクリックします。

メモ ダイアログボックスの内容が異なる

「ピクチャ」フォルダー内に保存されている写真をOneDriveにバックアップする設定を行っているときは、写真の削除時に右の手順5のダイアログボックスが表示されます。これは、パソコン内の「ピクチャ」フォルダーの内容とインターネット上のOneDrive内の「ピクチャ」または「画像」フォルダー内の内容が常に同一になるように設定されているためです。なお、パソコン内の「ピクチャ」フォルダーの内容をOneDriveにバックアップしない設定になっている場合は、以下のようなダイアログボックスが表示されます。

1 コレクションまたは削除したい写真が含まれたアルバムを表示して、

2 ☰＜選択＞をクリックします。

3 削除したい写真の☐をクリックし、☑にします。

4 🗑をクリックします。

5 ＜削除＞をクリックすると、

6 選択した写真がまとめて削除されます。

メモ 「フォト」アプリの基本操作について

「フォト」アプリでは、写真閲覧時に拡大、縮小、回転などの操作が行えます。また、写真は、スライドショーで閲覧することもできます。

写真の拡大／縮小

クリック
スライドバー

写真の拡大／縮小は、＜ズーム＞をクリックすると表示されるスライドバーを動かすことで行えます。また、Ctrlキーを押しながらマウスのホイールを上または下に回転させることでも行えます。タッチ操作の場合は、ストレッチ操作を行うと写真が拡大され、ピンチ操作を行うと縮小されます。

写真の回転

写真を回転させたいときは、＜回転＞をクリックすると、時計回りに90度写真が回転します。なお、写真を回転させると、「コレクション」に戻ってもその状態が維持されます。

スライドショー

スライドショーで表示したいときは、「コレクション」で…をクリックし、＜スライドショー＞をクリックします。写真閲覧中の場合も＜スライドショー＞をクリックすると、コレクション内の写真がスライドショーで表示されます。スライドショーを停止したいときは、画面内をクリックします。

Section 55 写真を編集する

覚えておきたいキーワード
- ☑ 色調整
- ☑ コントラスト
- ☑ トリミング

「フォト」アプリは、写真の閲覧を行えるだけでなく、写真のトリミングを行ったり、色調整や明るさ、コントラストの調整、フィルター処理などの編集を行ったりできます。ここでは、「フォト」アプリに搭載されている編集機能の使い方を解説します。

1 写真の色調整を行う

メモ 写真の色調整を行う

写真の色調整は、右の手順で行います。この操作を行うと、最適と思われる色に自動調整され、＜写真の補正＞の下の写真の中心にスライドバーが表示されます。このスライドバーをドラッグして移動させると色の微調整を行えます。

ヒント フィルターを設定する

＜フィルターの選択＞のタイルをクリックすると、表示中の写真に対してタイルと同じフィルター効果を写真に加えることができます。また、フィルター効果を加えると、スライドバーが表示され、これを操作することでフィルターの強度調整を行えます。

メモ 補正をもとに戻す

補正をもとに戻したいときは、🔄をクリックします。🔄が表示されていないときは、•••をクリックして＜すべて元に戻す＞をクリックします。

1 「フォト」アプリで色調整を行いたい写真を表示します。

2 ✂をクリックし、　　**3** ＜編集＞をクリックします。

4 ＜フィルター＞をクリックし、

5 ＜写真の補正＞の下の写真をクリックします。

6 ＜写真の補正＞の下の写真にスライドバーが表示され、

7 最適と思われる色に調整されます。

2 写真の詳細な調整を行う

ここでは、前ページの続きで説明しています。

 <調整>をクリックします。

 <ライト>をクリックすると、

3 「ライト」に関連した機能の調整項目が表示されます。

右の「ヒント」参照。

右中段の「メモ」参照。

 スライドバーをドラッグして移動させ、各項目の調整を行います。

メモ 「調整」で行える編集項目について

「調整」では、写真の修正項目として利用頻度の高い項目が用意されています。写真の詳細な調整は、ここから行います。

メモ 「ライト」の調整項目について

「ライト」では、「コントラスト」「露出」「ハイライト」「影」の4項目を手動で調整できます。各項目の調整は、スライドバーをドラッグして移動させます。また、「ライト」の文字の下の写真中央にあるスライドバーをドラッグして移動させると、ライトの全体調整を行えます。

ヒント 「ライト」を調整前の状態に戻したいときは?

項目の調整を行うと、「ライト」の文字の右に「リセット」の文字が表示されます。この<リセット>をクリックすると、「ライト」内の項目を調整前の状態に戻せます。

Section 55 写真を編集する

第6章 音楽／写真／ビデオの活用

 メモ 「色」の調整項目について

「色」では、色の「濃淡」や「暖かさ」の2項目を手動で調整できます。各項目の調整は、スライドバーをドラッグして移動させます。また、「色」の文字の下の写真中央にあるバーをドラッグして移動させると、色の全体調整を行えます。

 ヒント 「色」を調整前の状態に戻したいときは？

項目の調整を行うと、「色」の文字の右に「リセット」の文字が表示されます。この＜リセット＞をクリックすると、「色」内の項目を調整前の状態に戻せます。

メモ 「明瞭度」について

「明瞭度」は、写真全体をぼかし気味にしたり、逆のくっきりさせる効果を施します。スライドバーを左に移動させるとぼかし気味になり、右に移動させるとくっきりしていきます。

 メモ 「ふちどり」について

「ふちどり」は、写真の四隅をぼかし気味に若干暗くしたり、逆に明るくすることで中央にあるものを際だたせる効果を施せます。スライドバーを左に移動させると四隅がぼかし気味に明るくなり、右に移動させると暗くなります。

 5 画面をスクロールして、

6 ＜色＞をクリックすると、

左の「ヒント」参照。

7 「色」に関連した機能の調整項目が表示されます。

8 スライドバーを移動させ、各項目の調整を行います。

左上の「メモ」参照。

9 「明瞭度」や「ふちどり」のスライドバーを移動して調整を行います。

3 写真をトリミングする

 <トリミングと回転>をクリックします。

 <縦横比>をクリックし、

 写真の縦横比（ここでは、<カスタム>）をクリックします。

 枠をドラッグして、

枠の大きさを調整し、トリミングしたいサイズを決めます。

ヒント 写真のトリミングを行う

「フォト」アプリのトリミング機能は、グリッド内に配置されている部分を残し、それ以外をカットします。

メモ 縦横比について

「縦横比」では、トリミングする写真の縦横比を設定します。左の手順では、任意のサイズに切り取れる「カスタム」を選択していますが、「元の縦横比-4:3」や「正方形」「ワイドスクリーン-16:9」「3:2」などの固定の縦横比を選択することもできます。また、縦向きの写真を横向きにしたいときは、<横向きで作成する>を選択します。横向きの写真を縦向きにしたいときは、<縦向きで作成する>が表示されるので、これを選択します。

ヒント グリッド枠のサイズを変更する

左の手順 5 で操作している枠は、縦横比でカスタムを選択している場合を除き、縦横比で設定された比率で幅と高さの両方が同時に変更されます。縦横比でカスタムを選択している場合は、四隅にある◻を斜めにドラッグすると、幅と高さを同時に変更できます。また、横、あるいは縦にドラッグすると、高さまたは幅のいずれか一方のサイズを変更できます。

トリミング位置を修正する

前ページの手順 5 で設定したトリミングの枠は、表示位置を任意の場所に移動させることはできません。トリミングの枠を設定したときに被写体の中心がズレていたときは、写真をドラッグして動かすことで、被写体の位置を調整します。

6 写真をドラッグして位置を調節します。

7 ＜傾きの調整＞の ● をドラッグすると、

 写真を回転／反転させる

＜回転＞をクリックすると、写真が時計回りに90度回転します。以降、クリックするごとに90度ずつ回転していきます。また、＜反転＞をクリックすると、写真が反転し、再度、＜反転＞をクリックすると、もとに戻ります。

8 写真の傾きを調整できます。

 トリミングの設定をやり直す

＜リセット＞をクリックすると、トリミングの設定が解除され、設定前の状態に戻ります。

4 写真を保存する

1 <コピーを保存>をクリックすると、

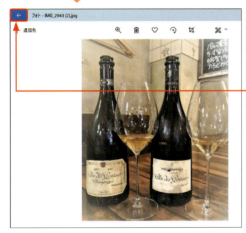

2 編集した写真のコピーが保存されます。

3 ←をクリックすると、写真の一覧表示の画面に戻ります。

メモ すべての編集結果を解除する

トリミングの設定や色の調整など、写真に対して行った編集作業をすべてクリアしてもとに戻したいときは、 をクリックします。 が表示されていないときは、 をクリックして<すべて元に戻す>をクリックします。

ヒント 写真の保存先とファイル名

左の手順で保存した写真は、編集元の写真と同じ場所に、末尾にカッコで括られた数字を付加したファイル名で保存されます。たとえば「001.jpg」というファイルを左の手順で保存した場合、「001(2).jpg」というファイル名で保存されます。なお、カッコ内の数字がすでに使われていたときは、その次の数字が使われます。たとえば「001(2).jpg」がすでに存在していた場合は、「001(3).jpg」となります。

メモ 保存方法について

「フォト」アプリでは、編集済みの写真を別の写真として保存する「コピーを保存」とオリジナルに上書き保存する「保存」の2種類の保存方法があります。上の手順では、「コピーを保存」を行っています。この方法では、編集済みの写真が「オリジナルのファイル名(2).拡張子」という形式のファイル名で自動的に別名保存されます。また、上書き保存を行いたいときは、 をクリックし、<保存>をクリックします。

Section 56 オリジナルのビデオを作成する

覚えておきたいキーワード
- ☑ 自動生成
- ☑ 再生順/再生時間
- ☑ 編集/保存

「フォト」アプリは、パソコンに取り込んだ写真やビデオの中から選択したものだけを使用してオリジナルのビデオを作成する機能を備えています。この機能を使用すると、かんたんな操作でスライドショーのビデオを作成できます。また、作成したビデオはパソコンで再生して楽しむことができます。

1 写真や動画からビデオを自動生成する

メモ 「フォト」アプリのビデオ作成機能について

「フォト」アプリは、ビデオを手動で作成する方法と自動生成する方法があります。ここでは、写真やビデオを選択するだけで自動的にビデオを作成する方法を解説します。

ヒント そのほかのビデオの作成方法について

右の手順では、ビデオ作成の自動作成を行っていますが、P.185の手順 6 で<新しいビデオプロジェクト>をクリックすると、P.186の手順 5 のビデオの編集画面が表示され、手動でビデオを作成できます。

ヒント 写真とビデオを混在して選択できる

ビデオの作成に利用する写真またはビデオは、両方を混在して選択できます。写真のみやビデオのみでなければならないということはありません。

メモ 写真やビデオをまとめて選択する

ビデオの作成に利用するアイテムの選択画面で日付の右の<すべての○(○は数字)を選択する>をクリックすると、その日付の写真またはビデオをすべて選択できます。なお、<すべての○(○は数字)を選択する>は、はじめて作成する場合など、表示されない場合があります。

1 「フォト」アプリを起動します。

2 <選択>をクリックします。

3 ビデオ作成に利用したい写真またはビデオの □ をクリックして にします。

4 同じ手順でビデオ作成に利用したいほかの写真またはビデオを選択します。

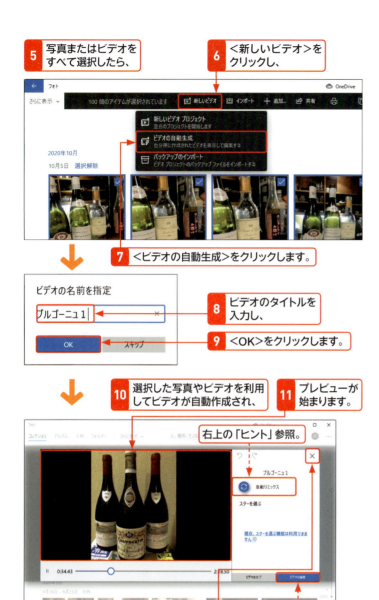

ヒント　ビデオを再度作り直す

作成に利用した写真やビデオの再生順や写真1枚あたりの再生時間、ビデオ1本あたりの再生時間は、すべてアプリによって自動設定されます。これらの設定をやり直したいときは、手順10の画面で＜自動リミックス＞をクリックします。

メモ　「フォト」アプリが再起動する

「フォト」アプリを利用してビデオの作成を行うときは、ビデオの作成に必要となる「フォト」アドオンが自動インストールされ、初回作成時に「フォト」アプリが自動的に再起動する場合があります。

ヒント　詳細な編集を行う

手順12で＜ビデオの編集＞をクリックすると、作成するビデオに関する詳細な編集を行えます。詳細な編集は、手順14の画面から行うこともできます（P.186参照）。

メモ　すぐにファイルに保存したいときは？

左の手順では、ビデオの設計図となる「プロジェクト」の作成のみを行っており、ビデオファイルの保存は行っていません。作成したプロジェクトをすぐにビデオファイルに保存したいときは、手順10の画面で＜ビデオの完了＞をクリックし、画面の指示に従って操作してください。

ヒント　ビデオプロジェクトが表示されない場合

「ビデオプロジェクト」が表示されていない場合は、＜さらに表示＞をクリックし、メニューから＜ビデオプロジェクト＞をクリックします。なお、「ビデオプロジェクト」は、「ビデオエディター」と表示される場合があります。

185

2 ビデオの編集画面を表示する

メモ ビデオの詳細な編集を行う

詳細な編集を行いたいときは、右の手順でビデオの編集画面を表示します。なお、<ビデオプロジェクト>が表示されていないときは、<さらに表示>をクリックして、メニューから<ビデオプロジェクト>をクリックしてください。

ヒント ビデオのプレビューが行われない

手順3の画面は、作成したビデオの編集をはじめて行う場合に表示されます。編集画面を表示したことのあるビデオでは、この画面が表示されずに手順5の画面が表示されます。

ヒント プロジェクトライブラリが表示されない

手順5の画面左上のプロジェクトライブラリが表示されないときは、画面左上の>をクリックすると、プロジェクトライブラリが表示されます。

メモ 「ビデオプロジェクト」ページに戻るには?

編集作業を中断してビデオプロジェクトページに戻るには、<ビデオプロジェクト>をクリックするか、←をクリックします。それまでの編集結果が反映された状態でビデオプロジェクトページに戻ります。なお、<ビデオの完了>をクリックすると、ビデオファイルへの保存作業を開始します。詳細は、P.191を参照してください。

1 「フォト」アプリを起動し、<ビデオプロジェクト>をクリックし、

2 編集を行いたいビデオをクリックします。

3 選択したビデオのプレビューが始まります。

4 <ビデオの編集>をクリックします。

5 ビデオの編集画面が表示されます。

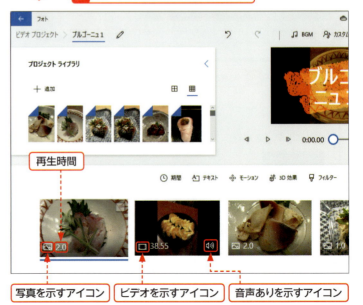

再生時間

写真を示すアイコン　ビデオを示すアイコン　音声ありを示すアイコン

3 再生順を変更する

1 再生順を変更したい写真またはビデオを目的の再生位置にドラッグ&ドロップします。

2 再生順が変更されます。

ヒント 写真やビデオを削除する

写真やビデオを削除したいときは、削除したい写真やビデオをクリックして選択し、🗑＜削除＞をクリックします。また、✕＜すべて削除＞または…→＜すべて削除＞をクリックすると、ビデオプロジェクトの下部にあるすべての写真やビデオを削除できます。

4 写真やビデオの再生時間を変更する

写真の再生時間を変更する

1 再生時間を変更したい写真をクリックし、
2 ＜期間＞をクリックします。

3 再生時間（ここでは、＜5秒＞）をクリックすると、
4 選択した写真の再生時間が変更されます。

メモ 写真の再生時間を変更する

作成に利用した写真の1枚あたりの再生時間は、アプリが自動的に決定します。写真の再生時間を変更したいときは、左の手順で行います。なお、＜期間＞ではなく＜トリミング＞が表示されているときは、ビデオを選択した状態です。写真を選択し直してください。

ヒント ボタンが表示されないときは？

＜期間＞や＜フィルター＞、＜テキスト＞、＜モーション＞などのボタンは、画面の高さが一定以上ないと表示されません。これらのボタンが表示されていないときは、設定を行いたい写真を右クリックし、メニューから＜期間＞をクリックするか、画面の高さを広げてください。

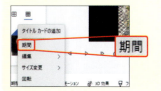

メモ ビデオ作成に利用するシーンを変更する

ビデオ内のどのシーンを新しいビデオの作成に利用するかは、アプリが自動的に決定します。新しいビデオの作成に利用するシーンを変更したいときは、右の手順で行います。

ビデオ作成に利用するシーンを変更する

1 ビデオ作成に利用するシーンを変更したいビデオをクリックし、

2 <トリミング>をクリックします。

3 ▌をドラッグして、目的のトリミング領域の開始位置まで移動させます。

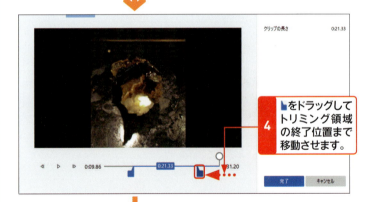

4 ▌をドラッグしてトリミング領域の終了位置まで移動させます。

5 <完了>をクリックすると、ビデオ作成に利用するシーンが変更されます。

ヒント 再生開始／終了位置の設定について

ビデオの作成に利用されるシーンは、トリミング領域の開始位置を示す▌と終了位置を示す▌の間になります。それ以外の領域は、ビデオの作成に利用されません。トリミングを行わずにビデオのすべてのシーンを利用したいときは、▌を左端に、▌を右端に移動させてください。

5 写真やビデオにそのほかの編集機能を適用する

メモ　そのほかの編集機能を利用する

写真やビデオには、フィルターやテキスト、モーションなどの効果を施すことができます。フィルターは、選択した写真やビデオの外観を変更できます。テキストは、選択した写真やビデオに文字を表示できます。モーションは、写真やビデオを指定方向に動かす効果や、拡大、縮小する効果を与えることができます。また、ビデオについては、選択したアニメーションを付加する3D効果を施すこともできます（P.190の「ヒント」参照）。

1 特殊効果を施したい写真やビデオ（ここでは、「写真」）をクリックし、

2 <テキスト>をクリックします。

3 <ここにテキストを入力します>に、表示したいテキストを入力すると、

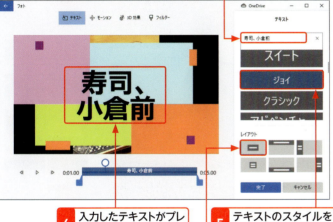

4 入力したテキストがプレビューに表示されます。

5 テキストのスタイルを選択し、

6 テキストのレイアウトを選択します。

ヒント　ビデオの場合は？

テキスト、フィルター、モーションの3つの機能は、写真とビデオの両方で共通の機能です。左の手順では、写真を例にテキストやフィルター、モーションなどの設定を行っていますが、ビデオも同じ手順でこれらの設定を行えます。

7 続いて、フィルターの設定を行います。

8 <フィルター>をクリックし、

右下の「ヒント」参照。

9 適用するフィルター（ここでは、<セピア>）をクリックすると、

メモ　テキストの開始位置や時間を設定する

入力したテキストは、表示開始位置や終了位置を設定できます。設定は、プレビュー画面の下に表示されたバーを使用し、ビデオのトリミングの要領で行えます。設定を行うときは、P.188の手順を参考にテキストの表示開始位置と終了位置を設定してください。

ヒント　プレビューを行う

プレビュー画面の▷をクリックすると、設定した効果をプレビューで確認できます。

ヒント　3D効果を設定する

ビデオは、アニメーション効果を付加する3D効果を施すこともできます。3D効果を施したいときは、P.189の手順 1 の画面でビデオを選択して、＜3D 効果＞をクリックします。3D効果の設定画面が表示されるので、施したい効果を選択して、効果の設定を行ってください。

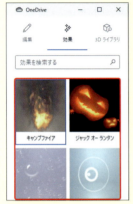

注意　テキストの自動設定について

「ビデオの自動生成」でビデオの作成を行うと、P.185の手順 8 で入力したタイトルがテキストとして自動設定されている場合があります。編集画面で ▷ をクリックして、出来上がりのプレビューを行い、不要なテキストが設定されていないかを確認してください。不要なテキストがあった場合は、そこでプレビューの再生を停止すると、その時点で再生を行っていた写真またはビデオが選択された状態になります。この状態で＜テキスト＞をクリックすると、テキストの再編集を行えます。

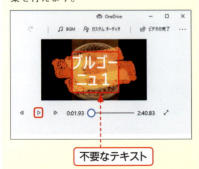

不要なテキスト

10 手順 9 で選択したフィルターの効果がプレビューに反映されます。

11 続いて、モーションの設定を行います。

12 ＜モーション＞をクリックします。

13 適用するモーション効果（ここでは、＜左にパン＞）をクリックすると、

14 手順 13 で選択したモーションの効果がプレビューに反映されます。

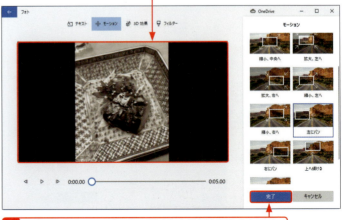

15 ＜完了＞をクリックすると、設定した効果が保存されます。

6 作成したビデオをファイルに保存する

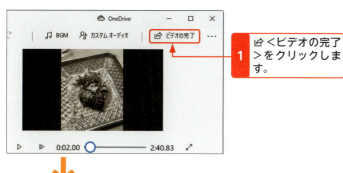

1 ＜ビデオの完了＞をクリックします。

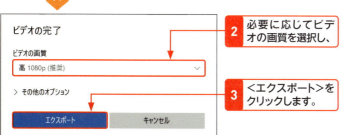

2 必要に応じてビデオの画質を選択し、

3 ＜エクスポート＞をクリックします。

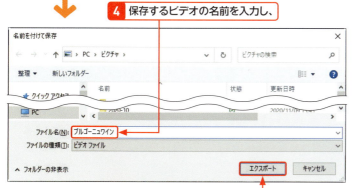

4 保存するビデオの名前を入力し、

5 ＜エクスポート＞をクリックします。

6 ビデオファイルの保存が完了すると、「フォト」アプリで保存したビデオの再生が始まります。

メモ ビデオをファイルに保存する

作成したビデオをビデオファイルに保存するには、左の手順で行います。また、ビデオの画質は、高1080p（推奨）、中720p、低540p（最小のファイルサイズ）の中から選択できます。通常は、＜高1080p（推奨）＞を選択することをお勧めします。

ヒント ビデオプロジェクトをバックアップする

「プロジェクトのバックアップ」を使用すると、ビデオ作成に使用したすべての写真とビデオなどを1つのファイルにまとめて保存できます。また、バックアップしたプロジェクトは、P.186の手順を参考にビデオプロジェクトの画面を表示し、＜新しいビデオ＞右の…をクリックし、＜バックアップのインポート＞をクリックすることで読み込むことができます。プロジェクトのバックアップは、左上の手順1の画面で…をクリックし、メニューから＜プロジェクトのバックアップ＞をクリックして画面の指示に従って操作します。

ヒント 作成したビデオの再生を停止する

手順6のビデオファイルの再生を停止したいときは、画面内でマウスポインターを動かして再生コントロールを表示し、||をクリックします。

Section 57 ビデオを再生する

覚えておきたいキーワード
☑「映画 & テレビ」アプリ
☑ ビデオ
☑ 再生

Windows 10では、ビデオを楽しむためのアプリとして「映画 & テレビ」アプリ、「フォト」アプリ、Windows Media Playerの3種類のアプリを用意しています。ここでは、その中で「映画 & テレビ」アプリを利用して、ビデオを閲覧するときの基本操作を解説します。

1 「映画 & テレビ」アプリを起動して初期設定を行う

キーワード 「映画 & テレビ」アプリとは?

「映画 & テレビ」アプリは、ビデオを再生するためのアプリです。パソコン内のビデオを再生できるほか、映画やテレビドラマの購入やレンタル視聴なども行えます。

ヒント ビデオ再生アプリを使い分ける

Windows 10には、「映画 & テレビ」アプリと「フォト」アプリ、「Windows Media Player」の3つのアプリでビデオの再生が行えます。ここでは、映画やテレビドラマの購入やレンタル視聴に加えて、パソコン内のビデオの再生も行える「映画 & テレビ」アプリで、ビデオを閲覧する方法を解説します。

メモ 新着情報が表示されたときは?

手順 3 の画面に前に、「映画 & テレビの新着情報」画面が表示されたときは、<確認>をクリックしてください。

1 をクリックし、

2 <映画 & テレビ>をクリックします。

3 「映画 & テレビ」アプリが起動します。

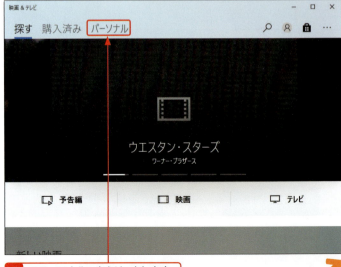

4 <パーソナル>をクリックします。

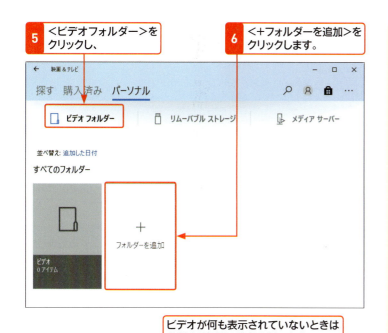

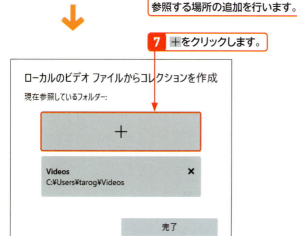

ヒント　ビデオが表示されない

「映画＆テレビ」アプリの「ビデオ」フォルダーに表示されるビデオは、通常「ビデオ」フォルダー内にあるビデオのみです。ほかのフォルダーにあるビデオを表示したいときは、左の手順で参照する場所の追加を行います。

ヒント　「ピクチャ」または「画像」フォルダーを追加する

Windows 10の「カメラ」アプリで撮影したビデオは、「ピクチャ」または「画像」フォルダー内にある「カメラロール（Camera Roll）」フォルダーに保存されています。左の手順では、「カメラ」アプリで撮影したビデオを「映画＆テレビ」アプリで再生できるように「ピクチャ」または「画像」フォルダーの追加を行っています。

メモ　ほかの場所にあるビデオを再生する

「映画＆テレビ」アプリでSDメモリーカードやUSBメモリー内に保存されたビデオを再生したいときは、＜リムーバブルストレージ＞をクリックします。機器の一覧画面が表示されるので、ビデオが保存された機器をクリックして、再生したいビデオをクリックします。また、＜メディアサーバー＞をクリックすると、NASなどのメディアサーバーに保存されたビデオを選択して再生できます。

「フォルダーの候補」画面が表示された

利用しているパソコンによっては、手順 8 の「フォルダーの選択」画面ではなく、「フォルダーの候補」画面が表示される場合があります。「フォルダーの候補」画面が表示されたときは、追加したいフォルダーの □ をクリックして ☑ にして、＜フォルダーの追加＞をクリックします。

 フォルダー名について

手順 10 では、追加したフォルダーの名称が「画像」となっていますが、利用環境によっては、「ピクチャ」や「Pictures」となる場合があります。

ヒント 指定フォルダーを削除する

登録したフォルダーを削除したいときは、＜＋フォルダーを追加＞をクリックし、P.193の手順 7 の画面を表示します。削除したいフォルダーの ✕ をクリックすると、「このフォルダーを削除しますか？」ダイアログボックスが表示されるので、＜フォルダーの削除＞をクリックします。

メモ 「設定」からフォルダーを追加する

ビデオを参照する場所の追加は、「設定」から行うこともできます。「設定」から追加するときは、… をクリックして＜設定＞をクリックします。「ビデオ」の＜ビデオを検索する場所を選択する＞をクリックすると、P.193の手順 7 の画面が表示されます。

8 ＜ピクチャ＞（または＜画像＞）をクリックし、

9 ＜ビデオにこのフォルダーを追加＞をクリックします。

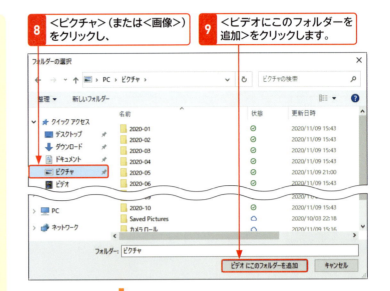

10 手順 8 で選択したフォルダーが追加されます。

11 ＜完了＞をクリックします。

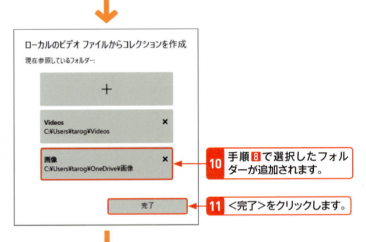

12 追加したフォルダー内にビデオがあるときはフォルダー名の下に「○（○は数字）アイテム」と表示されます。また、「すべてのビデオ」に、検出されたすべてのビデオが表示されます。

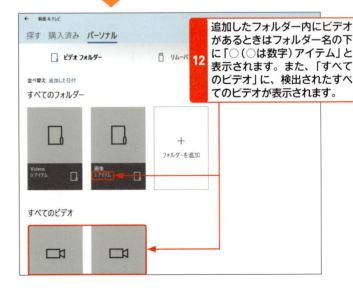

2 「映画&テレビ」アプリでビデオを再生する

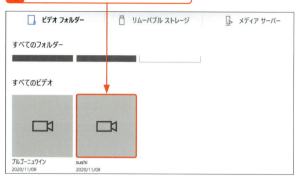

1. 再生したいビデオをクリックします。
2. ビデオの再生が始まります。

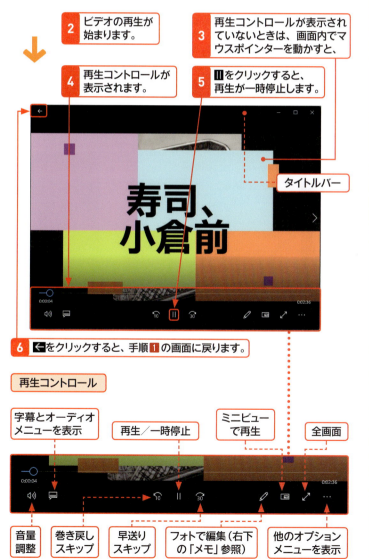

3. 再生コントロールが表示されていないときは、画面内でマウスポインターを動かすと、
4. 再生コントロールが表示されます。
5. ⏸をクリックすると、再生が一時停止します。
6. ←をクリックすると、手順1の画面に戻ります。

再生コントロール
- 字幕とオーディオメニューを表示
- 音量調整
- 巻き戻しスキップ
- 早送りスキップ
- 再生／一時停止
- フォトで編集（右下の「メモ」参照）
- ミニビューで再生
- 他のオプションメニューを表示
- 全画面

メモ　Windows 10で再生可能なビデオ

Windows 10は、以下の形式のビデオの再生に対応していますが、対応している形式でもまれに再生できない場合があるので注意してください。

- ファイルシステム／ストリームフォーマット
  MPEG-4、ASF、MPEG-2-TS/PS、3GPP、3GPP2、AVI

- 映像コーデック
  H.264、H.263、MotionJPEG、MPEG-1※、MPEG-2※、MPEG-4 Part2、VC-1、WMV 7/8/9、DV、RAW

※再生には、別途DVD再生アプリのインストールが必要。

タッチ　タッチ操作で再生コントロールを表示する

タッチ操作の場合は、ビデオ再生中に画面をタップすると、再生コントロールが表示されます。

ヒント　タイトルバーが表示されない

タブレットモードを利用している場合は、画面内をクリックしてもタイトルバーが表示されません。タイトルバーを表示したいときは、マウスポインターを画面上端に移動させます。タッチ操作の場合は画面上端の外側から下にスワイプします。

メモ　＜フォトで編集＞について

「ピクチャ」または「画像」フォルダーに保存されている動画を再生した場合、左の再生コントロールに表示されている＜フォトで編集＞ボタンは、表示されません。

Section 57 ビデオを再生する

 メモ アプリの操作画面をビデオに録画する

Windows 10は、利用中のアプリの操作画面をビデオとして録画する機能を搭載しています。この機能を利用すると、アプリの操作方法を解説したビデオを作成したり、ゲームのプレイ中の画面を録画したりできます。利用中のアプリの操作画面の録画は、「ゲームバー」と呼ばれるツールを利用します。ここでは、Microsoft Edgeの操作を例に、利用中のアプリの録画方法を解説します。なお、ゲームバーを利用して録画したアプリの操作画面は、「ビデオ」フォルダー内にある「キャプチャ」フォルダーに保存されます。

1 録画を行いたいアプリ（ここでは、「Microsoft Edge」）を起動し、操作対象として選択しておきます。

2 ⊞キーを押しながら、Gキーを押します。

3 はじめてゲームバーを起動したときは、この画面が表示されます。

4 ＜了解＞をクリックします。

5 ●をクリックすると、

6 操作コントローラーが表示され、

7 アプリの録画が始まります。

8 画面内の何も表示されていない場所をクリックし、

9 録画したい操作をすべて行ったら、

10 操作コントローラーの■をクリックします。

11 画面に録画の終了を知らせる通知バナーが表示されます。

Chapter 07

第7章

OneDriveの活用

Section	58	OneDriveとは
	59	ファイルやフォルダーを保存する
	60	OneDriveに保存したファイルやフォルダーを確認する
	61	ファイルやフォルダーを自動保存する
	62	OneDrive上のデータを共有する
	63	OneDriveにあるファイルを復元する
	64	個人用Vaultを使用する

Section 58 OneDriveとは

覚えておきたいキーワード
- ☑ OneDrive
- ☑ オンラインストレージ
- ☑ クラウド

OneDriveは、マイクロソフトが提供しているインターネット上のデータ保管庫です。オンラインストレージとも呼ばれ、Microsoft アカウントを取得していれば無償で「5GB」の容量を利用できます。また、Microsoft 365 Personalを利用しているユーザーは、「1TB」を追加費用なしで利用できます。

1 クラウドサービスとは

クラウドサービスとは、インターネット上で提供されているアプリケーションサービスやデータを保存するサービスの総称です。たとえば、データの保存を行えるオンラインストレージサービスやWebメールと呼ばれるメールサービス、Webブラウザーで使用するカレンダーサービス、オフィスアプリケーションサービスなどがクラウドで行われている代表的なサービスです。クラウドサービスは、すべてのサービスがインターネット上で提供されているので、インターネットを利用できる環境ならどこからでも目的のサービスを利用できます。

クラウドサービスは、利用したいサービスのアカウントを取得（作成）することで利用できます。たとえば、マイクロソフトの提供しているオンラインストレージサービス「OneDrive」は、Microsoft アカウントを取得することで利用できます。また、Microsoft アカウントを取得するとOneDriveだけでなく、Outlook.comのWebメールサービスや予定表などのさまざまなサービスを利用できます。

2 OneDriveでできること

OneDriveを利用すると、写真や文書ファイルなどのさまざまなファイルをインターネット上に保存できます。これによって、作業中のファイルをOneDriveに保存しておき、外出先や自宅など別の場所で作業を再開するといった使い方ができます。また、大切なファイルをOneDriveに保存しておけば、パソコンが壊れてもファイルがなくなる心配もありません。

OneDriveは、Windows 10の「デスクトップ」や「ドキュメント」フォルダー、「ピクチャ」または「画像」フォルダーに保存されているファイル／フォルダーを自動保存することもできます。また、OneDriveに保存されたファイル／フォルダーの共有機能も備わっており、この機能を利用すれば、電子メールに添付できないような大きなファイルの第三者とのやり取りを、OneDriveを介して行えます。

OneDriveへのファイル／フォルダーの保存などの操作は、エクスプローラーに表示される「OneDrive」フォルダーを利用します。「OneDrive」フォルダー内にあるファイル／フォルダーとインターネット上のOneDriveの内容は、パソコンがインターネットを利用可能なときに自動同期するように設計されています。

OneDriveの特長

・作業中のファイルを別の場所で再開できる
・第三者とファイル／フォルダーを共有できる（電子メールに添付できないような大きなファイルのやり取りの実現）
・大切なファイルのバックアップ
・5GBの容量までは無償で利用可能。Microsoft 365 Personalのユーザーは1TBの容量まで無償で利用可能

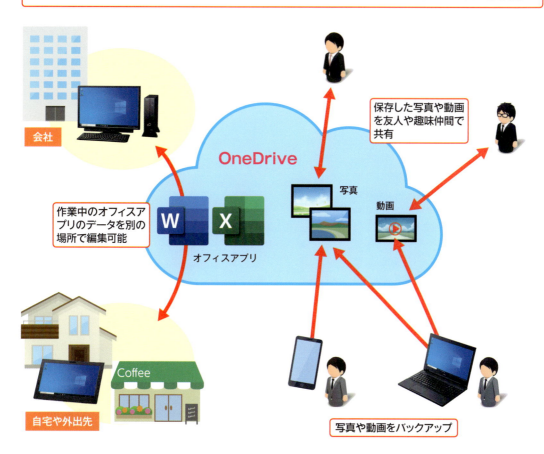

Section 59 ファイルやフォルダーを保存する

覚えておきたいキーワード
- ☑ OneDrive
- ☑ アップロード
- ☑ 同期

OneDriveは、エクスプローラーのナビゲーションウィンドウに表示される「OneDrive」フォルダーで利用できます。「OneDrive」フォルダーにファイルやフォルダーを保存すると、そのデータは自動的にインターネット上にあるOneDriveにアップロードされます。

1 エクスプローラーでOneDriveにファイルを保存する

メモ OneDriveにファイルやフォルダーを保存する

エクスプローラーの「OneDrive」フォルダーにファイルやフォルダーを保存すると、そのデータは自動的にインターネット上にあるOneDriveにアップロードされて同期されます。また、ほかのパソコンからインターネット上のOneDriveにファイルやフォルダーが追加されると、パソコン内にある「OneDrive」フォルダーにそのファイルやフォルダーが表示されます。詳細については、P.201のメモを参照してください。

ヒント 自動保存を設定しているときは？

「デスクトップ」や「ドキュメント」フォルダー、「ピクチャ」（または「画像」）フォルダーをOneDriveに自動保存する設定を行うと、クイックアクセスにあるこれらのフォルダーの参照先が「OneDrive」フォルダー内の「デスクトップ」「ドキュメント」、「ピクチャ」または「画像」に変更されます。このため、エクスプローラーでこれらのフォルダーに保存したファイルは、常に「OneDrive」フォルダー内に保存されるようになります。詳細については、P.204を参照してください。

エクスプローラーを起動しておきます（P.66参照）。

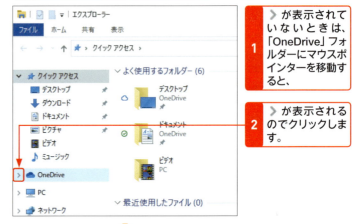

1. ＞が表示されていないときは、「OneDrive」フォルダーにマウスポインターを移動すると、
2. ＞が表示されるのでクリックします。

3. 「OneDrive」フォルダー内にあるフォルダーが表示されます。
4. アップロードしたいファイルやフォルダーが収められているフォルダーを開き、
5. アップロードしたいファイルやフォルダー（ここでは、「ワイン会」フォルダー）を Ctrl キーを押しながら、「OneDrive」フォルダーにドラッグ&ドロップします。

6 選択したファイルやフォルダーが「OneDrive」フォルダーにコピーされ、アップロードが行われます。

7 コピーしたフォルダー（ここでは、「ワイン会」フォルダー）をクリックすると、

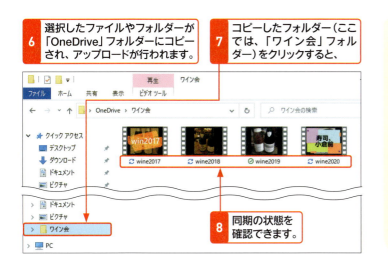

8 同期の状態を確認できます。

ヒント 削除や移動などの操作について

「OneDrive」フォルダー内にあるファイルやフォルダーは、エクスプローラーで削除や移動、コピー、名前の変更などを行えます。これらの操作は、ほかのファイルやフォルダーを操作するときとまったく同じです。

メモ OneDriveとの同期状態について

OneDriveの同期には、実際のアクセスが発生したときにファイルのダウンロードを行うオンデマンド方式が採用されています。この方式では、ほかのパソコンからOneDriveにアップロードされたファイルは、そのファイルを閲覧するなどの実際の操作が発生したときにダウンロードが実施されます。このため、ファイルの操作を行うエクスプローラーでは、インターネット上のOneDriveとパソコン上にある「OneDrive」フォルダーとの同期状態をファイル／フォルダーに付いたマークで知ることができるようになっています。データの共有については、P.206を参照してください。

Section 60 OneDriveに保存したファイルやフォルダーを確認する

覚えておきたいキーワード
☑ Webブラウザー
☑ アップロード
☑ ダウンロード

OneDriveに保存したファイルやフォルダーは、Webブラウザーを利用することでも各種操作を行えます。たとえば、ネットカフェに設置されたパソコンでOneDriveを使用したいときはこの方法で利用します。また、AndroidスマートフォンやiPhone向けには、専用アプリでOneDriveを利用できます。

第7章 OneDriveの活用

1 WebブラウザーでOneDriveを表示する

 メモ　Webブラウザーで操作する

OneDriveは、WebブラウザーでOneDriveのURL（https://onedrive.live.com）を開くことでも各種操作を行えます。右の手順では、Microsoft Edgeを例に、WebブラウザーでOneDriveを操作する方法を解説します。

 ヒント　ほかのパソコンで使用しているときは？

ネットカフェに設置されたパソコンなど、外出先のパソコンでOneDriveのURLを開いたときは、以下のような画面が表示されます。この画面が表示されたときは、または＜サインイン＞をクリックし、Microsoftアカウントでサインインを行うと、手順2の画面が表示されます。なお、日本語以外のサインイン画面が表示される場合は、「https://onedrive.live.com/about/ja-jp/signin/」を開いてサインインを行ってください。

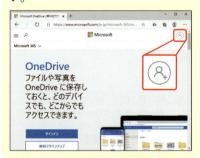

1 Microsoft Edgeを起動し、OneDriveのURL（https://onedrive.live.com）を開きます。

2 OneDrive内のファイルやフォルダーが表示されます。

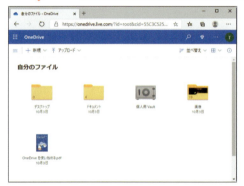

OneDriveにアップロードする

1 エクスプローラーを起動し、アップロードしたいファイルまたはフォルダー（ここでは、「ワイン会」フォルダー）をWebブラウザーにドラッグ＆ドロップすると、

2 ファイルやフォルダーをOneDriveにアップロードできます。

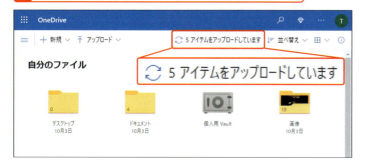

OneDriveからダウンロードする

1 ダウンロードしたいファイルやフォルダーの上にマウスポインターを移動すると、○が表示されるのでクリックして✓にします。

2 ＜ダウンロード＞をクリックします。

3 ファイルやフォルダーがダウンロードされます。

メモ ファイルやフォルダーを操作する

OneDriveは、P.202からの手順でWebブラウザーを利用してインターネット上のOneDriveにファイルやフォルダーをアップロードしたり、ダウンロードしたりできます。また、操作したいファイルやフォルダーを選択し、＜削除＞や＜移動＞、＜コピー＞をクリックすると、ファイルやフォルダーの削除や移動、コピーを行えます。

メモ ダウンロードしたファイルについて

複数ファイルまたはフォルダーをOneDriveからダウンロードした場合、ZIP形式で圧縮されてファイルやフォルダーがダウンロードされます。また、1つのファイルのみをダウンロードした場合は、ファイルは圧縮されることなくダウンロードされます。

メモ iPhoneやAndroidスマートフォンでOneDriveを利用する

OneDriveは、iPhoneやAndroidスマートフォンでも利用できます。iPhoneやAndroidスマートフォンでOneDriveを利用するときは、App Store（iPhoneの場合）またはGoogle Play（Androidスマートフォンの場合）からOneDriveアプリをインストールします。iPhoneやAndroidスマートフォン用の「OneDrive」を使用すると、OneDrive内のファイルやフォルダーの操作をかんたんに行えます。

iPhoneの場合

Androidスマートフォンの場合

Section 61 ファイルやフォルダーを自動保存する

覚えておきたいキーワード
- ☑ 同期
- ☑ 自動保存
- ☑ バックアップ

OneDriveは、パソコンの「デスクトップ」や「ドキュメント」、「ピクチャ」または「画像」フォルダー内のデータやスクリーンショット、パソコンに取り込んだ写真などをインターネット上のOneDriveに自動保存する機能を備えています。ここでは、これらの設定を行う方法を解説します。

1 OneDriveの同期設定を行う

メモ OneDriveへのバックアップについて

右の手順では、「デスクトップ」や「ドキュメント」、「ピクチャ」または「画像」フォルダーのバックアップ（同期設定）の方法を解説しています。OneDriveの同期設定は、Windows 10の初期設定時（P.301参照）にも行えます。ここでは、Windows 10の初期設定時に同期設定を行わなかった場合を前提に手順を解説しています。

ヒント スクリーンショットや写真を自動保存する

手順 4 の画面で、＜カメラ、電話などの...＞の□をクリックして☑にすると、カメラやiPhone、AndroidスマートフォンなどからOneDriveに取り込んだ写真をOneDriveに自動保存します。また、＜作成したスクリーンショットを...＞の□をクリックして☑にすると、スクリーンショットをOneDriveに自動保存します。

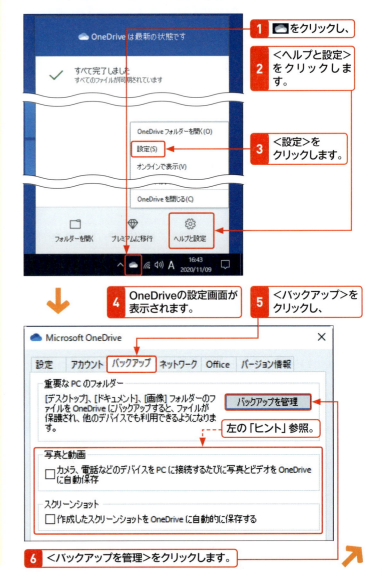

1 をクリックし、
2 ＜ヘルプと設定＞をクリックします。
3 ＜設定＞をクリックします。
4 OneDriveの設定画面が表示されます。
5 ＜バックアップ＞をクリックし、
6 ＜バックアップを管理＞をクリックします。

204

7 バックアップが有効に設定されていない場合は以下の画面が表示されます。

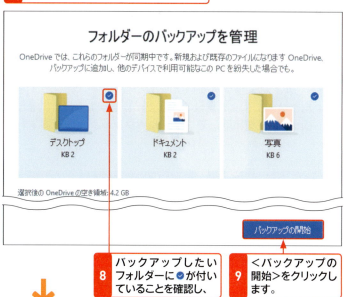

8 バックアップしたいフォルダーに ✓ が付いていることを確認し、

9 <バックアップの開始>をクリックします。

10 バックアップが開始されます。

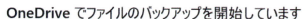

11 <同期の進行状況を表示>をクリックすると、

12 バックアップの進行状況が表示されます。

13 進行状況の画面以外の場所をクリックすると、この画面が閉じます。

14 手順4の画面の×をクリックし、OneDriveの設定画面を閉じます。

メモ バックアップを設定済みのときは？

Windows 10の初期設定時にバックアップの設定を行っている（P.301参照）ときは、以下の画面が表示されます。「デスクトップ」「写真」「ドキュメント」の<バックアップを停止>をクリックすると、そのフォルダーのバックアップを停止できます。

ヒント バックアップするフォルダーを選択する

OneDriveへバックアップするフォルダーは、「デスクトップ」「写真（「ピクチャ」または「画像」フォルダー）」「ドキュメント」の中から選択できます。左の手順8では、これらすべてのフォルダーをバックアップしていますが、バックアップしたくないフォルダーがあるときは、その項目をクリックして、✓を○にします。なお、バックアップを有効に設定すると、エクスプローラーのクイックリンクに表示されるフォルダーが「OneDrive」フォルダー内に変更されます。

注意 「ピクチャ」は「画像」に変わる場合がある

写真のバックアップの設定を変更すると、エクスプローラーのクイックリンクに表示される「ピクチャ」のフォルダー名が「画像」に変更されたり、逆に「画像」のフォルダー名が「ピクチャ」に変更される場合があります。

Section 62 OneDrive上のデータを共有する

覚えておきたいキーワード
- ☑ 共有リンク
- ☑ アクセス制限
- ☑ 招待メール

OneDriveは、電子メールでは送信できないような大きなサイズのファイルを共有したり、ファイルやフォルダーを多数の人と共有したりすることに活用できます。ここでは、OneDriveを利用してファイルやフォルダーの共有を行う方法を解説します。

1 OneDriveにあるデータを共有する

メモ OneDrive上のデータの共有方法について

OneDriveに保存されているファイルやフォルダーの共有は、「共有リンク」を利用して行われます。共有リンクとは、OneDriveに保存されているファイルやフォルダーの場所を示す「URL」です。このURLをファイルやフォルダーの共有を行いたい相手に電子メールで送信し、電子メールを受け取った共有相手は、電子メールの本文に記載された共有リンクをWebブラウザーで開くことでファイルやフォルダーの共有を行えます。

ヒント 共有機能のアクセス制限について

OneDriveでは、共有リンクを知っているOneDriveユーザーなら誰でもアクセス可能です。Microsoft 365 Personalへアップグレードを行うと、アクセスを行うときにパスワードの入力を必要としたり、指定期間のみ共有を行うといったアクセス制限を施したりできます。これらの共有方法の設定は、手順 4 の画面で<リンクを知っていれば...>をクリックすることで表示される画面で行えます。

ファイル/フォルダーの共有に招待する

1 エクスプローラーを起動して、

2 「OneDrive」フォルダーにある共有したいファイルまたはフォルダーをクリックして選択し、右クリックします。

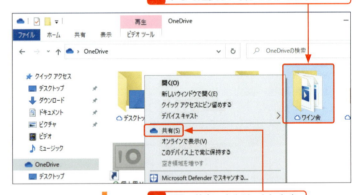

3 <共有>をクリックします。

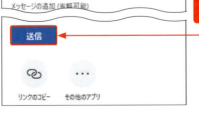

左の「ヒント」参照。

4 ファイルやフォルダーを共有したいユーザーのメールアドレスを入力し、

5 Enter キーを押します。

6 複数のユーザーを共有したいときは、再度、メールアドレスを入力します。

7 共有相手のメールアドレスをすべて入力したら、<送信>をクリックします。

8 共有リンクを記載したメールが送信されます。

9 ✕をクリックします。

招待メールからファイル/フォルダーを共有する

1 「メール」アプリを起動し、OneDriveの共有リンクが記載されたメールを表示します。

2 メールに記載されている共有リンク(ここでは、「すべての写真を表示」)をクリックします。

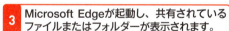

3 Microsoft Edgeが起動し、共有されているファイルまたはフォルダーが表示されます。

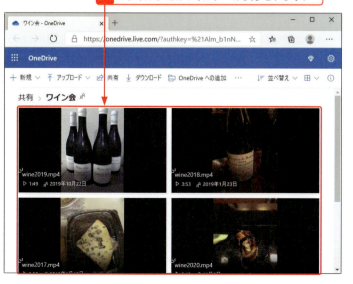

Section 62 OneDrive上のデータを共有する

メモ Webブラウザーで共有設定を行う

OneDriveを利用したファイルやフォルダーの共有は、OneDriveのURL(https://onedrive.live.com)をWebブラウザーで開くことでも行えます。Webブラウザーで共有を行うときは、OneDriveのURLを開き、共有したいファイルまたはフォルダーを選択して、<共有>をクリックすると共有リンクを記載した電子メールを共有相手に送信できます。

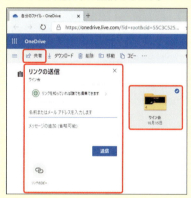

ヒント 共有リンクを解除する

ファイルやフォルダーの共有を解除したいときは、共有リンクの削除を行います。共有リンクの削除は、P.206の手順 の画面で … をクリックし、<アクセス許可の管理>をクリックします。「アクセス許可の管理」画面が表示されたら、共有を解除したいユーザーの<編集可能>をクリックし<共有を停止>をクリックします。

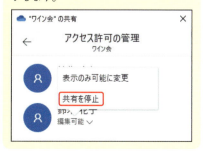

第7章 OneDriveの活用

Section 63 OneDriveにあるファイルを復元する

覚えておきたいキーワード
- ごみ箱
- 復元
- 削除

OneDriveにバックアップ（同期）されているファイルやフォルダーは、エクスプローラーでパソコン内から削除を行ってもインターネット上のOneDriveの「ごみ箱」に保管されています。ここでは、OneDriveのごみ箱からファイル／フォルダーを復元したり、完全に削除する方法を説明します。

1 ごみ箱からファイルを復元する

メモ　削除したファイルを復元する

OneDriveへのバックアップ（同期）を設定しているフォルダー（「デスクトップ」や「ドキュメント」、「ピクチャ」または「画像」フォルダー）内のファイル／フォルダーを間違って削除したときは、インターネット上にあるOneDriveの「ごみ箱」から復元できます。インターネット上にあるOneDriveの「ごみ箱」からのファイル／フォルダーの復元は、右の手順で行います。

ヒント　ほかのパソコンで使用しているときは？

ネットカフェに設置されたパソコンなど、外出先のパソコンでOneDriveのURLを開いたときは、以下のような画面が表示されます。この画面が表示されたときは、⊛または＜サインイン＞をクリックし、Microsoftアカウントでサインインを行うと、手順4の画面が表示されます。なお、日本語以外のサインイン画面が表示される場合は、「https://onedrive.live.com/about/ja-jp/signin/」を開いてサインインを行ってください。

1. ☁をクリックし、
2. ＜ヘルプと設定＞をクリックします。
3. ＜オンラインで表示＞をクリックします。
4. Webブラウザーが起動し、OneDriveが表示されます。
5. ≡をクリックします。

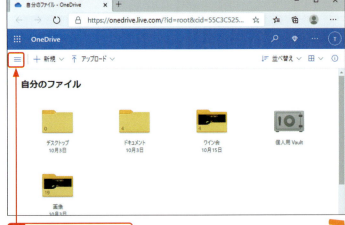

　すべて復元する

ごみ箱内のすべてのファイル／フォルダーを復元したいときは、ファイル／フォルダーを選択していない状態で手順 7 の画面の＜すべてのアイテムを復元＞をクリックします。

6 ＜ごみ箱＞をクリックします。

7 復元したいファイル／フォルダーをクリックし、

8 ＜復元＞をクリックすると、

右の「メモ」参照。

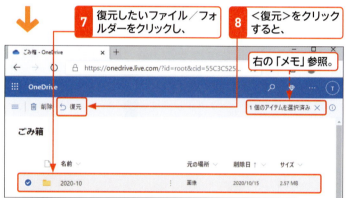

9 選択したファイルが復元されます。

メモ　選択を解除する

手順 7 で間違ったファイル／フォルダーを選択したときは、画面右上の＜○（○は数字）個のアイテムを選択済み＞をクリックすると、ファイル／フォルダーの選択を解除できます。

メモ　ごみ箱からファイル／フォルダーを削除する

ごみ箱からファイル／フォルダーを削除したいときは、手順 8 で＜削除＞をクリックします。また、ファイル／フォルダーを選択していない状態で、＜ごみ箱を空にする＞をクリックすると、ごみ箱内のファイル／フォルダーをすべて削除します。なお、ごみ箱内から削除されたファイル／フォルダーは、完全に削除され、復元できなくなることに注意してください。

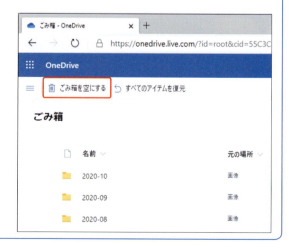

Section 64 個人用Vaultを使用する

覚えておきたいキーワード
- 個人用Vault
- 本人確認
- ロック／ロック解除

OneDriveには、情報が漏洩しては困るような機密性の高い情報を保管しておくための「個人用Vault」というセキュアフォルダー機能が備わっています。ここでは、利用するための初期設定や個人用Vaultのロックと解除などの使い方について説明します。

1 個人用Vaultを設定する

メモ 個人用Vaultとは

個人用Vault（ボールト）とは、機密性が必要なファイルを保存しておくためのセキュアフォルダーです。「個人用Vault」フォルダーにアクセスするには、OneDriveにサインインした上で、追加の「本人確認」を行い、ロックの解除を行う必要があります。「個人用Vault」フォルダーは、第三者にかんたんに見られては困るような重要な情報を保存しておくための金庫のようなフォルダーです。

ヒント 個人用Vaultの利用開始設定について

個人用Vaultを利用するには、右の手順で利用開始設定を行う必要があります。また、手順3のあとに以下の画面が表示されているときは、＜開始する＞をクリックすると、手順4の画面が表示されます。

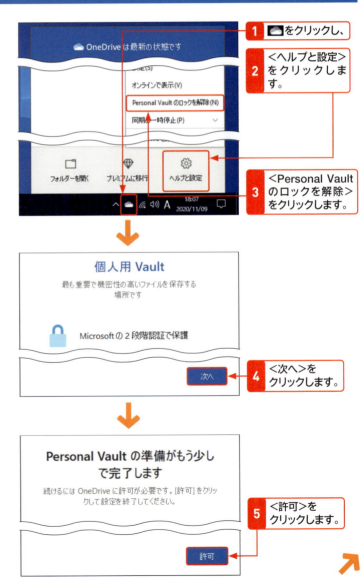

1 ☁ をクリックし、
2 ＜ヘルプと設定＞をクリックします。
3 ＜Personal Vaultのロックを解除＞をクリックします。
4 ＜次へ＞をクリックします。
5 ＜許可＞をクリックします。

Section 64 「個人用Vault」を使用する

メモ 「個人用Vault」を設定する

「個人用Vault」フォルダーを利用するには、「個人用Vault」フォルダーの開始設定を行う必要があります。「個人用Vault」フォルダーの開始設定は、ここでの手順で行います。

メモ 本人確認の方法について

Microsoftアカウントに携帯電話の番号を登録しているときは、SMS（ショートメッセージ）によって認証コードを取得できます。また、連絡用のメールアドレスを登録しているときは、認証コードの取得に連絡用メールアドレスも使えるほか、iPhoneやAndroidスマートフォンにインストールする「認証アプリ」を利用した認証などさまざまな方法が用意されています。本人確認の方法についての設定は、P.202の手順でOneDriveのURLをWebブラウザーで開き、 … →＜設定＞→＜オプション＞または、⚙ →＜オプション＞とクリックします。続いて、＜個人用Vault＞、または ≡ →＜個人用Vault＞とクリックすることで行えます。

メモ 個人用Vaultの利用制限

OneDriveを無償提供のプランまたはOneDriveのみのサブスクリプションで利用している場合、個人用Vaultに保存できるのは最大3ファイルに制限されます。Microsoft 365を契約している場合は、契約容量の上限まで個人用Vaultにファイルを保存できます。

ヒント スマートフォンで利用するときは？

iPhoneやAndroidスマートフォンで「個人用Vault」フォルダーを利用するときは、「OneDrive」アプリをインストールします。また、iPhoneやAndroidスマートフォンの場合、「個人用Vault」フォルダーのロック解除の本人確認に顔認証や指紋認証なども利用できます。

211

ヒント 「個人用Vault」フォルダーの表示について

エクスプローラーで「個人用Vault」フォルダーを開くときは、エクスプローラーを起動し、＜OneDrive＞をクリックして、＜個人用Vault＞のリンクアイコンをダブルクリックします。「個人用Vault」フォルダーは、特殊なフォルダーであるため通常のフォルダーではなく、リンクアイコンとして表示されます。

13 個人用Vaultの設定が完了すると、

14 エクスプローラーが起動し、「個人用Vault」フォルダーが表示されます。

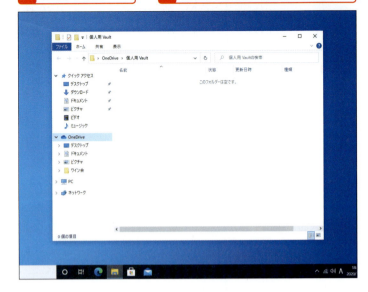

2 「個人用Vault」フォルダーのロックを解除する

ヒント 「個人用Vault」フォルダーをロックする

「個人用Vault」フォルダーは、ロック解除後一定時間（パソコンの場合は20分間、iPhone／Androidスマートフォンの場合は3分間）操作が行われないと自動的にロックされるように設計されていますが、手動でロックすることもできます。手動でロックを行いたいときは、■をクリックし、＜Personal Vaultのロック＞をクリックします。

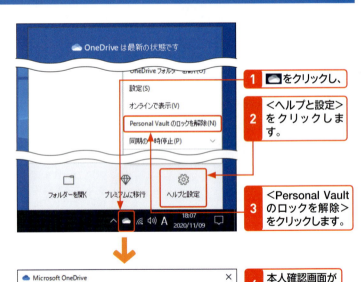

1 ■をクリックし、

2 ＜ヘルプと設定＞をクリックします。

3 ＜Personal Vaultのロックを解除＞をクリックします。

4 本人確認画面が表示されます。

5 P.211の手順8以降を参考に本人確認を行うと、「個人用Vault」フォルダーのロックが解除されます。

Chapter 08

第8章

Windows 10を もっと使いこなす

Section	65	タブレットモードに切り替える
	66	タブレットモードでアプリを操作する
	67	「スマホ同期」アプリを利用する
	68	「ストア」アプリを利用する
	69	目的地の地図を調べる
	70	カレンダーを利用する
	71	アドレス帳を利用する
	72	Cortanaを利用する
	73	Windows Inkを利用する

Section 65 タブレットモードに切り替える

覚えておきたいキーワード
- ☑ タブレットモード
- ☑ タッチ操作
- ☑ 切り替え

Windows 10には、タブレットモードという動作モードが用意されています。この動作モードは、タッチ操作向けに最適化されたものです。キーボードやマウスではなくタッチ操作で使いたいといったシーンで威力を発揮します。ここでは、タブレットモードへの切り替え方法や画面構成について解説します。

1 タブレットモードに切り替える

メモ タブレットモードとは

タッチ操作に最適化されたタブレットモードでは、＜スタート＞メニューが全画面で表示され、利用するアプリもすべて全画面で表示されます。また、デスクトップは基本的に表示されません。タブレットモードは、手動で切り替えられるほか、キーボードを外すと自動的にタブレットモードに切り替わる機能を搭載したパソコンもあります。なお、右の手順 2 の＜タブレットモード＞ボタンはタッチパネルを搭載したパソコンでのみ表示されます。

注意 タブレットモードでもキーボードなどは使える

タブレットモードは、タッチ操作向けに最適化されていますが、マウスやキーボードが使えなくなるわけではありません。ここでは、マウスとキーボードによる操作を前提として解説しています。特に断りのない限り、タッチ操作を行う場合は、「クリック」と表記しているところは「タップ」に読み替えるなどしてください。

メモ 動作モードをもとに戻すには？

タブレットモードから通常モードに戻るには、右の手順 1、2 を参考に、＜タブレットモード＞をクリックします。

1 をクリックし、

2 ＜タブレットモード＞をクリックします。

3 タブレットモードに切り替わり、＜スタート＞メニューが全画面で表示されます。

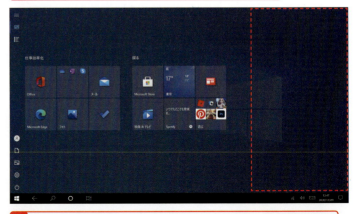

4 タイル以外の場所をクリックすると、アクションセンターが閉じます。

2 タブレットモードの画面構成

タブレットモードでは、Windows 10にサインイン後、＜スタート＞メニューが全画面で表示されます。デスクトップで利用される＜スタート＞メニューとは異なり、ピン留めされたアプリの起動用タイルのみが表示されます。

メモ　自動でタブレットモードに切り替える

キーボードが着脱できるタイプのノートパソコンなど一部のパソコンでは、タブレットモードと通常のモードを自動切り替えできるタイプの製品があります。このタイプのパソコンでは、キーボードを外すとメッセージが表示され、メッセージ内の＜はい＞をタップするとタブレットモードに切り替わります。

Section 66 タブレットモードでアプリを操作する

覚えておきたいキーワード
- ☑ タブレットモード
- ☑ ＜スタート＞メニュー
- ☑ アプリの起動

タブレットモードでは、Windows 10にサインインすると最初に＜スタート＞メニューが表示され、この＜スタート＞メニューを起点にすべての操作を行います。ここでは、タブレットモードにおけるアプリの起動方法やアプリの切り替え方法などについて解説します。

1 タブレットモードでアプリを起動する

メモ アプリを起動する

ここでは、＜スタート＞メニューからアプリを起動して、＜スタート＞メニューに戻るまでの操作を解説しています。タブレットモードでは、＜スタート＞メニューからアプリを起動し、異なるアプリを起動したいときは、＜スタート＞メニューに戻って、新しいアプリの起動を行います。

ヒント ＜スタート＞メニューから起動中のアプリに戻るには

起動中のアプリに戻りたいときは、＜スタート＞メニューから戻りたいアプリのタイルをクリックするか、「タスクビュー」を利用します。「タスクビュー」の利用法については、P.217を参照してください。

メモ すべてのアプリを表示する

タブレットモードで利用しているときは、ピン留めされたアプリのタイルのみが表示されます。すべてのアプリを表示したいときは、をクリックします。また、ピン留めしたアプリのタイルのみの表示に戻りたいときは、をクリックします。

1. 起動したいアプリのタイル（ここでは、＜Microsoft Edge＞）をクリックすると、

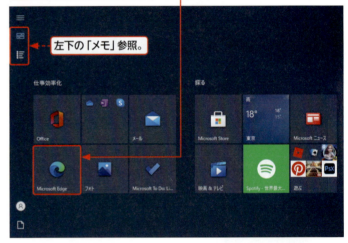

左下の「メモ」参照。

2. アプリ（ここでは、「Microsoft Edge」）が起動します。

3. をクリックするか、⊞キーを押すと、＜スタート＞メニューに戻ります。

2 アプリを切り替える

1 をクリックすると、

2 タスクビューが表示され、起動中のアプリがサムネイルで表示されます。

3 切り替えたいアプリ（ここでは、＜フォト＞）をクリックします。

4 選択したアプリに切り替わります。

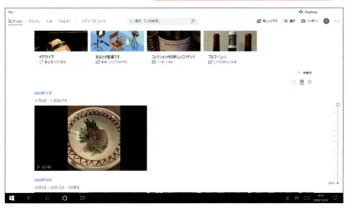

5 画面上部にマウスポインターを移動すると、×が表示されます。

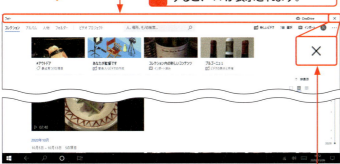

6 ×をクリックすると、アプリが終了し、＜スタート＞メニューが表示されます。

ヒント タスクビューの表示を終了する

タスクビューの表示中に画面内の適当な場所をクリックすると、タスクビューが終了し、直前に利用していたアプリが表示されます。をクリックすると、再度、タスクビューを表示します。また、⊞をクリックするか、⊞キーを押すと、＜スタート＞メニューを表示できます。

メモ タッチ操作でタスクビューを表示する

タッチ操作では、をタップする以外にも、画面左端外側から内側にスワイプすることでもタスクビューを表示できます。

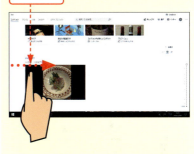

ヒント タッチ操作でアプリを終了する

タッチ操作でアプリを終了するときは、画面上端の外側から画面下端の外側までスワイプしてアプリが消えそうなところまできたら指を離します。アプリが終了し、＜スタート＞メニューが表示されます。なお、手順5の×はアプリによってはあらかじめ表示されていることもあります。

メモ タッチ操作でタイトルバーを表示する

タッチ操作でタイトルバーを表示したいときは、画面上端外側から内側に指をスワイプさせます。

Section 67 「スマホ同期」アプリを利用する

覚えておきたいキーワード
- ☑ 「スマホ同期」アプリ
- ☑ SMS
- ☑ 写真の閲覧／保存

「スマホ同期」アプリを利用すると、Androidスマートフォンに届いたSMS（ショートメッセージ）をパソコンで受信したり、パソコンからSMSを送信したりできます。ここでは、Androidスマートフォンとパソコンの連携設定を行い、「スマホ同期」アプリでSMSを利用する方法を説明します。

1 「スマホ同期」アプリを設定する

📝 メモ 「スマホ同期」アプリを利用するには

「スマホ同期」アプリを利用するには、Androidスマートフォンとパソコンの連携設定を行う必要があります。連携設定は、最初に右の手順で「スマホ同期」アプリを起動します。次にP.219からの手順でスマートフォンに「スマホ同期管理アプリ」をインストールし、同期設定を行います。その際、「スマホ同期」アプリは起動したまま、スマートフォンで作業を行ってください。

1. ⊞をクリックし、
2. メニューをスクロールして、
3. <スマホ同期>をクリックします。

4. 「スマホ同期」アプリの設定が行われていない場合はこの画面が表示されます。
5. <Android>をクリックし、
6. P.219の「ヒント」参照。
7. <そのまま進む>をクリックします。

📝 メモ 「スマホ同期」アプリで提供される機能

「スマホ同期」アプリを利用すると、同期設定を行ったAndroidスマートフォンで撮影した写真や通知を表示したり、SMS（ショートメッセージ）の送受信、音声通話などの操作をパソコンで行えます。また、サムスン製の一部のAndroidスマートフォンを同期した場合に限って、スマートフォンの画面をパソコンに表示する機能なども提供されます。

7. スマートフォンでの作業を促す画面が表示されます。

お使いの Android スマートフォンで、www.aka.ms/yourpc に移動し、スマホ同期管理アプリをインストールします

選択した Samsung デバイスでは、アプリは既にインストールされているので、リンクから開きます

 はい、スマホ同期管理アプリのインストールが完了しました

QRコードを開く

8. をクリックして☑にし、
9. <QRコードを開く>をクリックします。

10 QRコードが表示されます。このまま、スマートフォンで同期設定を行ってください。

ヒント 「スマホ同期」アプリはiPhoneでも使える

「スマホ同期」アプリはiPhoneでも利用できますが、利用可能な機能はAndroidスマートフォンとは大きく異なります。iPhoneで現状利用できる機能は、iPhone版のMicrosoft Edgeを利用した閲覧中のWebページの引き継ぎ機能などのみです。AndroidスマートフォンでできるSMSの送受信や写真の閲覧、保存などの機能は利用できません。

2 Androidスマートフォンで同期設定を行う

1 スマートフォンでWebブラウザーを開き、「https://www.aka.ms/yourpc」を開きます。

2 「スマホ同期管理アプリ」のインストールページが表示されます。

3 ＜インストール＞をタップし、「スマホ同期管理アプリ」をインストールします。

4 インストールが完了したら、＜開く＞をタップします。

メモ スマートフォンの同期設定の手順

「スマホ同期」アプリでスマートフォンのSMSや写真を閲覧するには、左の手順に従ってスマートフォンに「スマホ同期管理アプリ」をインストールし、同期に関する設定を行う必要があります。パソコンの「スマホ同期」アプリは起動したままスマートフォンの初期設定を行ってください。

メモ 初期設定時にSMSを送信した場合

Windows 10の初期設定時にスマートフォンにSMSを送信した場合は、スマートフォンで受信したSMSを開き、メッセージに記載されているURLのリンクをタップし、＜開く＞をタップすることでも手順2の画面を表示できます。

メモ 別のMicrosoftアカウントで利用する

手順6の画面は、スマートフォンにMicrosoftアカウントを必要とするOneDriveアプリなどをインストールして利用している場合にのみ表示されます。インストール済みアプリとは別のMicrosoftアカウントでスマホ同期アプリを利用したいときは、＜別のアカウントでサインイン＞をタップし、手順7に進んでください。

メモ 手動でMicrosoftアカウントにサインインする

手順8で＜Microsoftアカウントでサインイン＞をタップすると、以下の画面が表示され、手動でMicrosoftアカウントへのサインインを行えます。なお、手動でサインインを行った場合は、手順9～12の作業をスキップして手順13に進んでください。また、Microsoftアカウントは、Windows 10で利用しているアカウントと同じものである必要があります。異なるアカウントでサインインを行うと同期できません。

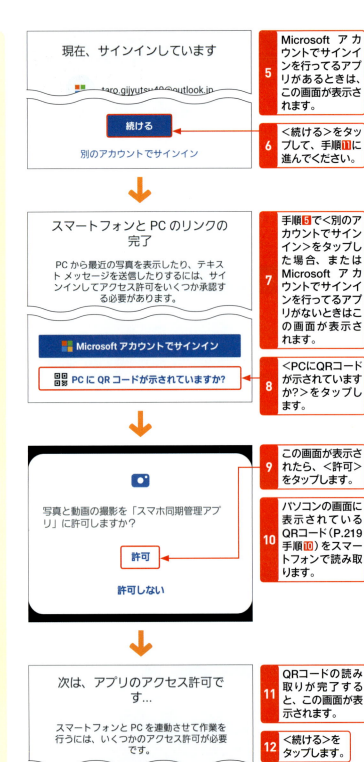

5 Microsoftアカウントでサインインを行ってるアプリがあるときは、この画面が表示されます。

6 ＜続ける＞をタップして、手順11に進んでください。

7 手順5で＜別のアカウントでサインイン＞をタップした場合、またはMicrosoftアカウントでサインインを行ってるアプリがないときはこの画面が表示されます。

8 ＜PCにQRコードが示されていますか？＞をタップします。

9 この画面が表示されたら、＜許可＞をタップします。

10 パソコンの画面に表示されているQRコード（P.219手順10）をスマートフォンで読み取ります。

11 QRコードの読み取りが完了すると、この画面が表示されます。

12 ＜続ける＞をタップします。

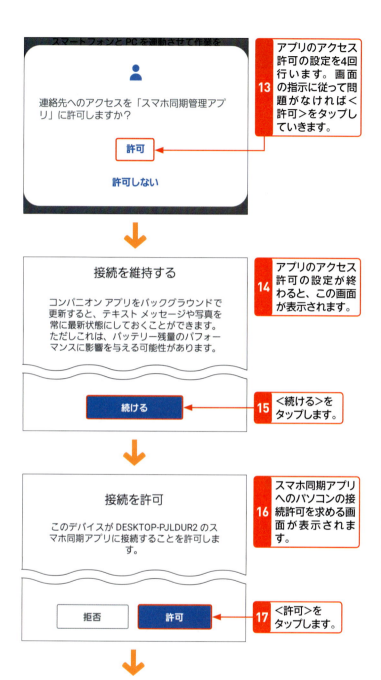

 ヒント 「PCでスマホ同期アプリを設定」画面が表示された

Microsoftアカウントでサインインを行っているアプリがあるときは、手順15のあとに「PCでスマホ同期アプリを設定」画面が表示されます。この画面が表示されたときは、＜PCの準備完了＞をタップすると、手順16の画面が表示されます。

 ヒント 「バッテリー最適化」画面が表示される

手順15または手順17のあとにバッテリー最適化の画面が表示されたときは、＜拒否＞または＜許可＞をタップします。

ヒント 「品質向上にご協力ください」画面が表示された

手順17のあとに、「品質向上にご協力ください」画面が表示されたときは、＜キャンセル＞または＜許可＞をタップしてください。＜許可＞をタップすると、利用状況のデータをマイクロソフトに匿名で送り、アプリの品質改善に活用されます。また、この設定が終わると、下の「メモ」の画面が表示されます。

メモ 「スマホ同期管理アプリ」起動中の画面

同期設定を完了したスマートフォンで「スマホ同期管理アプリ」を起動すると、スマートフォンとパソコンがリンクされていることを知らせる以下の画面が表示されます。

3 パソコンでSMSを送受信する

メモ 「スマホ同期アプリへようこそ」画面について

手順❶の画面は、同期設定完了直後に表示される画面です。また、手順❸のあとにメニュー画面が表示されたときは、＜スキップ＞または最初に試したいタスクをクリックします。

ヒント 相手のメッセージが表示されない

SMSの送受信に使用しているアプリによっては、相手のメッセージがスマホ同期アプリに表示されない場合があります。そのときは、Googleの「メッセージ」アプリに変更することで表示できるようになります。また、Androidスマートフォンのテザリング機能でインターネットを利用しているパソコンとテザリング提供元のスマートフォンの間でこの機能を使用するには、スマートフォン側でモバイルデータ通信で同期する設定を行う必要があります。この設定は、スマートフォンのスマホ同期管理アプリを開き、⚙→＜モバイルデータ通信で同期＞とタップし、＜モバイルデータ通信で同期＞の⚪をタップして⚫にします。

ヒント スマートフォンの通知を表示する

スマートフォンの通知をスマホ同期アプリで表示したいときは、通知の同期設定を行います。🔔をクリックし、＜スマートフォンの設定を開く＞をクリックすると、スマートフォンに通知が表示されるので、＜開く＞をタップして、「スマホ同期管理アプリ」の⚪をタップし、画面の指示に従って設定を行います。

ここでは、P.221の手順❶⑧の続きで説明しています。

1 スマートフォンとの同期設定が完了すると、この画面が表示されます。

2 ＜開始＞をクリックします。

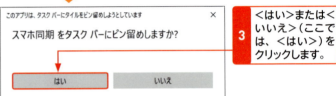

3 ＜はい＞または＜いいえ＞（ここでは、＜はい＞）をクリックします。

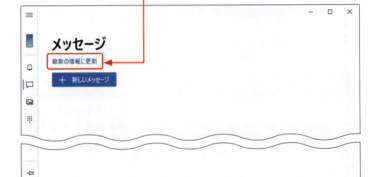

4 SMSの履歴が何も表示されていないときは＜最新の情報に更新＞をクリックします。

5 SMSの履歴が表示されます。閲覧したい相手とのSMSをクリックします。

6 手順**5**で選択した相手とのSMSの履歴が表示されます。

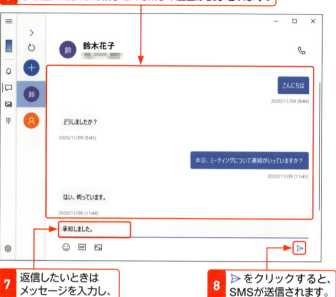

7 返信したいときはメッセージを入力し、

8 ▷をクリックすると、SMSが送信されます。

Section 67 「スマホ同期」アプリを利用する

ヒント 音声通話を行う

Bluetooth接続のヘッドセットがパソコンで使用できる状態になっている場合、メッセージのやり取りを行っている相手の📞をクリックすると、パソコンからスマートフォンを経由した音声通話を行えます。

メモ ナビゲーションを展開する

≡をクリックすると、ナビゲーションを展開できます。ナビゲーションは、スマホ同期アプリに備わっている「通知」「メッセージ」「フォト」「通話」などの機能を切り替えるメニューです。このメニューは、ウィンドウサイズを大きくすると展開された状態で表示されます。

メモ 「スマホ同期」アプリで写真を閲覧／保存する

「スマホ同期」アプリを利用すると、USBケーブルなどでスマートフォンとパソコンを接続することなく、同期したスマートフォン内の写真を閲覧したり、保存したりできます。「スマホ同期」アプリでは、最大2000枚の写真を閲覧できます。

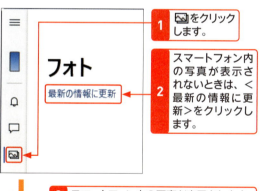

1 🖼をクリックします。

2 スマートフォン内の写真が表示されないときは、<最新の情報に更新>をクリックします。

5 手順**4**で選択した写真が表示されます。

6 写真を保存したいときは、<名前を付けて保存>をクリックします。

3 スマートフォン内の写真が表示されます。

4 閲覧したい写真をクリックすると、

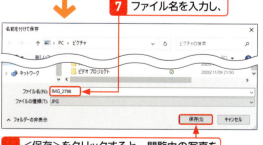

7 ファイル名を入力し、

8 <保存>をクリックすると、閲覧中の写真を保存できます。

第8章 Windows 10をもっと使いこなす

Section 68 「ストア」アプリを利用する

覚えておきたいキーワード
- ☑ 「ストア」アプリ
- ☑ Microsoft Store
- ☑ インストール

Microsoft Storeにアクセスするには、「ストア」アプリを起動します。「ストア」アプリの起動方法は2種類あります。ここでは、その2種類の起動方法と、Microsoft Storeからアプリをダウンロードしてインストールする方法、またインストールしたアプリを削除する方法などを解説します。

1 「ストア」アプリを起動する

メモ Microsoft Storeの利用について

Microsoft Storeでは、Windows 10で利用できるアプリの入手やマイクロソフト製品を購入できます。アプリには、Windows 8以降でのみ利用できる「ユニバーサルWindowsアプリ(以降「Windowsアプリ」と表記)」と、Windows 7以前でも利用できる「Windowsデスクトップアプリ(以降「デスクトップアプリ」と表記)」が公開されています。また、無料アプリと有料アプリがあり、ジャンルごとに分類・配布されています。Microsoft Storeを利用するには、あらかじめMicrosoftアカウントを取得しておく必要があります。ローカルアカウントでサインインしている場合は、Microsoftアカウントに切り替えてください(P.269、297参照)。

キーワード インストールとは?

「インストール」とは、アプリなどのソフトウェアをパソコンに導入し、使用可能な状態にする作業を指します。また、同様の作業を「セットアップ」と呼ぶこともあります。「ストア」アプリを利用したアプリのインストールは、Windowsアプリ、デスクトップアプリともに同じ手順で行えます。

Windows 10では、<スタート>メニューまたはタスクバーから「ストア」アプリを起動することができます。<スタート>メニューの「ストア」アプリは、<ストア>タイルとして配置されているのですぐに確認することができます。タスクバーの「ストア」アプリは、ボタンとして配置され、<スタート>メニューを表示しなくてもすぐにクリックして起動することができます。

<スタート>メニューから「ストア」アプリを起動する

<Microsoft Store>をクリックします。

デスクトップから「ストア」アプリを起動する

タスクバーにあるをクリックします。

2 アプリをインストールする

1 前ページの手順で「ストア」アプリを起動します。

2 <検索>をクリックし、

3 検索キーワード(ここでは、「itunes」)を入力して、

4 をクリックするか、Enterキーを押します。

5 検索結果が表示されます。

6 インストールしたいアプリ(ここでは、<iTunes>)をクリックします。

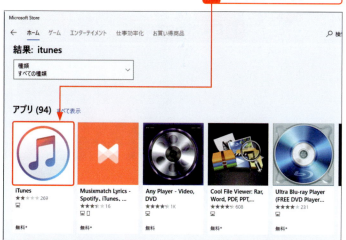

7 アプリの概要が表示されます。

8 内容を確認し、

9 <入手>をクリックします。

ヒント 検索ボックスが表示されていないときは?

「ストア」アプリは、ウィンドウサイズによって画面のデザインが自動的に変更されます。検索ボックスが表示されていないときは、ウィンドウサイズを大きくするか、をクリックすることで表示できます。

ヒント 有料アプリの場合は?

有料アプリを購入する場合は、手順**9**で<購入>をクリックします。また、有料アプリは、無料試用版が準備されている場合があります。無料試用版を試すときは、<無料試用版>をクリックします。<無料試用版>が表示されていないときは、…をクリックしてみてください。なお、有料アプリの購入には、支払い方法の登録が必要になります。

ヒント 同じアカウントで入手したことがあれば?

以前、同じMicrosoftアカウントで入手したことがあるアプリの場合、手順**9**では<インストール>と表示されます。

メモ　アカウントに関する画面が表示されたときは？

Microsoft アカウントを利用していない場合は、P.225の手順 9 のあとにMicrosoft アカウントの入力画面が表示されます。その際は画面の指示に従って操作を進めてください。また、アカウントの情報不足を指摘する画面が表示されたときは、画面の指示に従って情報の入力を行って＜次へ＞をクリックすると、インストールが始まります。

ヒント　起動と＜スタート＞メニューへのピン留めについて

インストール済みのアプリは、手順 11 の画面で＜起動＞をクリックしても、起動することができます。また、新規インストールしたアプリは、＜スタート＞メニューに自動的にはピン留めされません。ピン留めしたいときは、手順 11 の画面で … をクリックして、＜スタートにピン留めする＞をクリックするか、手順 12 の通知バナーで＜スタートにピン留め＞をクリックします。

ヒント　アプリは複数のパソコンにインストール可能

Windows アプリは、同じMicrosoft アカウントで利用しているパソコンに最大10台までインストールできます。

10 アプリのインストールが行われて、インストールが完了すると、

11 「この製品はインストール済みです。」と表示され、

12 「インストールが完了しました。ご確認ください」と通知バナーが表示されます。

左中段の「ヒント」参照。

13 × をクリックして、「ストア」アプリを終了します。

14 ⊞ をクリックすると、

15 インストールしたアプリが登録されていることが確認できます。

3 Windows アプリをアップデートする

1 「ストア」アプリを起動して、

2 …をクリックし、

3 <ダウンロードと更新>をクリックします。

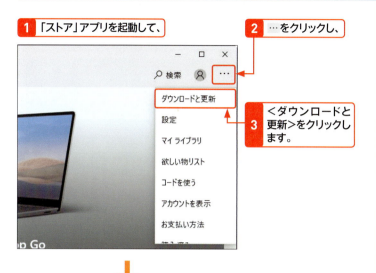

4 <最新情報を取得する>をクリックします。

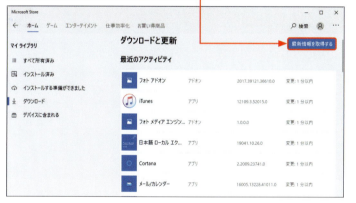

5 更新プログラムがあるときはアプリの更新が実行されます。

🔍 キーワード 更新（アップデート）とは？

既存のアプリに対して、小幅な改良や修正を加えて新しいアプリに更新することを「更新（アップデート）」と呼びます。

📝 メモ Windows アプリのアップデート

Windows アプリは、通常は、自動的にアップデートが実施されます。ここでは、手動でアップデートを行う方法を紹介しています。

💡 ヒント …が表示されていないときは？

「ストア」アプリに…が表示されていないときは、ウィンドウサイズを大きくするか、≡をクリックして、メニューから<ダウンロードと更新>をクリックします。

4 Windows アプリをアンインストールする

キーワード　アンインストールとは？

「アンインストール」とは、アプリなどのソフトウェアをパソコンから削除する作業を指します。アンインストールを実行することで、アプリ内のデータも削除されるので注意が必要です。

タッチ　タッチ操作でアンインストールする

タッチ操作でアプリをアンインストールするときは、アンインストールしたいWindows アプリを長押しします。指を離すとメニューが表示されるので、＜アンインストール＞をタップします。

メモ　設定からアンインストールする

アプリのアンインストールは、「設定」（P.248参照）からも行えます。設定から行うときは、＜アプリ＞→＜アプリと機能＞の順にクリックし、アンインストールしたいアプリをクリックして、＜アンインストール＞をクリックします。

1 ＜スタート＞メニューを開き、アンインストールしたいアプリ（ここでは、＜iTunes＞）を右クリックします。

2 ＜アンインストール＞をクリックします。

3 ＜アンインストール＞をクリックします。

4 Windowsアプリ（ここでは、<iTunes>）が
アンインストールされました。

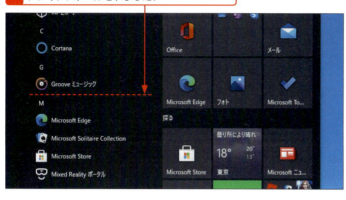

メモ　有料アプリの再インストール

有料アプリをアンインストールした場合、そのアプリが大きなバージョンアップなどをしていなければ、再度インストールしても料金はかかりません。

メモ　アンインストールしたアプリを再インストールするには

アンインストールしたWindowsアプリは、いつでも再インストールできます。アンインストールしたWindowsアプリは、以下の手順で再インストールできます。

1 「ストア」アプリを起動します。

2 …をクリックし、

3 <マイライブラリ>をクリックします。

4 再インストールしたいアプリ（ここでは、「iTunes」）の<インストール>をクリックすると、

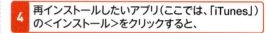

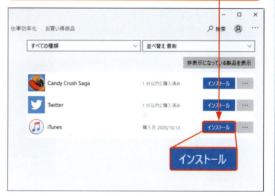

5 アプリの再インストールが実行されます。

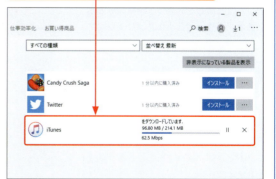

Section 69 目的地の地図を調べる

覚えておきたいキーワード
- ☑ 「マップ」アプリ
- ☑ 検索
- ☑ ルート案内

ここでは、Windows 10に標準インストールされている「マップ」アプリの使い方を解説します。「マップ」アプリでは、お店の名称や施設の名称、住所などをキーワードにした検索によって、目的地周辺の地図を表示できます。出発地から目的地までのルート検索を行うこともできます。

1 「マップ」アプリを起動する

キーワード 「マップ」アプリとは?

「マップ」アプリは、現在地を表示したり、目的地周辺の地図を表示したりするアプリです。かんたんな操作で出発地から目的地までのルート検索を行ったりできます。

メモ 「マップ」アプリを開始する

「マップ」アプリをはじめて起動したときは、「マップの新機能」という案内が表示されることがあります。この画面が表示されたときは、✕ をクリックします。

メモ 位置情報を利用する

「マップ」アプリをはじめて起動したときは、位置情報の利用許諾画面が表示されます。この機能を許可すると、無線Wi-FiやGPS、IPアドレスなどから取得した位置情報を利用し、現在地を表示します。通常は<はい>をクリックしてください。

ヒント 正しい現在地が表示されないときは?

「マップ」アプリで正しい現在地が表示されていないときは、◎ をクリックしてください。位置情報の利用が許可されているときは、これで正しい位置が表示されます。

1 ⊞ をクリックし、

2 <スタート>メニューをスクロールし、

3 <マップ>をクリックします。

4 「マップ」アプリが起動し、現在地に のピンが付きます。

左の「ヒント」参照。

2 目的地を探す

1 ＜検索＞をクリックします。

2 検索ボックスにキーワード（ここでは、「東京タワー」）を入力し、

3 をクリックするか、Enterキーを押します。

4 検索結果が表示され、
5 目的地の候補が地図上に表示されます。

右の「ヒント」参照。

6 ＋をクリックすると、

メモ 検索ボックスが表示されていないときは？

「マップ」アプリは、ウィンドウサイズによって画面のデザインが自動的に変更されます。検索ボックスが表示されていないときは、ウィンドウサイズを大きくするか、 をクリックすることで表示できます。

メモ 目的地を地図に表示する

住所や店名、施設名などをキーワードに指定して検索を行うと、地図上に目的地を表示できます。また、住所で検索を行うと、目的地をピンポイントに表示できます。

メモ 地図を操作する

地図上でマウスの左ボタンを押したまま動かすと、画面内に表示される地図の場所を変更できます。また、タッチ操作の場合は、地図上をドラッグします。

ヒント ルート案内を表示する

手順4の画面で＜ルート案内＞をクリックすると、現在地から検索した目的地までの経路情報を表示します（P.233参照）。

メモ　地図を拡大表示する

地図の拡大表示は、＋をクリックする以外にも目的地付近をダブルクリックすることでも行えます。また、タッチ操作の場合は、目的地付近でストレッチを行うことでも地図を拡大表示できます。

7 地図が拡大表示されます。

8 ＜道＞をクリックし、

9 ＜航空写真＞をクリックすると、

10 地図が航空写真に切り替わります。

11 ＜道＞をクリックすると、

12 通常の地図の表示に戻ります。

13 地図をクリックし、

14 ✕をクリックすると、検索が終了します。

ヒント　地図を縮小表示する

地図を縮小表示したいときには、－をクリックするか、ピンチを行います。

3 ルート案内を表示する

ここでは、現在地から目的地までのルート案内の手順を解説します。

1 <ルート案内>をクリックします。

2 移動手段(ここでは、<車>)をクリックし、

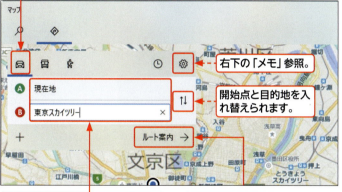

右下の「メモ」参照。

開始点と目的地を入れ替えられます。

3 <開始点>に出発地を、<目的地>に目的地を入力し、

4 をクリックするか、Enterキーを押します。

5 ルート案内が表示されます。

6 ルート案内を終了するときは × をクリックします。

ルート案内の詳細情報

メモ ルート案内を表示する

ルート案内は、出発地から目的地までの経路情報を表示するナビ機能です。地図上には、目的地までの経路情報が表示され、別ウィンドウで経路の詳細情報が表示されます。

メモ 出発地を設定する

出発地となる開始点に現在地を選択したい場合は、<開始点>をクリックし、<現在地>をクリックします。また、開始点には、住所や施設名/店名なども設定できます。

メモ 移動手段を変更する

移動手段は、「車」「電車」「徒歩」から選択でき、検索後に切り替えることもできます。たとえば、最初に「車」で検索を行い、そのあとに<徒歩>や<路線>をクリックすると、徒歩や電車を利用した場合のルート案内が表示されます。

メモ オプションを設定する

移動手段に<車>または<路線>を選択した場合は、手順2の画面で をクリックすると、ルートオプションの設定を行えます。

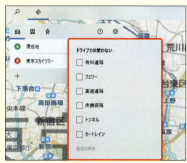

Section 70 カレンダーを利用する

覚えておきたいキーワード
- ☑ 「カレンダー」アプリ
- ☑ スケジュール
- ☑ アラーム

ここでは、Windows 10に標準インストールされている「カレンダー」アプリの利用方法を解説します。カレンダーを利用すると、かんたんな操作でスケジュールを管理できます。また、カレンダーには、登録しておいた予定の開始時刻にアラームを鳴らす機能もあります。

1 予定を入力する

メモ 「カレンダー」アプリとは

「カレンダー」アプリは、Windows 10に標準インストールされているスケジュール管理アプリです。スケジュールの入力は、右の手順で行えるほか、「カレンダー」アプリを起動して、入力することもできます。「カレンダー」アプリは、をクリックし、＜カレンダー＞をクリックすることで起動できます。

ヒント 「カレンダー」アプリをはじめて起動した場合

「カレンダー」アプリをはじめて起動したときは、「メール／カレンダー」で詳しい位置情報にアクセスするかどうかをたずねる画面が表示される場合があります。この画面が表示されたときは、＜はい＞をクリックします。

1 通知領域の日時をクリックし、
2 スケジュールを入力したい日時をクリックします。
3 イベント名を入力し、
4 開始時間をクリックします。

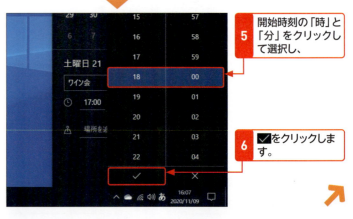

5 開始時刻の「時」と「分」をクリックして選択し、
6 ✓をクリックします。

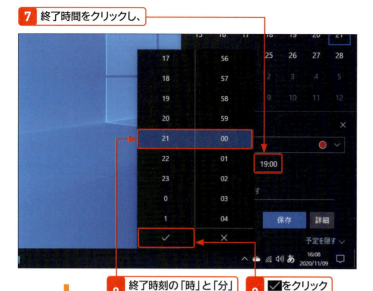

7 終了時間をクリックし、

8 終了時刻の「時」と「分」をクリックして選択し、

9 ■をクリックします。

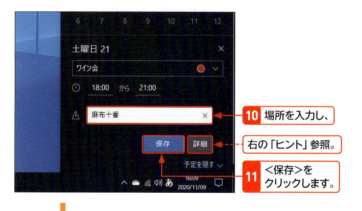

10 場所を入力し、

右の「ヒント」参照。

11 <保存>をクリックします。

12 作成したイベントがスケジュールに登録されます。

Section 70 カレンダーを利用する

メモ スケジュールを「カレンダー」アプリで登録する

スケジュールを「カレンダー」アプリから直接登録したいときは、P.234の「メモ」の手順で「カレンダー」アプリを起動し、スケジュールを登録したい日時をクリックします。

ヒント スケジュールの詳細設定を行う

手順**11**の画面で<詳細>をクリックするか、手順**12**の画面で登録したスケジュールをクリックすると、「カレンダー」アプリが起動しスケジュールの詳細設定を行えます。詳細設定では、アラームを鳴らす時間や参加者の招待などを行えます。

クリックすると、アラームを鳴らす時間を設定できます。

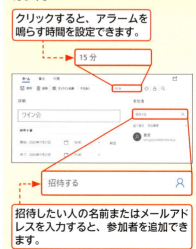

招待したい人の名前またはメールアドレスを入力すると、参加者を追加できます。

Section 71 アドレス帳を利用する

覚えておきたいキーワード
- ☑ People
- ☑ メールアドレス
- ☑ アドレス帳

Windows 10にプリインストールされている「People」アプリを利用すると、知り合いの連絡先やメールアドレスなどを管理できます。ここでは、「People」アプリにメールアドレスを登録したり、「People」アプリを利用してメールの宛先を選択したりする方法などを解説します。

1 連絡先を手動で登録する

キーワード 「People」アプリとは?

「People」アプリは、電話番号やメールアドレス、住所などの個人データを管理するアドレス帳です。Outlook.comやGoogleコンタクト、iCloudなどさまざまなサービスに対応しています。

メモ はじめて起動したときは?

「People」アプリをはじめて起動したときは、手順3のあとに「Peopleアプリへようこそ!」画面のほか、ダイアログボックスが複数回表示される場合があります。「Peopleアプリへようこそ!」画面が表示されたときは、<はじめましょう>をクリックします。また、「Peopleがアクセスしてメールを...」「Peopleによるカレンダーへの...」というダイアログボックスが表示されたときは、<はい>をクリックします。最後に「さあ始めましょう!」画面が表示されるので、<開始>をクリックすると、手順5の画面が表示されます。

1 をクリックし、

2 <スタート>メニューをスクロールし、

3 <People>をクリックします。

4 「People」アプリが起動します。

P.237の「ヒント」参照。

5 ＋をクリックします。

Section 71 アドレス帳を利用する

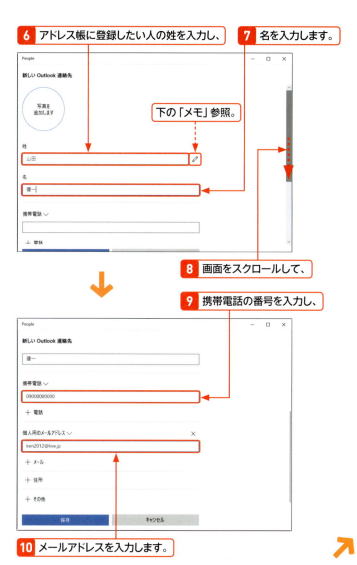

6 アドレス帳に登録したい人の姓を入力し、
7 名を入力します。
下の「メモ」参照。
8 画面をスクロールして、
9 携帯電話の番号を入力し、
10 メールアドレスを入力します。

ヒント ほかのサービスのアドレス帳を取り込む

「People」アプリは、Microsoft アカウントでサインインしていれば、そのアカウントの情報が自動登録されますが、別途、Googleのアドレス帳サービス「Googleコンタクト」やiCloudの「連絡先」などの情報を取り込むこともできます。これらのサービスの情報を取り込みたいときは、…→＜設定＞または⚙をクリックして設定画面を表示し、＜アカウントを追加＞をクリックして、GoogleやiCloudのアカウントを「People」アプリに追加します。

メモ フリガナの入力について

上の手順では、フリガナの入力が行われません。フリガナの入力を行いたいときは、✐をクリックして「名前の編集」画面を表示します。画面を下までスクロールするとフリガナの入力欄が表示されるので、姓と名のフリガナを入力して、＜完了＞をクリックします。

第8章 Windows 10をもっと使いこなす

Section 71 アドレス帳を利用する

メモ 電話やメールを複数登録する

前ページの手順 9、10 では個人用の携帯電話の番号やメールアドレスのみを登録していますが、＜電話＞をクリックすると、自宅や勤務先、会社、FAX などの入力ボックスを追加できます。＜メール＞も同様に勤務先やそのほかの入力ボックスを追加できます。

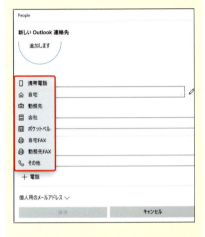

ヒント 入力した情報を再編集する

入力した情報を登録後に再編集したいときは、 編集 をクリックします。また、携帯電話や個人用のメールアドレスなどの項目名は、あとから変更できます。項目名を変更したいときは、項目名をクリックしてメニューから変更したい項目名をクリックして選択します。

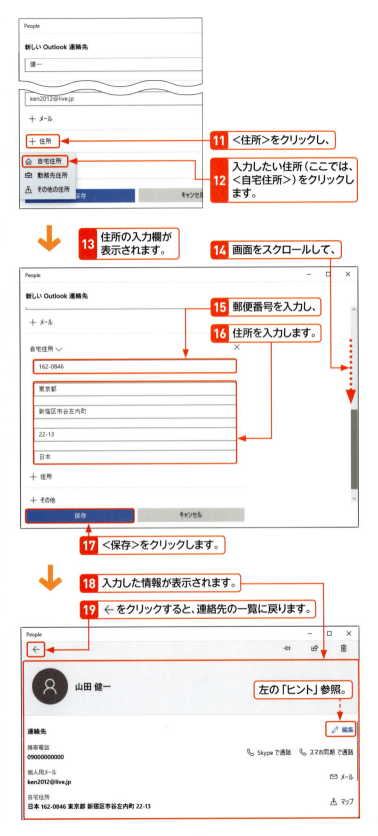

11 ＜住所＞をクリックし、

12 入力したい住所（ここでは、＜自宅住所＞）をクリックします。

13 住所の入力欄が表示されます。

14 画面をスクロールして、

15 郵便番号を入力し、

16 住所を入力します。

17 ＜保存＞をクリックします。

18 入力した情報が表示されます。

19 ← をクリックすると、連絡先の一覧に戻ります。

左の「ヒント」参照。

第8章 Windows 10 をもっと使いこなす

2 「People」アプリでメールの宛先を選択する

 メールを送信したい人の連絡先をクリックします。

 ＜メール＞をクリックします。

 複数のメールアカウントを「メール」アプリで管理しているときは、送信に利用するアカウントをクリックします。

新規メールの作成画面が表示されます。

ヒント 地図も表示できる

左の手順では、「People」アプリからメールの宛先を入力する方法を紹介していますが、 マップ をクリックすると、その住所の地図が簡易表示されます。また、＜Windowsマップ＞をクリックすると、「マップ」アプリでその住所の地図を表示できます。

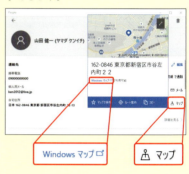

ヒント 「どのアプリで開きますか?」画面が表示された

メール送受信用のアプリが複数インストールされていると、「どのアプリで開きますか?」という画面が表示される場合があります。この画面が表示されたときは、使用するメール送受信用のアプリ（ここでは、「メール」アプリ）を選択してください。

メモ メールアカウントが1つのときは？

左の手順では、複数のメールアカウントを「メール」アプリで管理している場合を例に解説しています。管理しているメールアカウントが1つの場合は、手順3の画面は表示されません。

Section 72 Cortanaを利用する

覚えておきたいキーワード
☑ Cortana
☑ 初期設定
☑ 音声操作

Cortana（コルタナ）は、音声認識機能を備えたパーソナルアシスタントアプリです。独立したウィンドウで表示され、音声やキーボードでチャットのように対話しながら、さまざまな操作を行えます。ここでは、Cortanaを音声で操作する方法を解説します。

1 Cortanaの初期設定を行う

 メモ　Cortanaの初期設定について

最新のWindows 10（バージョン20H2）に備わっている新しいCortanaを使用するには、初回起動時に右の手順で初期設定を行う必要があります。また、以前のWindows 10（バージョン2004以前）では、Cortanaの使用にMicrosoftアカウントが必須ではありませんでしたが、Windows 10（バージョン20H2）に備わっている新しいCortanaの使用にはMicrosoftアカウントが必須です。

 メモ　Cortanaの機能について

最新のWindows 10（バージョン20H2）に備わっている新しいCortanaは、それ以前のCortanaとは異なる新しいパーソナルアシスタントアプリです。このため、以前のWindows 10（バージョン2004以前）に備わっていたCortanaとは利用できる機能に違いがあります。本稿執筆時点で使用できるのは、Bingを利用した回答とCortanaとの会話のみです。将来的には、アプリの起動やアラームやタイマーのセット、ファイルの検索なども行えるようになる予定ですが、本稿執筆時点ではこれらの機能は使用できません。

1 タスクバーの◯をクリックします。

2 ＜サインイン＞をクリックします。

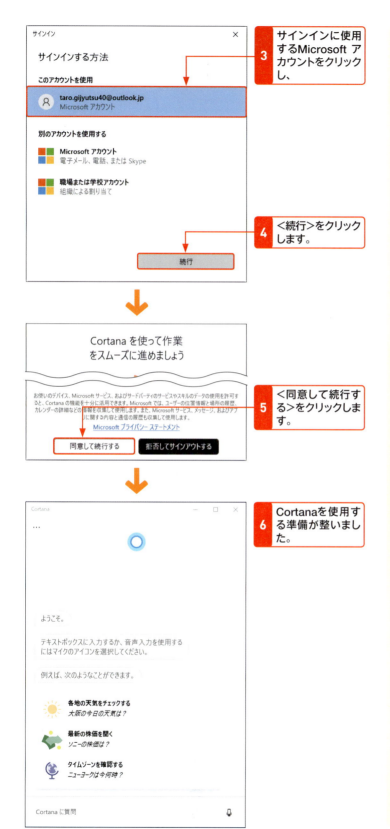

Section 72 Cortanaを利用する

メモ Cortanaの音声操作について

Cortanaの音声操作を行うには、マイクを備えたパソコンが必要です。パソコンがマイクを備えていないときは、別途マイクを用意してください。なお、マイクを備えていない場合は、キーボードを利用したCortanaの操作のみが行えます。

ヒント マイクの確認方法

利用しているパソコンがマイクを備えているかどうかは、P.248の方法で「設定」を開き、＜システム＞→＜サウンド＞とクリックし、「入力」のセクションで確認します。「入力」セクションの「入力デバイスを選択してください」に機器が選択されていることを確認し、パソコン（マイク）に話しかけたときに、＜マイクのテスト＞のバーが左右に振れるかどうかをチェックします。バーが振れればマイクが使用できます。バーが振れないときは、「入力デバイスを選択してください」に選択されている機器をクリックして、別の機器を選択し、バーが左右に振れるかどうかを再度チェックします。バーが左右に振れる機器がないときは、パソコンにマイクが備わっていません。マイクを購入してください。

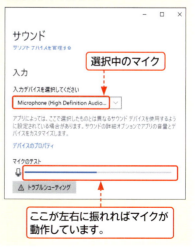

第8章 Windows 10をもっと使いこなす

2 音声でCortanaと会話する

メモ Cortanaで検索する

本稿執筆時点でCortanaで提供されている機能は、Bingを利用したキーワードの回答の提示とCortanaとの会話のみです。また、キーワードの回答の提示も必ず回答が返ってくるわけではありません。なお、将来的には、機能追加によってアプリの起動やアラームやタイマーのセット、ファイルの検索なども行えるようになる予定ですが、本稿執筆時点ではこれらの機能は使用できません。

ヒント 「すみません、…」と回答される

下の画面のようにCortanaから「すみません、…」という回答が提示される場合は、その操作が行えなかったり、回答が見つからなかったときに表示されます。その場合は、回答下にある＜"○○（○○はキーワード）"の検索＞をクリックすると、Webブラウザーが起動し、対象キーワードの検索結果が表示されます。

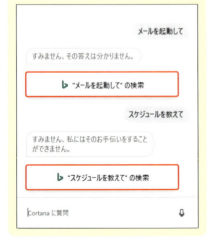

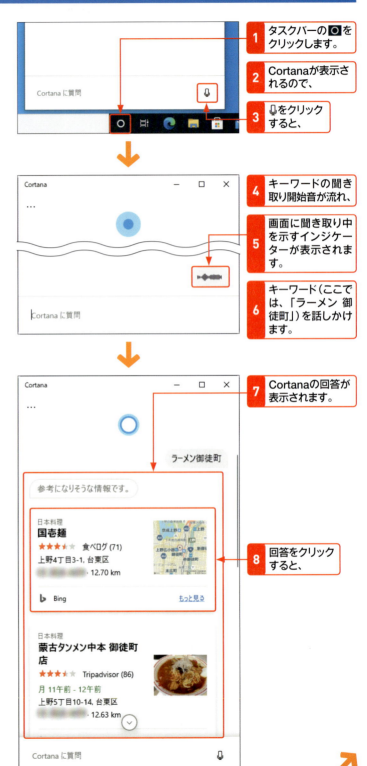

1 タスクバーのをクリックします。

2 Cortanaが表示されるので、

3 🎤をクリックすると、

4 キーワードの聞き取り開始音が流れ、

5 画面に聞き取り中を示すインジケーターが表示されます。

6 キーワード（ここでは、「ラーメン 御徒町」）を話しかけます。

7 Cortanaの回答が表示されます。

8 回答をクリックすると、

Section 72 Cortanaを利用する

9 Webブラウザーが起動し、回答の詳細が表示されます。

10 ×をクリックすると、Cortanaが終了します。

メモ 会話の履歴を削除する

Cortanaとの会話の履歴を削除したいときは、削除したい会話を右クリックし、＜削除＞または＜会話履歴のクリア＞をクリックします。＜削除＞をクリックするとその会話のみを削除でき、＜会話履歴のクリア＞をクリックすると、すべての会話の履歴を削除できます。

メモ キーボードでCortanaと会話する

Cortanaは、キーボードで使用することもできます。キーボードで使用するときは、検索ボックスにキーワードを入力します。

1 タスクバーの◯をクリックしてCortanaを起動し、
2 検索ボックスにキーワード（ここでは、「ワイン 御徒町」）を入力し、
3 ▷をクリックします。
4 Cortanaの回答が表示されます。

第8章 Windows 10をもっと使いこなす

243

Section 73 Windows Inkを利用する

Windows 10には、手書き入力機能「Windows Ink」が備わっています。この機能を利用すると、対応のデジタルペンやマウス操作、タッチ操作によって、対応アプリで絵や文字を描いたり、スクリーンショットに手書きのメモを描いたりできます。

覚えておきたいキーワード
- ☑ Windows Ink
- ☑ 手書きメモ
- ☑ Whiteboard

1 「ホワイトボード」を利用する

キーワード Windows Inkとは?

「Windows Ink」は、Windowsに備わっている手書き入力機能です。Windows 10には、Windows Inkを活用するアプリとして「Whiteboard」アプリや「切り取り＆スケッチ」アプリなどのアプリが用意されています。これらのアプリは、Windows Inkワークスペースにまとめられており、ここから起動できます。

ヒント ✐を表示する

✐＜Windows Inkワークスペース＞ボタンが表示されていないときは、タスクバーを右クリックし＜Windows Inkワークスペースボタンを表示＞をクリックします。

メモ 「Whiteboard」アプリについて

手順2で以下のような画面が表示されたときは、「Whiteboard」アプリがインストールされていません。この画面が表示されたときは、＜Whiteboard＞をクリックすると、「Whiteboard」アプリのインストールが行われます。

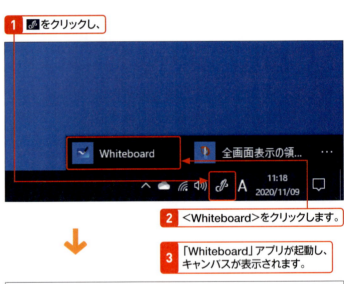

1 ✐をクリックし、
2 ＜Whiteboard＞をクリックします。
3 「Whiteboard」アプリが起動し、キャンバスが表示されます。

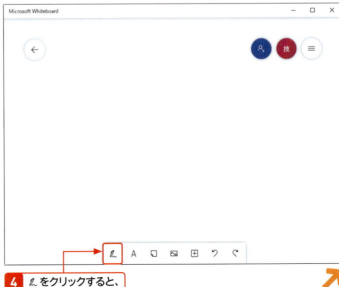

4 ✐をクリックすると、

5 ペンツールが表示されます。
6 使用するペンの色をクリックし、
7 手書きまたはマウス操作で文字や図形を描きます。

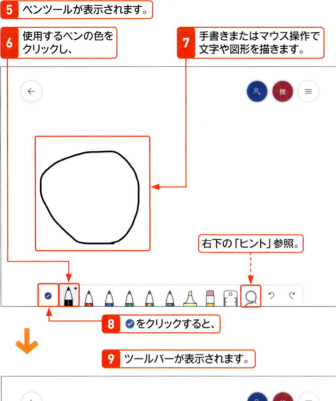

右下の「ヒント」参照。

8 ◉をクリックすると、
9 ツールバーが表示されます。

10 ▭をクリックすると、
11 メモが追加されます。

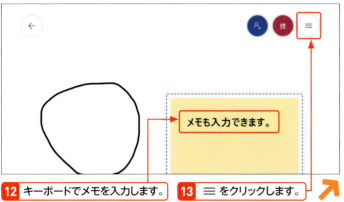

12 キーボードでメモを入力します。
13 ≡ をクリックします。

ヒント 「Whiteboard」アプリをはじめて起動した場合

はじめて「Whiteboard」アプリを起動したときは、「ライセンスおよび条件」画面が表示されます。この画面が表示されたときは、＜承諾＞をクリックし、画面の指示に従って操作を行ってください。

メモ 太さや色を変更する

手順 6 でペンの色を選択したあとに再度、同じペンをクリックすると、ペンの太さや色などの調整画面が表示され、さまざまな調整を行えます。

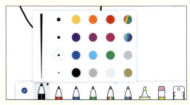

ヒント コンテンツを操作する

キャンバス内のコンテンツの削除や移動などを行うときは、🔾＜なげなわ選択＞をクリックし、移動したいコンテンツをクリックして選択します。この状態で、選択したコンテンツをドラッグすると場所を移動できます。また、🗑をクリックすると、コンテンツを削除できます。

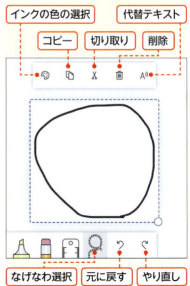

ヒント キャンバスをクリアする

キャンバスをクリアして、作業を最初からやり直したいときは、手順14の画面で＜キャンバスのクリア＞をクリックします。

注意 保存したキャンバスは再編集できない

右の手順でエクスポートしたキャンバスは、「Whiteboard」アプリに読み込んで再編集することはできません。

メモ 「切り取り＆スケッチ」アプリを使用する

P.244の手順2で＜全画面表示の領域切り取り＞をクリックすると、デスクトップのスクリーンショットが取得され、「切り取り＆スケッチ」アプリが起動します。取得したスクリーンショットは、「切り取り＆スケッチ」アプリで文字や図形を描いたり、トリミングを行ったりできます。

14 ＜エクスポート＞をクリックします。

15 ファイルの形式（ここでは、＜画像（PNG）＞）をクリックします。

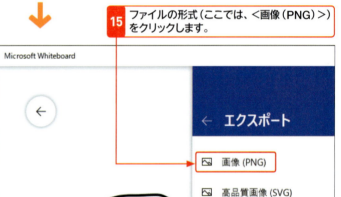

16 ファイル名を入力し、

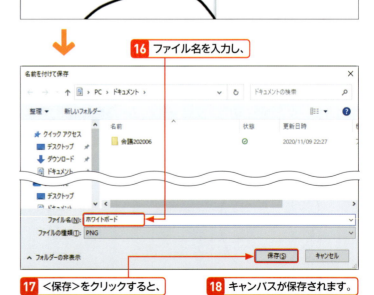

17 ＜保存＞をクリックすると、

18 キャンバスが保存されます。

Chapter 09

第9章

Windows 10の設定とカスタマイズ

Section	74	設定を変更する
	75	デスクトップのデザインを変更する
	76	色調の基本となる色を変更する
	77	夜間モードを利用する
	78	集中モードを利用する
	79	スタートメニューのタイルの位置を変更する
	80	アクションセンターをカスタマイズする
	81	ユーザーアカウントを追加する
	82	顔認証でサインインする
	83	PINを変更する
	84	サインインをパスワードレスにする
	85	セキュリティ対策の設定を行う
	86	Windows Updateの設定を変更する
	87	Windows 10のSモードをオフにする
	88	Bluetooth機器を接続する

Section 74 設定を変更する

覚えておきたいキーワード
☑ カスタマイズ
☑ 設定
☑ コントロールパネル

Windows 10の設定の多くは、設定やコントロールパネルから変更できます。画面の背景やデザインなどのカスタマイズのほか、コンピューターを利用するユーザーやパスワードの管理、Windows Updateの適用などもこれらの画面から行えます。

1 「設定」を表示する

メモ 「設定」を利用するケース

「設定」は、利用しているアプリの設定やWindowsで利用する機器などに関する設定、<スタート>メニューやデスクトップの背景などに関する設定が行えます。Windows 10の多くの設定は、ここで行いますが、一部の機能は、「コントロールパネル」で設定します。

<スタート>メニューから起動する

1 ⊞をクリックし、 2 <設定>をクリックします。

⬇

3 「設定」が起動します。

ヒント 検索ボックスを利用する

Windows 10には、非常に多くの設定項目があります。目的の設定項目が見つからないときは、「設定」の画面の検索ボックスやタスクバーの検索ボックスを利用して検索を行ってください。

アクションセンターから起動する

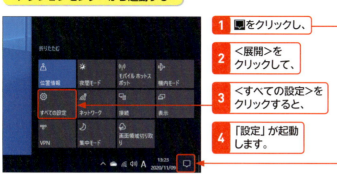

1. ▭をクリックし、
2. <展開>をクリックして、
3. <すべての設定>をクリックすると、
4. 「設定」が起動します。

> **メモ ショートカットキーを利用する**
>
> 「設定」は、⊞キーを押しながら Ⅰ キーを押すことでも表示できます。

2 「コントロールパネル」を表示する

1. ⊞をクリックし、

2. スクロールして、
3. <Windows システムツール>をクリックし、
4. <コントロールパネル>をクリックすると、

> **メモ コントロールパネルについて**
>
> 「コントロールパネル」には、デスクトップのデザインや画面の解像度、日付や時刻の設定、周辺機器を設定するための機能などがまとめられています。

5. 「コントロールパネル」が起動します。

> **メモ コントロールパネルで検索する**
>
> コントロールパネルには、非常に多くの設定項目があります。目的の設定が見つからないときは、コントロールパネルの右上にある検索ボックスに検索キーワードを入力して、検索します。
>
>

Section 74 設定を変更する

第9章 Windows 10 の設定とカスタマイズ

249

Section 75 デスクトップのデザインを変更する

覚えておきたいキーワード
- デスクトップ
- 背景
- 写真

デスクトップのデザインは、自分の好みに合わせてカスタマイズできます。Windows 10では、デスクトップの背景にあらかじめ用意されている画像を選択できるほか、自分で撮影した写真を選択したり、一定時間が経過すると別の背景に自動的に変わるようにしたりすることもできます。

1 デスクトップの背景を変更する

キーワード 背景とは？

デスクトップに表示されている画像のことを、Windows 10では「背景」と呼んでいます。また、背景は壁紙と呼ばれることもあります。

1 P.248を参考に「設定」を表示し、

2 ＜個人用設定＞をクリックします。

3 ＜背景＞をクリックします。

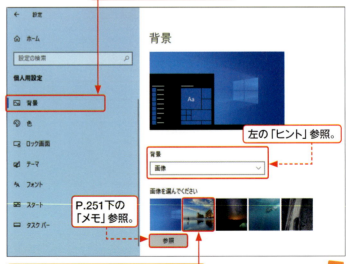

左の「ヒント」参照。

P.251下の「メモ」参照。

ヒント スライドショーを選択する

デスクトップの背景にスライドショーを選択したいときは、手順3の「背景」で＜スライドショー＞を選択します。「スライドショーのアルバムを選ぶ」の＜参照＞をクリックして、スライドショーで表示する写真が保存されているフォルダーを選択すると、スライドショーが設定されます。

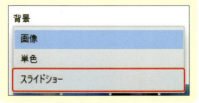

4 背景に利用する画像をクリックすると、

Section 75 デスクトップのデザインを変更する

5 デスクトップのプレビューが、選択した画像に切り替わります。

6 ×をクリックします。

メモ 右クリックメニューから背景を変更する

デスクトップの背景の設定は、デスクトップの何もないところを右クリックし、＜個人用設定＞をクリックしても表示することができます。

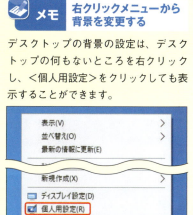

メモ 好きな画像（写真）を背景に設定する

背景に設定する画像はあらかじめ用意されている画像のほかにも、デジタルカメラなどで撮影した写真も利用できます。自分の持っている画像（写真）を背景に利用したいときは、以下の手順で設定します。

1 P.250の手順1～3を参考に「背景」の設定画面を表示します。

2 ＜参照＞をクリックします。

3 背景に設定したい画像が保存されているフォルダーを開き、

4 背景に設定したい画像をクリックします。

5 ＜画像を選ぶ＞をクリックします。

6 選択した画像が追加され、

7 ×をクリックし設定を終了すると、

8 選択した画像が背景に設定されていることが確認できます。

第9章 Windows 10の設定とカスタマイズ

Section 76 色調の基本となる色を変更する

覚えておきたいキーワード
- ☑ 白／黒
- ☑ ダークモード
- ☑ ライトモード

Windows 10では、基本となる色調を「白」または「黒」の中から選択できます。たとえば、＜スタート＞メニューおよびタスクバーの色を「黒」に設定し、アプリの色も「黒」に設定すると、黒を基調とした色調で使用できます。ここでは、Windows 10の色調を変更する方法を解説します。

1 Windows 10の色調を「黒」または「白」に統一する

メモ Windowsの色調を変更する

＜スタート＞メニューおよびタスクバーの基調とする色とアプリの基調とする色を統一したいときは、「色を選択する」のドロップダウンリストから、「黒」または「白」を選択します。一般に基調を黒で統一することを「ダークモード」、白で統一することを「ライトモード」と呼んでいます。

ヒント 「個人用設定」を別の方法で表示する

「個人用設定」は、デスクトップの何もない場所を右クリックし、メニューから＜個人用設定＞をクリックすることでも行えます。

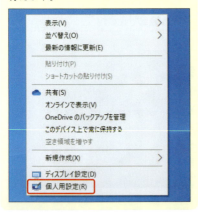

1 P.248を参考に「設定」を表示し、

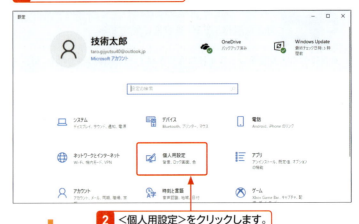

2 ＜個人用設定＞をクリックします。

3 ＜色＞をクリックして、

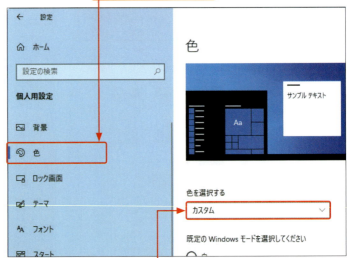

4 「色を選択する」のドロップダウンメニューをクリックし、

第9章 Windows 10の設定とカスタマイズ

252

Section 76 色調の基本となる色を変更する

5 <黒>をクリックします。

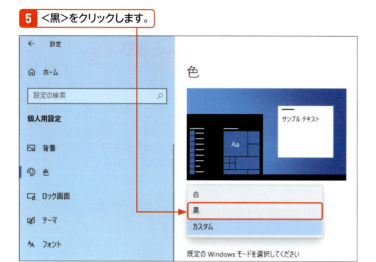

6 色調が黒に統一され、アプリの色が黒になります。

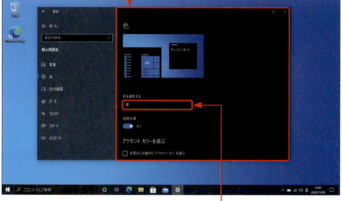

7 「色を選択する」のドロップダウンメニューをクリックし、<白>をクリックすると、

8 色調が白に統一され、タスクバーとアプリの色が白になります。

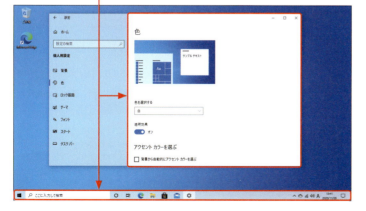

メモ <スタート>メニューの色も変わる

左の手順では、タスクバーやアプリの色のみが変更されていますが、<スタート>メニューの色も同時に変更されています。たとえば、色調を「白」に統一した場合、<スタート>メニューの色は、以下のようになります。

ヒント カスタム設定を行う

左の手順では、色調を黒または白に統一していますが、手順5で<カスタム>を選択すると、<スタート>メニューおよびタスクバーの基調とする色とアプリの基調とする色を別々に選択できます。それぞれを別々に選択したいときは、以下のように設定します。

●<スタート>メニューおよびタスクバーの色

<スタート>メニューおよびタスクバーの色は、「既定のWindowsモードを...」の「白」または「黒」の○をクリックして、◉にします。

●アプリの色

アプリの色は、「既定のアプリモードを...」の「白」または「黒」の○をクリックして、◉にします。

第9章 Windows 10の設定とカスタマイズ

Section 77 夜間モードを利用する

覚えておきたいキーワード
☑ 夜間モード
☑ 暖色
☑ ブルーライトカット機能

Windows 10は、画面の色を暖色（暖かさを感じる色）で表示して、モニターのブルーライトの発光を抑える「夜間モード」という機能を搭載しています。夜間モードは、指定時間になると有効になるように設定できるほか、手動で有効／無効を切り替えられます。ここでは、夜間モードの設定方法を解説します。

1 夜間モードを設定する

キーワード　夜間モードとは？

夜間モードは、特定の時間の間、画面の色を赤みがかった暖かい色で表示することでブルーライトの発光を抑える機能です。暗い場所で利用すると、目の負担が軽減されます。

注意　ディスプレイにもブルーライトカット機能があるときは？

ディスプレイに「ブルーライトカットモード」が搭載されているときは、どちらか一方の機能を利用してください。両方の機能を同時に有効にすると、画面の色味が設定どおりに調整されません。

メモ　夜間モードが設定できない

手順4の＜夜間モードの設定＞の上の◯が灰色で表示されて操作できないときは、そのディスプレイで夜間モードを利用できません。

1 P.248を参考に「設定」を表示し、

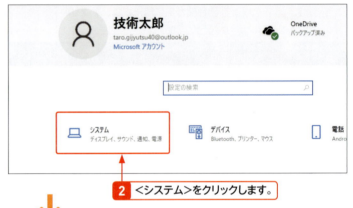

2 ＜システム＞をクリックします。

3 ＜ディスプレイ＞をクリックし、

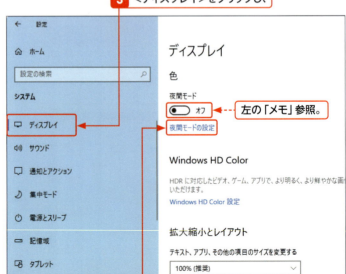

左の「メモ」参照。

4 ＜夜間モードの設定＞をクリックします。

夜間モード時の色調整について

メモ 手順 5 で ┼ をドラッグすると夜間モード時の色に切り替わり、マウスから指を離すと通常時の色になります。また、夜間モード時の色は、┼ を左方向に動かすほど、通常時の色に近づき、逆に右方向に動かすほど赤みのある色になります。

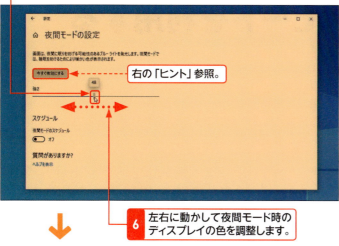

5 <強さ>の ┼ をドラッグすると、夜間モード時の色に変わります。

右の「ヒント」参照。

6 左右に動かして夜間モード時のディスプレイの色を調整します。

夜間モードを強制的に有効にする

ヒント 手順 5 の画面で<今すぐ有効にする>をクリックすると、その時点から夜間モードを有効にできます。すぐに夜間モードを利用したいときは、この操作を行ってください。なお、夜間モードのオン／オフは、アクションセンターからも行えます。夜間モードがオフのときは、アクションセンターを表示して<夜間モード>をクリックすると夜間モードがオンになります。再度、クリックするとオフになります。

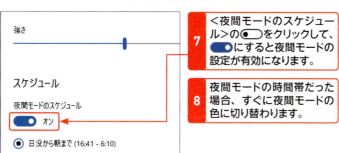

7 <夜間モードのスケジュール>の ⬤ をクリックして、🔵 にすると夜間モードの設定が有効になります。

8 夜間モードの時間帯だった場合、すぐに夜間モードの色に切り替わります。

メモ 夜間モードを利用する時間を手動で設定する

夜間モードの利用時間は、通常、「日没から朝まで」が設定されています。特定の時間帯に夜間モードを利用したいときは、次の手順で設定を行います。

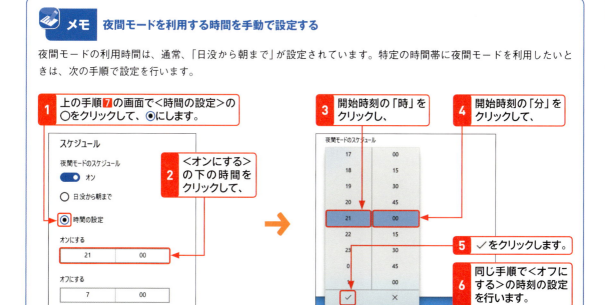

1 上の手順 7 の画面で<時間の設定>の〇をクリックして、◉にします。

2 <オンにする>の下の時間をクリックして、

3 開始時刻の「時」をクリックし、

4 開始時刻の「分」をクリックして、

5 ✓ をクリックします。

6 同じ手順で<オフにする>の時刻の設定を行います。

Section 78 集中モードを利用する

覚えておきたいキーワード
- ☑ 集中モード
- ☑ 通知
- ☑ アクションセンター

Windows 10は、Windowsからのメッセージを知らせる通知音や通知バナーなどを抑制して作業に集中できるようにする「集中モード」と呼ばれる機能を備えています。ここでは、集中モードのオン／オフの切り替え方法やカスタマイズの方法を解説します。

1 集中モードのオン／オフを切り替える

キーワード 集中モードとは？

「集中モード」とは、新着メールの受信やSNSの更新情報、Skypeの着信など、Windowsからのさまざまなメッセージを抑制する機能です。この機能は、プレゼンテーション中や就寝中など、通知（通知バナーや通知音）が困るようなケースで活用できます。

ヒント 集中モードには2段階の設定がある

集中モードには、「重要な通知のみ」と「アラームのみ」の2段階の設定があります。「重要な通知のみ」では、あらかじめ指定したユーザーからのメール、指定した機能やアプリ以外の通知を行いません。「アラームのみ」では、Windows 10の「アラーム」アプリ以外の通知を行いません。「アラームのみ」は、仕事でプレゼンテーションを行っている場合など、通知によって作業が阻害されたくないときに利用するモードです。集中モードのオン／オフは、右の手順で切り替えられます。動作は、「集中モード」オフ→「重要な通知のみ」→「アラームのみ」→「集中モード」オフに戻る、のトグル動作となっています。

1 をクリックしてアクションセンターを表示します。

2 クイックアクションが1列のみしか表示されていないときは、

3 <展開>をクリックします。

4 クイックアクションが展開されます。

5 <集中モード>をクリックすると、

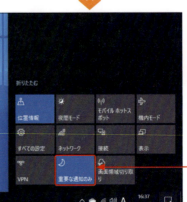

6 集中モードがオンに設定され、

7 <重要な通知のみ>と表示されます。再度クリックすると、

第9章 Windows 10の設定とカスタマイズ

8 設定が変更され、<アラームのみ>と表示されます。

9 <アラームのみ>をクリックすると、

10 手順4の状態に戻り、集中モードがオフになります。

ヒント 自動的に集中モードに移行できる

集中モードは、自動規則も利用できます。自動規則を利用すると、特定の時間帯なったときやゲームをプレイしているときなど、一定の条件を満たしたときに自動的に集中モードに移行します。自動規則は、移行時の集中モードにおける動作モードをカスタマイズできます（下の「メモ」参照）。

メモ 集中モードに関する詳細な設定を行う

集中モードは、「重要な通知のみ」を設定したときに、通知を許可するアプリや機能をユーザーがカスタマイズしたり、自動規則の設定のカスタマイズをしたりできます。集中モードの詳細な設定は、以下の手順で行います。

重要な通知のカスタマイズを行う

1 P.248の手順で「設定」を表示しておきます。

2 <システム>をクリックします。

3 <集中モード>をクリックします。

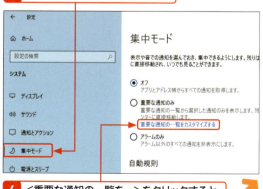

4 <重要な通知の一覧を...>をクリックすると、

5 通知を許可するアプリや連絡先の設定を行えます。

6 ←をクリックすると、手順4の画面に戻ります。

自動規則を設定する

1 手順4の画面をスクロールすると、

2 自動規則の設定を行えます。

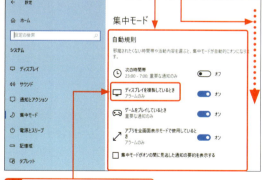

3 <オン>に設定した状態で各項目名をクリックすると、

4 その項目に応じた詳細設定を行えます。

Section 79 スタートメニューのタイルの位置を変更する

覚えておきたいキーワード
- ☑ タイル
- ☑ グループ
- ☑ タイトル

＜スタート＞メニューのタイルは、かんたんな操作によって表示する位置やサイズを変更できます。登録したタイルの数が増えた場合は、グループごとに分類したり、フォルダーごとにまとめて整理すると、目的のアプリを探しやすくなります。ここでは、タイルをカスタマイズする方法を解説します。

1 タイルの位置を変更する

メモ タイルの位置の変更

＜スタート＞メニューのタイルの位置は、自由に変更できます。頻繁に利用するタイルを＜スタート＞メニューの上側に集めておくと、タイルが増えたときに操作しやすくなります。

タッチ タッチ操作でタイルの位置を変更

タッチ操作の場合は、タイルを長押ししてから、目的の場所までスライドすると、タイルの位置を変更できます。

ヒント タイルのサイズを変更する

＜スタート＞メニューのタイルのサイズは「大」「横長」「中」「小」の4段階に変更できます。タイルのサイズを変更するには、タイルを右クリックし（タッチ操作の場合は、長押ししてや…のアイコンが表示されたら離す）、＜サイズ変更＞をクリックして、サイズを選択します。その際、アプリによっては「大」や「横長」を選択できない場合があります。

1 ＜スタート＞メニューを表示します。

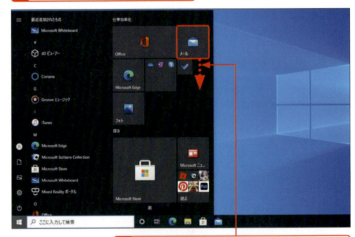

2 タイルを移動させたい場所までドラッグすると、

3 タイルの位置が変更されます。

小のタイル / 横長のタイル / 大のタイル / 中のタイル

2 タイルをグループに分類する

1 タイルを左右または上下（ここでは、「下」）方向にドラッグすると、

 グループ名

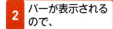 グループ

2 バーが表示されるので、
3 バーの上でマウスのボタンを離します。

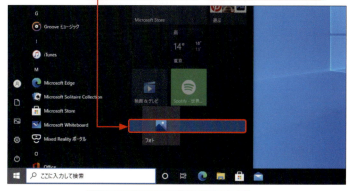

4 新しいグループが作成され、そこにタイルが配置されます。

グループとグループの間には、通常よりも広めの間隔が空いています。

メモ グループに分類する

＜スタート＞メニューでは、ここで紹介している操作でかんたんにグループを作成できます。タイルの数が増えてきたときは、グループごとに分類して管理しましょう。

ヒント ＜スタート＞メニューの幅を広げる

＜スタート＞メニューは、幅を広げ、登録できるタイルの数を増やすことができます。＜スタート＞メニューの幅は、＜スタート＞メニューの端にマウスポインターを移動させ、⇔の形になったら、右方向にドラッグすることで広さを調整できます。なお、＜スタート＞メニューの幅は、任意の広さに自由に調整できるわけではありません。幅の大きさは段階的に大きくなるようになっています。

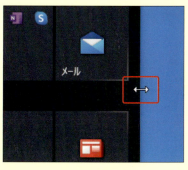

メモ グループへの登録

作成したグループにタイルを追加するときは、P.258の手順でタイルをグループに移動させます。

メモ　グループに名前を付ける

作成したばかりの新しいグループには、グループ名が付けられていません。グループ名を付けたいときは、右の手順 5 以降の操作を行います。なお、ここでは、新しいグループにグループ名を付けていますが、同じ手順でグループ名の変更も行えます。

5 マウスポインターをグループ間の広めの間隔に移動させると、

6 ≡ が表示されるので、クリックします。

7 グループ名を入力し、

タッチ　タッチ操作でグループに名前を付ける

タッチ操作でグループ名を付けたいときは、グループ間の広めの間隔をタップするとグループ名を入力できる状態になります。

8 <スタート>メニューのタイルのない場所をクリックするか、Enterキーを押すと、

9 グループ名が確定されます。

メモ　グループの削除

不要なグループを削除するには、グループ内のタイルをすべて別のグループに移動します。タイルがなくなったグループは自動的に消滅します。

3 タイルをフォルダーにまとめる

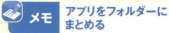

1 アプリのタイルをドラッグして別のアプリのタイルに重ね合わせたら離します。

> **メモ　アプリをフォルダーにまとめる**
>
> ＜スタート＞メニューにピン留めされたアプリのタイルの数が増えたときは、タイルフォルダーにまとめると、＜スタート＞メニューをすっきり整理できます。アプリをタイルフォルダーにまとめたいときは、左の手順で作業します。

2 タイルフォルダーが作成され、アプリのタイルがフォルダーにまとめられます。

3 をクリックすると、

> **メモ　フォルダー内に表示されるタイルの数は？**
>
> タイルフォルダー内に表示されるアプリのタイルの数は、タイルフォルダーの大きさによって変わります。たとえば、中サイズのタイルフォルダーでは、最大9個のアプリのタイルが表示されますが、大サイズのタイルフォルダーにすると最大36個を表示できます。

4 アプリがタイルフォルダーにまとめられていることが確認できます。

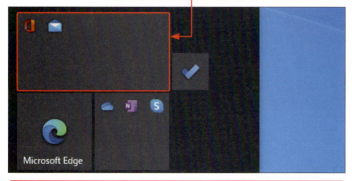

5 作成したタイルフォルダーにほかのアプリを移動するときは、タイルフォルダーの上に移動したいアプリのタイルをドラッグして重ね合わせて離します。

> **ヒント　タイルフォルダーを削除する**
>
> タイルフォルダーを削除したいときは、登録されているアプリのタイルすべてをタイルフォルダーから別の場所に移動します。アプリのタイルがなくなったタイルフォルダーは自動的に削除されます。

Section 80 アクションセンターをカスタマイズする

覚えておきたいキーワード
- ☑ アクションセンター
- ☑ クイックアクションボタン
- ☑ 通知メッセージ

アクションセンターは、各種通知を表示するだけでなく、指定した機能のオン／オフをボタンのクリックのみで切り替えるクイックアクションボタンが配置されています。ここでは、アクションセンターに表示される通知やクイックアクションボタンのカスタマイズ方法を解説します。

1 アクションセンターに表示される項目をカスタマイズする

キーワード　アクションセンターとは？

「アクションセンター」は、システムからのメッセージやアプリのメッセージなどのさまざまな情報を表示する画面です。画面下部には、クイックアクションボタンが用意されており、登録されている機能のオン／オフが行えます。

クイックアクションボタン

キーワード　クイックアクションとは？

「クイックアクション」とは、「アクションセンター」の下部に並ぶ各アクションを指す名称です。折りたたんだ状態では4つのクイックアクションが並びます。

メモ　「通知とアクション」で設定できる項目は？

「通知とアクション」では、通知を表示するアプリの選択やクイックアクションボタンに表示する機能の設定などが行えます。

1 P.248を参考に「設定」を表示し、

2 <システム>をクリックします。

3 <通知とアクション>をクリックすると、

4 アクションセンターのカスタマイズ画面が表示されるので、

5 <クイックアクションの編集>をクリックします。

Section 80 アクションセンターをカスタマイズする

6 をクリックすると、そのクイックアクションが削除されます。

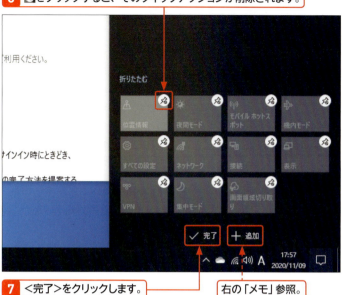

7 <完了>をクリックします。

右の「メモ」参照。

ヒント 展開してさらにボタンを表示する

手順**6**の画面で<展開>が表示されているときは、<展開>をクリックすると、隠れていたクイックアクションが表示されます。

メモ クイックアクションを追加する

手順**6**の画面で<追加>をクリックすると、クイックアクションを追加できます。なお、追加可能なクリックアクションがないときは、<追加>が灰色で表示され、操作を行えません。

2 アプリの通知を設定する

1 P.262の手順**4**の画面をスクロールして、

2 <アプリやその他の送信者からの通知を取得する>の ● をクリックし、

3 ● にすると、アプリやそのほかの送信者からの通知の表示を停止できます。

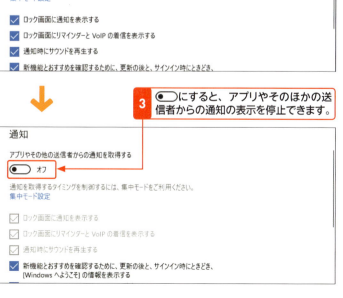

ヒント アプリの通知を設定する

手順**1**で設定が ● になっているときは、この画面下部から通知を表示するアプリを選択できます。設定を ● にすると、そのアプリの通知は非表示に設定されます。また、アプリ名をクリックすると、そのアプリの通知に関する詳細な設定を行えます。

第9章 Windows 10の設定とカスタマイズ

Section 81 ユーザーアカウントを追加する

覚えておきたいキーワード
- ☑ ユーザーアカウント
- ☑ 家族
- ☑ Microsoft アカウント

1台のパソコンを家族などで共有する場合は、人数分のユーザーアカウントを作成しましょう。Windows 10では、「家族」と「他のユーザー」の2種類のアカウントを作成できます。家族アカウントは、パソコンの利用時間を制限したり、不適切なWebサイトの閲覧やゲーム、アプリの利用を制限したりできます。

1 家族用のアカウントを追加する

メモ ユーザーアカウントとは?

「ユーザーアカウント」は、パソコンを誰が使っているのかを識別するための情報です。Windows 10では、「家族」と「他のユーザー」の2種類のユーザーアカウントを登録でき、1台のパソコンを複数のユーザーで利用できます。ここでは、すでにMicrosoft アカウントを持っているユーザーを、家族の子供用アカウントでパソコンの新しい利用者に登録する手順を紹介します。

ヒント 家族アカウントとは?

家族アカウントは、家庭内で利用するときに便利なアカウントです。「メンバー」と「オーガナイザー」の2種類のアカウントを登録できます。オーガナイザーは、メンバー用アカウントのパソコンの利用可能時間を制限できるほか、有害なWebサイトの閲覧防止などの管理を行えます。

ヒント 管理者ユーザーのみがユーザー登録を行える

アカウントの作成や削除などを行えるのは、「管理者(Administrator)」権限を持つユーザーのみです。Windows 10では、最初に登録されたユーザーが管理者(Administrator)になります。

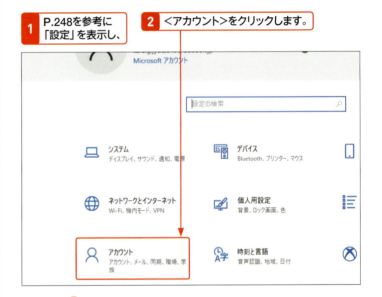

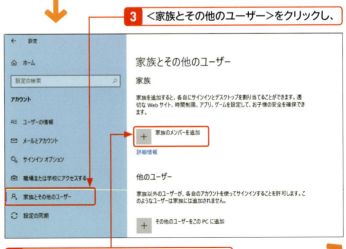

5 お子様用のMicrosoft アカウントのメールアドレスを入力し、

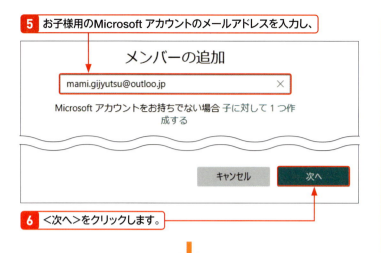

6 <次へ>をクリックします。

7 <オーガナイザー>または<メンバー>（ここでは、<メンバー>）をクリックし、

8 <招待する>をクリックします。

9 家族用のユーザーアカウントが追加されます。

メモ メールアドレスを登録する

家族アカウントの登録には、Microsoftアカウントに登録されたメールアドレスが必須です。手順 5 では、Microsoftアカウントとして登録されているメールアドレスを入力してください。

ヒント メールアドレスを新規取得する

手順 5 の画面で、<子に対して1つ作成する>をクリックすると、Microsoftアカウントのメールアドレスの取得とアカウントの追加およびファミリーへの追加を同時に行えます。

メモ メンバーとオーガナイザーの違い

左の手順 7 では、権限の設定を行っています。オーガナイザーは、親向けの保護者の設定です。メンバーは、オーガナイザーによって管理されるお子様ユーザー向けの設定です。

注意 登録に時間がかかる場合がある

手順 9 のアカウント登録済みのユーザーの表示には、時間がかかる場合があります。しばらく待っても表示されないときは、「設定」を一度終了して、起動し直してみてください。

ヒント 招待メールが送信される

Microsoft アカウントを取得済みの家族のメンバーを追加するときは、オーガナイザー／メンバーに関係なく、左の手順でアカウント登録時に入力したメールアドレスに招待メールを送信し、相手から参加の承諾を得る必要があります。また、参加の承諾を行ったユーザーは、ファミリーとして追加され、オーガナイザーは、メンバーに対してさまざまな利用上の制限を設定できます。

2 お子様アカウントの管理を行う

メモ 招待メールの承諾手続き

お子様の管理を行うために必要となる手続きが、招待メールの承諾手続きです。承諾手続きが完了すると、オーガナイザーとして登録されているユーザーは、メンバーとして登録されているユーザーの管理を行えます。承諾手続きは、右の手順で行います。なお、この手順はMicrosoftアカウントを取得済みのユーザーを追加したときのみ必要な作業です。

ここでは、前ページの手順9で送信された招待メールを受け取ったユーザーの承諾手続きの手順を解説します。

1 追加したお子様のアカウントでサインインします。

2 「メール」アプリを起動し、 **3** メールを開きます。

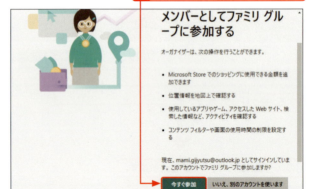

4 ＜招待の承諾＞をクリックします。

5 ＜今すぐ参加＞をクリックします。

ヒント 承諾手続きを行うパソコンについて

P.264～265の手順でメンバーアカウントの追加を行うと、そのパソコンにお子様用のアカウントがすぐに追加されます。承諾手続きは、アカウントの追加を行ったパソコンで、アカウントを切り替えて行えます。現在利用中のアカウントからお子様用のアカウントに切り替えるときは、P.32の「メモ」を参考に行ってください。なお、お子様用アカウント追加後にはじめてそのお子様用アカウントでサインインするときは、初期設定画面が表示される場合があります。初期設定画面が表示されたときは、画面の指示に従って設定してください。

6 登録されているファミリの一覧が表示されます。承諾手続きは以上で終わりです。

メモ Microsoftアカウントのサインイン画面が表示された場合は?

手順5のあとで、Microsoftアカウントのサインイン画面が表示された場合は、Microsoftアカウントのパスワードを入力し、画面の指示に従って進めてください。

3 家族の管理を行う

ここでは、家族の管理を行うユーザー（招待メールを送付したユーザー）が自分のパソコンで設定を行います。

1 「設定」を表示し、＜アカウント＞をクリックします。

2 ＜家族とその他のユーザー＞をクリックし、

3 ＜オンラインで家族の設定を管理＞をクリックします。

4 Webブラウザーが起動し、ファミリーの一覧が表示されます。

5 管理したいユーザー（ここでは、「技術マミ」）の＜その他のオプション＞をクリックし、

6 ＜コンテンツの制限＞をクリックします。

7 画面をスクロールして、

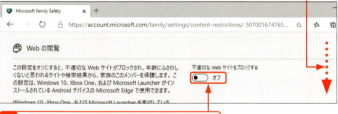

8 ＜不適切なWebサイトをブロックする＞のをクリックしてにします。

9 画面をスクロールすると、常に閲覧を許可するサイトや逆にブロックするサイトを設定できます。

10 設定を終了するときは、Webブラウザーを閉じます。

メモ お子様ユーザーの管理を行う

ここでは、Webサイトの閲覧制限を例に管理の方法を解説します。お子様ユーザーの管理は、Webサイトの閲覧制限以外にも、パソコンを利用できる時間や利用を許可するアプリやゲームなどの設定が行えます。

ヒント アプリとゲームの設定について

手順**7**の画面では、年齢区分が付いたアプリやゲームを年齢に応じてブロックする設定やお子様がダウンロードしたり、購入したりする、アプリやゲームを制限する設定も行えます。

ヒント 使用時間の制限を設定する

手順**4**の画面で＜使用時間＞をクリックし、＜すべてのデバイスに...＞をオンに設定すると、Xboxやパソコンの使用時間を制限できます。使用時間の制限は、曜日単位で開始時間と終了時間、最大使用時間の3項目を設定できます。

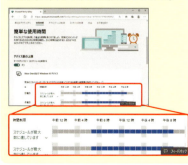

Section 81 ユーザーアカウントを追加する

4 家族以外のユーザーを追加する

メモ そのほかのユーザーを追加する

ここでは、家族アカウントとは異なり、すでに登録済みのユーザーとは関連性のないアカウントを追加する方法を解説しています。この方法は、会社などで利用する場合に適したアカウントの追加方法です。なお、アカウントの追加が行えるのは、家族アカウント同様に「管理者（Administrator）」権限を持つユーザーのみです。

メモ メールアドレスを入力する

手順5では、Microsoft アカウントとして登録されているメールアドレスを入力します。Microsoft アカウントとして登録されていないメールアドレスを入力した場合は、エラーメッセージが表示されます。画面の指示に従って、Microsoft アカウントを取得してください。

ヒント メールアドレスを新規登録する

手順5の画面で＜このユーザーのサインイン情報がありません＞をクリックすると、Microsoft アカウントのメールアドレスを取得できます。

メモ ローカルアカウントでサインインする

手順5の画面で＜このユーザーのサインイン情報がありません＞をクリックし、＜Microsoft アカウントを持たないユーザーを追加する＞をクリックすると、「ローカルアカウント」を作成できます。ローカルアカウントは、ユーザーの管理を Windows 10 の内部のみで行います。そのため、OneDriveなど一部のアプリを利用するには、アプリごとのサインインが必要になります。

第9章 Windows 10の設定とカスタマイズ

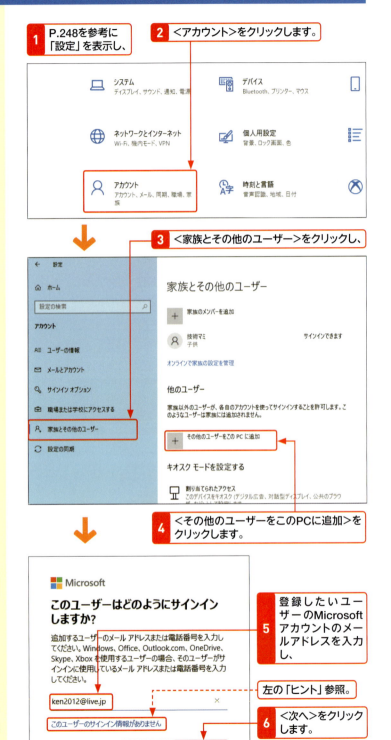

1 P.248を参考に「設定」を表示し、
2 ＜アカウント＞をクリックします。
3 ＜家族とその他のユーザー＞をクリックし、
4 ＜その他のユーザーをこのPCに追加＞をクリックします。
5 登録したいユーザーのMicrosoftアカウントのメールアドレスを入力し、
左の「ヒント」参照。
6 ＜次へ＞をクリックします。

268

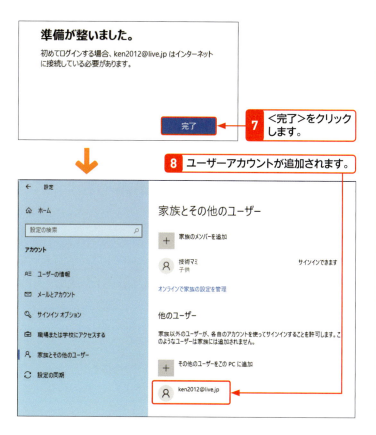

アカウントの種類を変更する

あとから追加したユーザーを管理者（Administrator）に変更したいなど、アカウントの種類を変更したい場合は左の手順 8 で、追加したアカウントをクリックし、＜アカウントの種類の変更＞をクリックします。「アカウントの種類の変更」ダイアログボックスが表示されるので、アカウントの種類の変更を行い、＜OK＞をクリックします。

 ローカルアカウントをMicrosoft アカウントに切り替える

初期設定をローカルアカウントで行い、あとからMicrosoft アカウントに切り替えたいときは、以下の手順で行います。Microsoft アカウントを取得していないときは、アカウントの切り替え時にMicrosoft アカウントを新規取得することもできます。

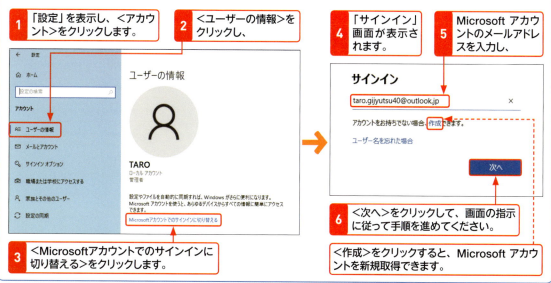

Section 82 顔認証でサインインする

覚えておきたいキーワード
- ☑ Windows Hello
- ☑ 生体認証機能
- ☑ 顔認証

Windows 10には、Windows Helloと呼ばれる生体認証機能が備わっています。この機能を利用すると、パスワードの代わりに顔や指紋を利用してWindows 10にサインインできます。ここでは、Windows Helloの機能の1つ、顔認証を利用してWindows 10にサインインする方法を説明します。

1 顔認証の設定を行う

🔍 キーワード 顔認証とは？

「顔認証」とは、自分の顔を登録しておき、カメラを見つめるだけでWindows 10にサインインできる機能です。顔認証では、ユーザー固有の生体情報を用いて認証を行うため、手軽にWindows 10にサインインできるだけでなく、パスワード漏えいのリスクがなく、強固なセキュリティを実現できます。

📝 メモ 顔認証を利用する

顔認証を利用するには、Windows Helloに対応した顔認証カメラが必要です。手順 4 の画面で、Windows Hello 顔認証に「このオプションは現在使用できません」と表示されているときは、パソコンにカメラが搭載されていても顔認証を利用できません。

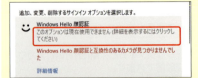

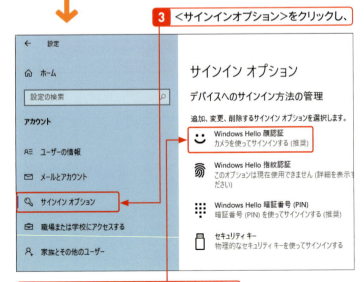

5 <セットアップ>をクリックします。

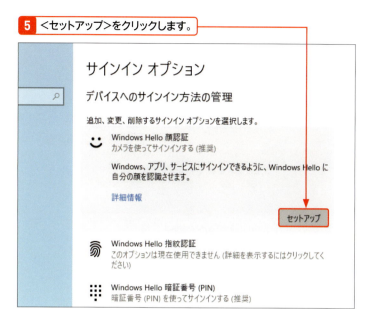

キーワード 指紋認証とは？

「指紋認証」とは、指紋を利用してWindows 10にサインインする方法です。Windows Helloに対応した指紋認証リーダーと呼ばれる指紋読み取り機器が必要になります。指紋認証を行うには、指紋認証リーダーを利用して、Windows 10にあらかじめ自分の指紋を登録しておきます。サインインを行うときは、指紋認証リーダーで指紋を読み取り、指紋が一致すれば、Windows 10にサインインできます。顔認証同様に、ユーザー固有の生体情報を用いて認証を行うため、パスワード漏えいのリスクがなく、強固なセキュリティを実現できます。

6 <開始する>をクリックします。

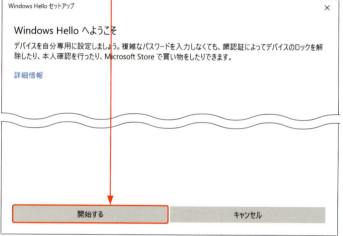

メモ PINを利用していないときは？

顔認証を行うには、PINの設定が必須です。PINを設定していないときは、手順**6**のあとにP.272の手順**8**の顔の登録作業が行われます。また、顔の登録が完了すると、下の画面が表示され、<PINの設定>をクリックすると、PINの設定が開始されます。PINを設定していないときは、画面の指示に従ってPINの設定を行ってください。

7 PINの入力画面が表示されたときは、<PIN>を入力すると、

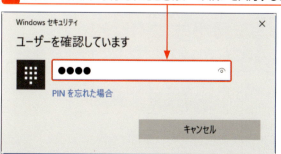

メモ 顔の登録を行う

手順8の顔の登録中は、作業が完了するまでパソコンに搭載されたカメラを正面から見つめてください。顔の登録作業は、数秒から10秒程度で完了します。

ヒント 認識精度を高める

手順10の画面で＜精度を高める＞をクリックすると、手順8の画面が再度表示されて顔の登録作業が始まります。前回メガネをかけた顔を登録したときは、ここでメガネをかけないで顔の登録を行うことで、認識精度を高めることができます。この作業は、顔認証のすべての設定が終わったあとに再度、行うこともできます（P.273の下の「メモ」参照）。

メモ 顔認証を削除する

手順12の画面で＜削除＞をクリックすると、顔認証の登録情報が削除され、利用を中止できます。なお、顔認証の削除を行ってもPINの設定は削除されません。

---

8 顔の登録作業が始まります。

9 フレーム内に顔が入るように画面をまっすぐ見続けます。

10 顔の登録が完了すると、「すべて完了しました。」画面が表示されます。

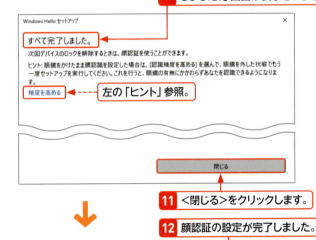

左の「ヒント」参照。

11 ＜閉じる＞をクリックします。

12 顔認証の設定が完了しました。

左下の「メモ」参照。

2 顔認証でサインインする

1 ロック画面が表示されると、画面に「ユーザーを探しています」と表示されるので、

2 画面を正面から見ていると自動的に認証が行われて、

3 デスクトップが表示されます。

 メモ ロック画面にメッセージが表示されたときは？

ロック画面に「Windowsにサインインし直すには、ロック画面を解除してください」というメッセージが表示されたときは、ロック画面の解除を行うとデスクトップが表示されます。

 メモ 認識精度を高める

メガネをかけているときとかけていないときで認識精度に差があるときは、両方の顔を登録して認識精度を高めてください。認識精度を高めたいときは、右の画面で＜認識精度を高める＞をクリックして、画面の指示に従って顔の再登録を行います。たとえば、最初の登録時にメガネをかけていたときは、ここではメガネを外した状態で顔の登録を行ってください。

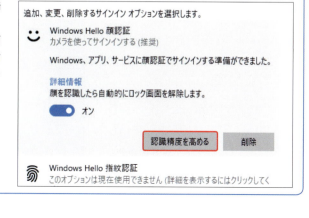

Section 83 PINを変更する

覚えておきたいキーワード
- ☑ PIN
- ☑ サインイン
- ☑ 変更

Windows 10では、パスワードを利用したサインインよりも安全性が高い「PIN」を利用したサインインを推奨しています。PINは、仮にPINが漏洩しても、実際のパスワードが漏洩するわけではないことが特長です。ここでは、現在使用中のPINを変更する方法を解説します。

1 PINを変更する

メモ PINとは

PINとは、パスワードの代わりに4文字以上の英数字を利用してサインインを行う方法です。仮にPINが漏洩しても、実際のパスワードが漏洩するわけではないため、重要なパスワードを入力するよりも安全性の高い認証方法とされています。

ヒント PINを設定する

Windows 10では、通常、初期設定でPINの設定を行います（P.300参照）が、設定をキャンセルしたりスキップしたりしたときは、P.275の手順 で以下の画面が表示され、＜追加＞をクリックするとPINの設定が行えます。

1 P.248を参考に「設定」を表示し、

2 ＜アカウント＞をクリックします。

3 ＜サインインオプション＞をクリックし、

4 ＜Windows Hello暗証番号（PIN）＞をクリックします。

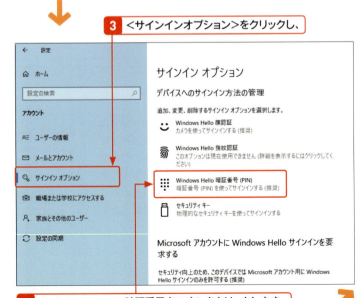

5 <変更>をクリックします。

6 「PINの変更」画面が表示されます。
7 現在利用中のPINを入力し、
8 新しいPINを入力します。
9 新しいPINを再入力して、
10 <OK>をクリックすると、

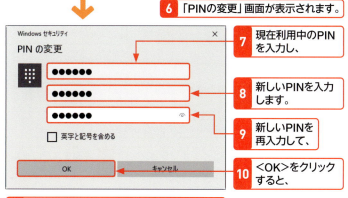

11 PINが変更され、手順**5**の画面に戻ります。

メモ PINに利用できる文字

PINは、4桁以上127文字以下の英数文字が使用できます。また、アルファベットを入力した場合は、大文字と小文字を区別します。ただし、「1111」や「1234」などの単純なパターンのPINを設定することはできません。セキュリティ上問題があるパターンのPINを設定すると、以下のような画面が表示されます。

メモ 特殊文字などをPINに設定する

アルファベットや特殊文字をPINに設定したいときは、手順**6**の画面で<英字と記号を含める>の□をクリックして、☑にします。

メモ PINを忘れた場合は?

PINを忘れたときは、サインイン画面で<PINを忘れた場合>をクリックすると、PINをリセットして新しいPINを設定できます。なお、Microsoft アカウントでWindows10にサインインを行っている場合は、Microsoft アカウントのパスワードの入力が求められます。ローカルアカウントでサインインを行っている場合は、アカウント作成時に設定したパスワードの入力が求められます。

Section 84 サインインをパスワードレスにする

覚えておきたいキーワード
- ☑ パスワードレス
- ☑ Microsoft アカウント
- ☑ 有効／無効

Windows 10へのサインインにMicrosoft アカウントを使用している場合は、PINや顔認証、指紋認証を設定することで、パスワード認証を使用しない「パスワードレス」の設定が行えます。この設定は、ユーザーが有効／無効を切り替えることができます。

1 パスワードレスの設定を確認する

 メモ パスワードレス設定について

パスワードレスの設定は、Windows 10へのサインインにMicrosoft アカウントを使用している場合のみ設定できます。また、この設定が有効になっている場合、Windows 10へのサインインにパスワード認証は使用できません。サインインは、PINまたは顔認証、指紋認証のいずれかでのみ行えます。

サインインオプションが表示されない

 ヒント パスワードレスでMicrosoft アカウントにサインインする

サインインにMicrosoft アカウントを使用し、かつPINや顔認証、指紋認証が設定されたパソコンは、Microsoft アカウントへのサインインを求められたときにパスワードレスのサインインを使用できます。パスワードレスでサインインするときは、パスワードの入力画面で＜Windows Helloまたはセキュリティキーでサインイン＞をクリックします。

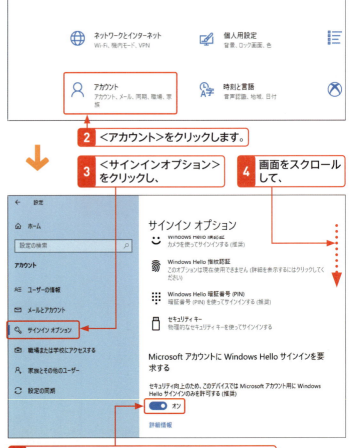

1. P.248を参考に「設定」を表示し、
2. ＜アカウント＞をクリックします。
3. ＜サインインオプション＞をクリックし、
4. 画面をスクロールして、
5. 「セキュリティ向上のため…」が ●になっていると、パスワードレスの設定が有効になっています。

2 パスワードレスの設定を無効にする

ここでは、前ページの続きで解説しています。

1 「セキュリティ向上のため…」の をクリックして、 にします。

2 ⊞ をクリックし、

3 ＜電源＞をクリックします。

4 ＜再起動＞をクリックします。

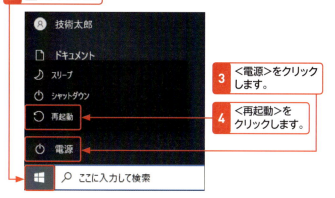

5 サインイン画面に「サインインオプション」が表示されるのでクリックすると、

6 サインインオプションが表示されます。

メモ パスワードレスを無効にする

パスワードレスの設定を無効にすると、Windows 10のサインインに使用しているMicrosoft アカウントのパスワードの変更を、Windows 10から行えるほか（下の「ヒント」参照）、ピクチャパスワードを利用できます。

ヒント Microsoft アカウントのパスワードを変更する

左の手順でパスワードレスの設定を無効にすると、Windows 10へのサインインに使用しているMicrosoft アカウントのパスワードの変更をWindows 10から行えます。パスワードの変更を行いたいときは、パスワードレスの設定を無効にしたあとに、P.248の手順で「設定」を開き、＜アカウント＞→＜サインインオプション＞→＜パスワード＞とクリックし、＜変更＞をクリックします。

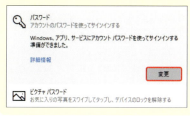

Section 85 セキュリティ対策の設定を行う

覚えておきたいキーワード
☑ Windows セキュリティ
☑ ウイルス
☑ スパイウェア

Windows 10には、「Windows セキュリティ」という包括的なセキュリティ管理機能が用意されています。Windows セキュリティでは、ウイルス／スパイウェア対策やアカウントの保護、ファイアウォールの設定など、さまざまなセキュリティの管理が行えます。

1 Windows セキュリティを起動する

🔍 キーワード　Windows セキュリティとは？

「Windows セキュリティ」は、Windows 10に備わっている包括的なセキュリティ管理機能です。ウイルス／スパイウェアの対策を行う「ウイルスと脅威の防止」や「アカウントの保護」「ファイアウォールとネットワーク保護」「アプリとブラウザーコントロール」「デバイスセキュリティ」「デバイスのパフォーマンスと正常性」「ファミリーのオプション」などの項目が用意されています。

📝 メモ　他社製アプリがインストールされている場合は？

他社製のウイルス／スパイウェア対策アプリがインストールされている場合も、Windows セキュリティでそのアプリの機能の一部を管理できます。ウイルス／スパイウェア対策機能は、「ウイルスと脅威の防止」で管理されます。また、ファイアウォール機能は、「ファイアウォールとネットワーク保護」で管理されます。なお、他社製アプリをアンインストールすると、それらの機能と同等の機能をWindows 10が提供します。通常は、他社製のウイルス／スパイウェア対策アプリのほうが機能が豊富です。特別な場合を除き、他社製のウイルス／スパイウェア対策アプリをそのまま利用されることをおすすめします。

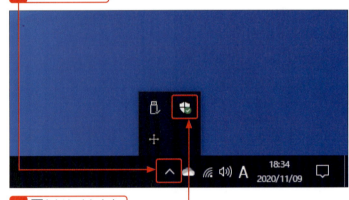

1 ∧をクリックし、

2 をクリックします。

3 Windows セキュリティが起動します。

2 「セキュリティ インテリジェンス」を更新する

1 <ウイルスと脅威の防止>をクリックします。

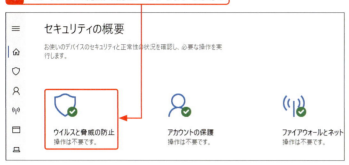

2 画面をスクロールして、

3 <更新プログラムのチェック>をクリックします。

4 <更新プログラムのチェック>をクリックすると、

右の「メモ」参照。

5 ウイルスおよびスパイウェアの定義の更新が行われます。

メモ セキュリティ インテリジェンスとは？

ウイルス／スパイウェア対策アプリは、日々増加していく悪意のあるプログラムの情報をデータベース化して管理しています。この情報を「セキュリティ インテリジェンス」と呼びます。左の手順では、Windows 10に標準で備わっているウイルス／スパイウェア対策アプリ「Microsoft Defender」のセキュリティ インテリジェンスを手動で更新する方法を解説しています。なお、Microsoft Defenderのセキュリティ インテリジェンスの更新は、通常、Windows Updateを利用して自動的に行われます。手動のウイルス検査を実施する場合など、現在のセキュリティ インテリジェンスが最新か確認したいときなどに手動更新を行ってください。

キーワード Microsoft Defenderとは？

「Microsoft Defender」は、Windows 10に標準で備わっているウイルス／スパイウェア対策アプリです。他社製のウイルス／スパイウェア対策アプリをインストールしていないときは、このアプリが自動的に利用されます。

Section 85　3 手動でウイルス検査を行う

ヒント　手動のウイルス検査を行う

右の手順では、Microsoft Defenderを利用して、手動でウイルス検査を実施する方法を解説しています。定期的に手動でウイルス検査を行うことで、検出漏れが減り、セキュリティを高めることができます。

メモ　フルスキャンとは？

フルスキャンでは、通常USBメモリーなどのリムーバブルドライブを除く、パソコンに接続されたすべてのドライブ内のデータを検査します。

メモ　検査の取り消し

フルスキャンには、長い時間がかかります。検査の途中で停止したいときは、＜キャンセル＞をクリックします。

ステップアップ　カスタムスキャンとは？

「カスタムスキャン」は、指定したフォルダー内のウイルス検査を行う機能です。＜カスタムスキャン＞を◉にして、＜今すぐスキャン＞をクリックすると、検査を行うフォルダーの設定画面が表示されます。フォルダーを選択し、＜フォルダーの選択＞をクリックすると、ウイルス検査が実行されます。

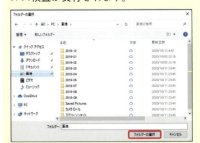

1 ＜ウイルスと脅威の防止＞をクリックします。

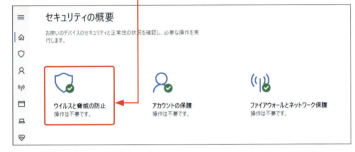

2 ＜スキャンのオプション＞をクリックします。

3 ＜フルスキャン＞の○をクリックして◉にし、

左の「ステップアップ」参照。

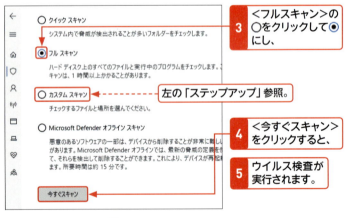

4 ＜今すぐスキャン＞をクリックすると、

5 ウイルス検査が実行されます。

6 ウイルス検査が終了すると、検査結果が表示されます。

4 オフラインスキャンを行う

1 P.278〜279の手順を参考に「ウイルスと脅威の防止」画面を表示して、

2 <スキャンのオプション>をクリックします。

3 <Microsoft Defender オフラインスキャン>の○をクリックして◉にし、

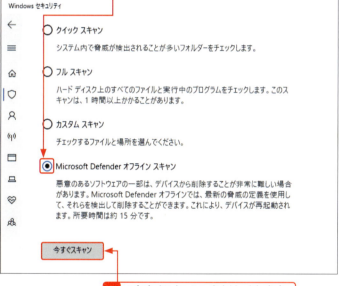

4 <今すぐスキャン>をクリックします。

5 ダイアログボックスが表示されるので、<スキャン>をクリックします。

メモ オフラインスキャンとは?

オフラインスキャンは、Windows 10の利用中には削除できないような脅威に対処するためのスキャン方法です。たとえば、Windows 10起動と同時にメモリーに常駐するような脅威の場合、Microsoft Defenderによって対処しても、再度、Windows 10を起動するとその脅威が復活する場合があります。そのような脅威は、オフラインスキャンを行うことで対処できます。

ヒント ショートカットキーで設定を表示する

「設定」画面は、■キーを押しながら、Ｉキーを押すことでも表示できます。脅威によって、<スタート>メニューから「設定」を表示できない場合は、ショートカットキーによる起動を試してください。

ヒント オフラインスキャン利用時の注意点

オフラインスキャンを行うには、インターネット接続環境が必要です。また、オフラインスキャンを実行すると、パソコンが再起動され、以下の画面がしばらく表示され、最新のセキュリティ インテリジェンスのダウンロードが行われます。この作業には、数分から10数分かかる場合があります。

6 「ユーザーアカウント制御」ダイアログボックスが表示されたら、<はい>をクリックします。

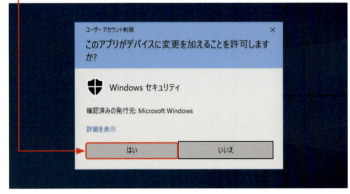

7 この画面が表示されたら、しばらく待つとパソコンが再起動されます。

8 パソコンが再起動されてしばらく待つと、

9 ウイルス検査が開始されます。

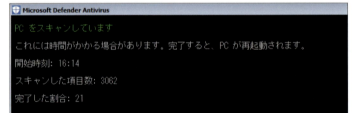

10 ウイルス検査が終了すると、パソコンが再起動されます。

メモ 脅威が検出されたときは?

脅威が検出されたときは、検出中に右のような画面が表示されます。検出された脅威は、スキャン終了後、取り除かれてパソコンが再起動されます。

5 検出されたウイルスを削除する

1 ウイルスを検出すると検査終了後に通知が表示され、

2 検出した脅威が表示されます。

3 ＜操作の開始＞をクリックすると、

 右下の「メモ」参照。

4 推奨される操作が実行されます。

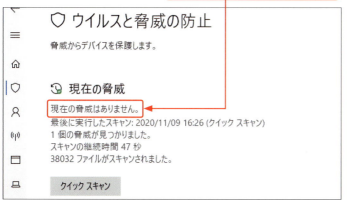

メモ　Web閲覧中などにウイルスが検出されたとき

Web閲覧中などにウイルスを検出すると、通知バナーが表示されることがあります。このメッセージをクリックすると、Windowsセキュリティが起動します。

メモ　履歴を確認する

Windowsセキュリティでは、検出された脅威の履歴を確認できます。手順3の画面下部の＜保護の履歴＞をクリックすると履歴を確認できます。

Section 86 Windows Updateの設定を変更する

覚えておきたいキーワード
☑ Windows Update
☑ アクティブ時間
☑ 更新プログラム

Windows 10には、不具合やセキュリティの問題を解消する更新プログラムを自動インストールするWindows Updateという機能が備わっています。ここでは、Windows Updateによる更新作業を行う時間帯の設定や更新作業の延期設定の方法を解説します。

1 アクティブ時間の設定を変更する

キーワード Windows Updateとは?

「Windows Update」とは、Windows 10に備わっている更新プログラムを自動で更新する機能です。Windows 10には、毎月定期的に実施される「品質更新プログラム」と年2回実施される「機能更新プログラム」と呼ばれる更新があります。Windows Updateは、これらの更新を自動的に実施します。

1 P.248の手順で「設定」を表示し、<更新とセキュリティ>をクリックします。

2 <Windows Update>をクリックし、

3 <アクティブ時間の変更>をクリックします。

4 <変更>をクリックします。

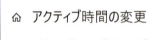

メモ アクティブ時間とは?

アクティブ時間とは、パソコンを業務などで利用している時間帯の設定です。Windows Updateによる更新プログラムの適用は、アクティブ時間に設定された時間外に実施されます。これによって、アクティブ時間を設定することで業務中などにパソコンの再起動を自動実行しないように設定できます。

5 <開始時刻>または<終了時刻>の時間（ここでは、「終了時刻の<17>」）をクリックします。

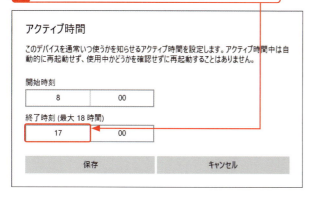

6 時刻（ここでは、<18>）をクリックして選択し、

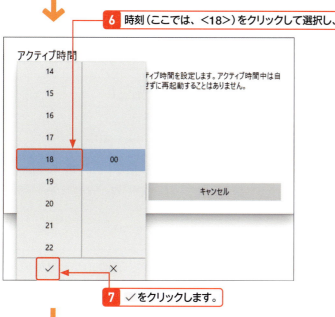

7 ✓をクリックします。

8 手順7で選択した時刻が設定されます。

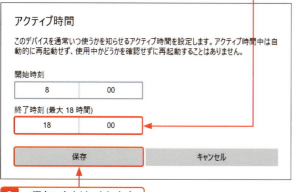

9 <保存>をクリックします。

メモ アクティブ時間を設定する

アクティブ時間は、開始時刻と終了時刻を設定できます。なお、終了時刻は、開始時刻から最大18時間以内で設定する必要があります。

メモ ✓をクリックしないと設定されない

開始時刻や終了時刻を設定するときは、時刻をクリックして選択したあとに、必ず、✓をクリックしてください。✓をクリックしないと、選択した時刻が設定されません。

ヒント アクティブ時間を自動調整する

P.284の手順4の画面で、「このデバイスのアクティブ時間を…」の⚫︎をクリックし、🔘にすると、アクティブ時間を普段の使用履歴にもとづいて自動的に調整します。

2 更新プログラムの適用を一時停止する

メモ 更新プログラムの適用の一時停止について

Windows Updateでは、更新プログラムの適用を意図的に最大35日間、一時停止できます。更新プログラムを適用したことで不具合が発生したといった場合に備えて、更新プログラムの適用を一時停止したいときは、右の手順で停止設定を行います。なお、一時停止した更新プログラムの適用は、手順 1 の画面で＜更新の再開＞をクリックすることでいつでも再開できます。

ヒント 更新プログラムの詳細設定を行う

「更新プログラムのオプション」では、Windows更新時にほかのマイクロソフト製品の更新プログラムを受け取り、更新を行うように設定できます。この設定を行いたいときは、「Windowsの更新時に他のMicrosoft...」の をクリックして、 にします。

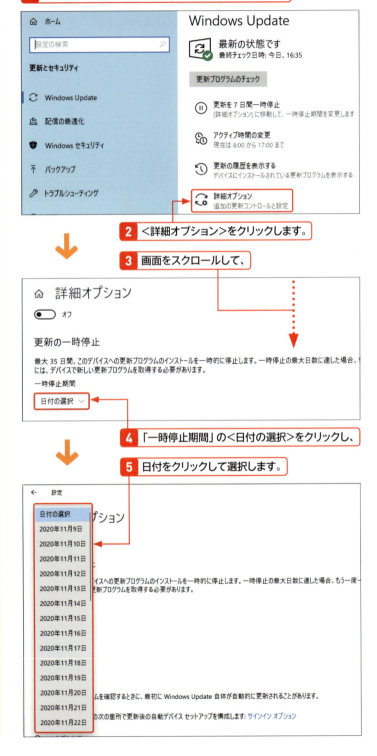

1 P.284の手順でWindows Updateの画面を表示して、

2 ＜詳細オプション＞をクリックします。

3 画面をスクロールして、

4 「一時停止期間」の＜日付の選択＞をクリックし、

5 日付をクリックして選択します。

3 更新プログラムをアンインストールする

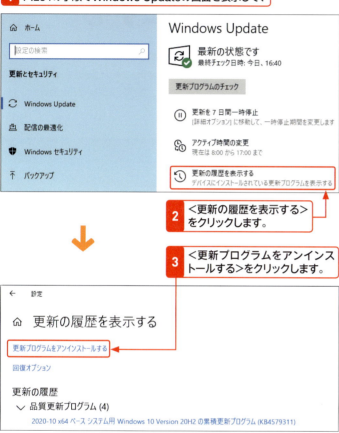

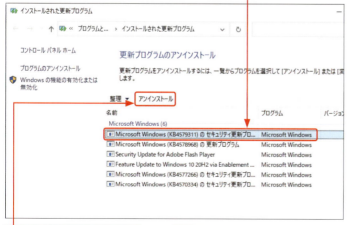

メモ 更新プログラムのアンインストール

更新プログラムをインストールしたことによって不具合が生じた場合は、適用した更新プログラムをアンインストールすることで、不具合を解消できる場合があります。更新プログラムのアインストールは、左の手順で行います。

ヒント 更新プログラムの延期設定も行う

更新プログラムのインストールによって不具合が生じた場合は、その更新プログラムをアンインストール後に、P.286の手順を参考に更新プログラム適用の一時停止または延期設定を行ってください。更新プログラム適用の一時停止または延期設定を行っておかないと、再度、不具合を生じた更新プログラムがインストールされてしまう場合があります。

メモ 更新プログラムの修正内容を確認する

手順3の画面で「更新の履歴」に表示されている項目をクリックして更新プログラムをクリックすると、Webブラウザーが起動してその更新プログラムの修正内容を確認できます。

Section 87 Windows 10のSモードをオフにする

覚えておきたいキーワード
- ☑ Sモード
- ☑ Microsoft Store
- ☑ Windowsアプリ

一部のメーカー製パソコンに搭載されているWindows 10は、Windowsアプリのみを利用できる「Sモード」と呼ばれる特別なモードが設定されている場合があります。ここでは、Sモードをオフにして、制限のないWindows 10に変更する方法を解説します。

1 Sモードをオフにする

 メモ Windows 10 Sモードとは？

「Windows 10 Sモード」とは、Windowsアプリ（P.224「メモ」参照）のみを利用できるWindows 10に用意された特別なモードです。Sモードに設定されたWindows 10は、Microsoft以外で配布されているアプリをインストールできません。Microsoft Store以外で配布されているアプリをインストールしたいときは、Sモードをオフにする必要があります。Sモードをオフにすると、制限が解除されたフル機能のWindows 10に変更できます。

① P.248の手順を参考に「設定」を表示して、
② ＜更新とセキュリティ＞をクリックします。
③ ＜ライセンス認証＞をクリックし、
④ ＜Microsoft Storeに移動＞をクリックします。

 メモ Sモードをオフにする

Sモードをオフにするには、右の手順で作業します。また、一度、Sモードをオフにすると、オンに戻すことはできません。Sモードは無償でオフにできます。

5 「ストア」アプリが起動し、「Sモードを オフにする」ページが表示されます。

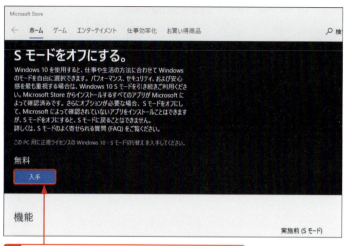

6 <入手>をクリックすると切り替えが始まります。

7 Sモードがオフに設定されると、以下の画面が表示されます。

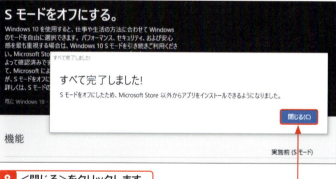

8 <閉じる>をクリックします。

9 <既にWindows 10 - Sモード...>と表示され、解除作業は完了です。

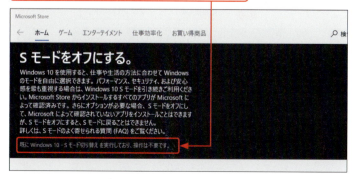

 Windows 10の エディションについて

Windows 10のSモードは、エディションごとに用意されています。たとえば、利用中のWindows 10のエディションが「Pro」であった場合、前ページの手順 3 のライセンス認証の画面で「Windows 10 Pro in S mode」と表示されます。この場合、Sモードをオフにすると「Pro」エディションに変更され、「Pro」エディションのフル機能が利用できます。また、「Home」エディションの場合は、「Home」エディションに変更され、「Home」エディションの全機能が利用できます。

 Sモードのオフを 確認する

Sモードがオフに設定されると、P.288の手順 3 のライセンス認証に表示されるエディション名から「in S mode」の文字が取り除かれ、「Windows 10 ○○ (○○はエディション名)に切り替える」の項目がなくなります。

Section 88 Bluetooth機器を接続する

覚えておきたいキーワード
☑ Bluetooth
☑ ペアリング
☑ キーボード／マウス

Bluetooth接続の機器をWindows 10で利用するには、パソコン本体とマウスやキーボードなどの機器が接続できるように設定する必要があります。この作業は、「ペアリング」と呼ばれます。ここでは、Bluetooth接続のキーボードの接続方法を解説します。

1 キーボードを接続する

キーワード　Bluetoothとは？

「Bluetooth（ブルートゥース）」は、マウスやキーボード、ヘッドセットなどの機器をケーブルレスで利用するための規格です。近年対応機器も増加し、Bluetoothを搭載したパソコンも増加してきています。Bluetooth機器は、Bluetoothを搭載したパソコンでのみ利用できます。

メモ　Bluetooth機器を接続するには？

Bluetooth接続の機器を利用するには、「ペアリング」と呼ばれる機器接続（認証）のための操作が必要です。ここでは、Bluetooth接続のキーボードを例にペアリングの手順を解説しています。

メモ　Bluetoothをオンにする

手順4の画面で、Bluetoothのボタンが表示され、かつ ○ になっている場合は、クリックして ● にします。

ここでは、Bluetooth接続のキーボードを例に解説します。

1 P.248を参考に「設定」を表示し、

2 <デバイス>をクリックします。

3 <Bluetoothとその他のデバイス>をクリックし、

4 <Bluetoothまたはその他のデバイスを追加する>をクリックします。

5 <Bluetooth>をクリックします。

第9章 Windows 10の設定とカスタマイズ

6 マウスやキーボードの取り扱い説明書を参考に、接続（コネクト）ボタンを押して機器をペアリングモードにします。

7 「デバイスを追加する」画面にBluetooth機器（ここでは、＜Microsoft Wedge Mobile Keyboard＞）が表示されるので、クリックします。

8 PINが画面に表示されたときは、PINをBluetoothキーボードで入力し、Enterキーを押します。

9 ペアリングが行われます。ペアリングが完了すると、「デバイスの準備が整いました！」画面が表示されるので、

10 ＜完了＞をクリックします。

メモ 機器をペアリングモードにする

ペアリングモードは、マウスやキーボードなどのBluetooth機器を接続可能な状態にするモードです。Bluetooth接続の機器をパソコンで利用するときは、接続したい機器をペアリングモードに設定し、Windowsからペアリング操作を行います。接続したい機器をペアリングモードにする方法は、利用している機器によって異なります。詳細は、Bluetooth接続の機器に付属する取り扱い説明書などで確認してください。

メモ 機器の型番が表示されない

手順 7 では、ペアリングを行う機器の型番が表示されていますが、機器によっては、「キーボード」や「マウス」といった機器名で表示される場合があります。機器の型番が表示されないときは、「キーボード」や「マウス」といった機器名をクリックしてください。

メモ 機器を削除する

利用していたBluetooth機器を削除したいときは、P.290の手順 4 の画面で削除したいBluetooth機器をクリックし、＜デバイスの削除＞をクリックします。ダイアログが表示されるので、＜はい＞をクリックします。

メモ マウスを接続する

Bluetooth接続のマウスのペアリングを行うときは、通常、手順 8 で表示されたPINの入力は必要ありませんが、ごくまれにPINの入力画面が表示される場合があります。PINの入力画面が表示されたときは、マウスの取り扱い説明書に記載されたPINをタッチキーボードなどで入力してください。

メモ Windowsの機能更新アップグレード後のメーカーサポートについて

Windows 10では、毎月定期的に実施される「品質更新プログラム」と年2回実施される「機能更新プログラム」が提供されています。前者の品質更新プログラムは、不具合やセキュリティの問題を解消する更新プログラムです。機能更新プログラムは、Windows 10に新たな機能などを追加する更新プログラムで、利用中のWindows 10を新たなバージョンへとバージョンアップするために行われています。

メーカー製パソコンをご利用の場合、機能更新プログラムの提供が始まると、メーカーからアップグレード時の注意事項などのリリースが行われます。このリリースには、メーカーが機能更新プログラムの動作確認を行った結果やアプリの対応状況などが記されています。機能更新プログラムを適用する前に、パソコンでの利用に問題がないかなどの確認を行われることをおすすめします。

なお、動作確認の対象外となったパソコンでは、メーカーからの今後の動作確認情報やドライバーの提供が行われなくなることが一般的です。ただし、動作確認などが実施されなくなったからといって、Windows 10が利用できなくなるわけではありません。機能更新プログラムによるアップグレード後のメーカーサポートの詳細については、ご利用中のパソコンの製造メーカーにご確認ください。

Windows 10のアップグレード時の注意点を掲載した富士通のWebページ。詳細は、ご利用中のパソコンの製造メーカーにご確認ください。

Chapter 10

第10章

初期設定について

Section	89	Windows 10の初期設定を行う
90	Microsoft アカウントのパスワードを新規設定する
91	Windows 10を再インストールする
92	前のバージョンのWindows 10に戻す

Section 89 Windows 10の初期設定を行う

覚えておきたいキーワード
☑ 初期設定
☑ サインイン
☑ Microsoft アカウント

Windows 10がプリインストールされたパソコンをはじめて起動するときは、初期設定を行う必要があります。初期設定では、ユーザー名やパスワード、パソコン名などを画面の指示に従って設定していきます。ここでは、Windows 10の初期設定の手順について紹介します。

1 Windows 10のアカウント

Windows 10を利用するには、「アカウント」と呼ばれる利用者情報を登録する必要があります。アカウントとは、機器やサービスなどを利用するための権限です。ユーザーアカウントとも呼ばれ、Windows 10では、初期設定時にユーザー名とパスワードをアカウントとして登録する必要があります。また、アカウントとして登録する情報には、「Microsoft アカウント」と「ローカルアカウント」の2種類があります。Microsoft アカウントは、マイクロソフトが提供しているインターネットを利用した各種サービスも同時に利用できるアカウントです。ローカルアカウントは、特定のパソコンのみで利用できるアカウントです。

Microsoft アカウント

Windows 10にサインインして、インターネットに接続すると、マイクロソフトの各種サービスも同時に利用できます。マイクロソフトのサービスにも、自動的にサインインするので、ユーザー名／パスワードの入力は必要ありません。

Windows 10にサインインすると同時に利用可能。

ローカルアカウント

特定のパソコンでのみ利用できます。Windows 10は利用できますが、マイクロソフトのサービスを利用する場合は、別途ユーザー名やパスワードの入力が必要になります。

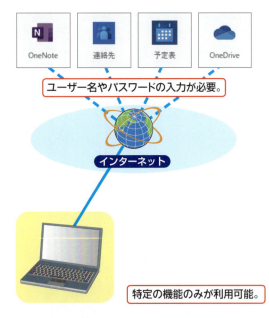

ユーザー名やパスワードの入力が必要。

特定の機能のみが利用可能。

2 Windows 10の初期設定を行う

1 住んでいる地域の選択画面が表示されます。

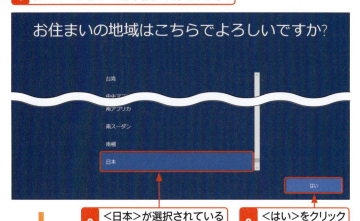

2 <日本>が選択されていることを確認し、

3 <はい>をクリックします。

4 <はい>をクリックします。

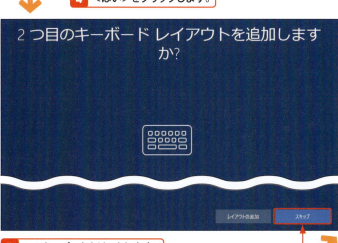

5 <スキップ>をクリックします。

注意 初期設定の画面が異なる

Windows 10のバージョンや利用するパソコンによっては、本書で紹介している手順どおりに初期設定画面が表示されない場合があります。また、一部の初期設定画面が表示されなかったり、本書にはない初期設定画面が表示されたりする場合もあります。詳細な初期設定については、ご利用のパソコンの取り扱い説明書などで確認してください。

メモ 初期設定について

ここでは、Windows 10の初期設定の途中でMicrosoftアカウントを新規取得し、それをWindows 10のサインインアカウントとして利用する方法を解説しています。**すでにお持ちのMicrosoftアカウントを利用してWindows 10の初期設定を行う場合は、P.297中段の「ヒント」**を参照してください。

メモ 「コルタナ」が起動する場合がある

Windows 10のバージョンによっては、パソコンが起動すると「コルタナ」が起動する場合があります。「コルタナ」が起動したときは、インストールに関する音声ガイドが流れます。

メモ 無線LANの設定について

手順6の無線LANの設定を行う「ネットワークに接続しましょう」画面は、有線LANと無線LANの両方を備えたパソコンでは表示されない場合があります。このタイプのパソコンでは、有線LANに接続をしていないときにのみ、この画面が表示されます。この画面が表示されなかったときは、手順13に進んでください。

ヒント ネットワークセキュリティキーを入力する

無線LANの利用には、接続先（アクセスポイント）の名称やネットワークセキュリティキーなどの情報が必要です。利用している無線LANルーターやアクセスポイントの取り扱い説明書を参考に接続先（アクセスポイント）を選択し、ネットワークセキュリティキーを入力してください。

ヒント 非公開のネットワークに接続する

手順6で目的の接続先が表示されない場合は、画面をスクロールし、＜非公開のネットワーク＞をクリックし、SSID／ネットワークセキュリティキーを入力して接続します。

メモ かんたん設定ボタンで設定する

手順9の画面に＜ルーターのボタンを押して接続することもできます＞と表示されているときは、この画面でルーターの「かんたん設定ボタン」を長押しすることでも設定を行えます（P.99中段の「ヒント」参照）。

6 無線LAN搭載のパソコンを利用しているときは、「ネットワークに接続しましょう」画面が表示されます。

7 接続先（ここでは、＜Taro_home＞）をクリックし、

8 ＜接続＞をクリックします。

9 ネットワークセキュリティキーを入力し、

左下の「メモ」参照。

10 ＜次へ＞をクリックします。

11 手順7で選択した接続先に＜接続済み＞と表示されます。

12 ＜次へ＞をクリックします。

13 <同意>をクリックします。

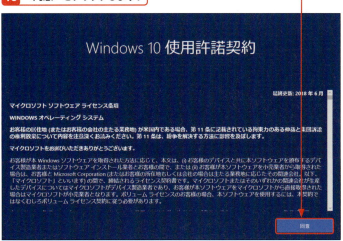

 メモ 設定する方法について

手順 **14** で＜組織用に設定＞を選択すると、Windowsサーバーなどが設置されている会社や学校などで利用するときに適した設定を行えます。個人で利用する場合は、＜個人用に設定＞を選択します。

メモ 一部画面が表示されない

手順 **14** の画面は、Windows 10 Proを使用している場合に表示されます。Windows 10 Homeを使用している場合は、手順 **14** の画面がスキップされ、手順 **16** の画面が表示されます。

14 ＜個人用に設定＞をクリックし、

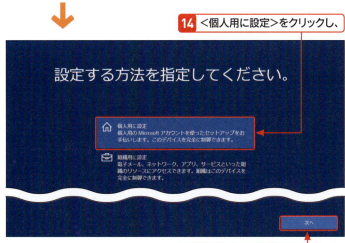

15 ＜次へ＞をクリックします。

 ヒント 取得済みのMicrosoftアカウントで設定する

すでに取得しているMicrosoft アカウントで初期設定を行いたいときは、手順 **16** の画面でMicrosoft アカウントのメールアドレスを入力し、＜次へ＞をクリックします。次の画面でパスワードの入力画面が表示されるので、＜パスワード＞を入力し、＜次へ＞をクリックすると、P.300の手順 **31** のPINの設定画面が表示されます。

 右下の「ヒント」参照。

16 ＜アカウントの作成＞をクリックします。

ヒント ローカルアカウントで設定する

ローカルアカウントで設定したいときは、手順 **16** の画面で＜オフラインアカウント＞をクリックします（詳細は、P.303参照）。なお、オフラインアカウントは、Windows 10 Proのみ表示されます。Windows 10 Homeでローカルアカウントの設定を行いたいときは、有線LANケーブルを外し、P.296の手順 **6** の画面で＜インターネットに接続していません＞をクリックします。続いて、次の画面で＜制限された設定で続行する＞をクリックして、P.303の「ローカルアカウントで初期設定を行う」の手順 **4** 以降を参考に操作を進めてください。

メモ　メールアドレスがすでに使われているときは？

手順 18 で入力したメールアドレスがすでに使われていたときは、以下の画面のように「既にMicrosoft アカウントとして登録されています。」と表示されます。別のメールアドレスを入力して、＜次へ＞をクリックしてください。

17　＜新しいメールアドレスを取得＞をクリックします。

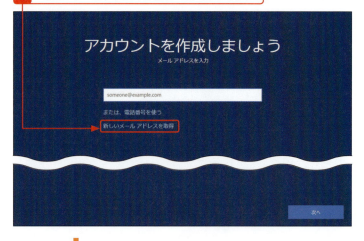

18　希望のメールアドレスを入力し、

19　＜次へ＞をクリックします。

20　パスワードを入力し、

21　＜次へ＞をクリックします。

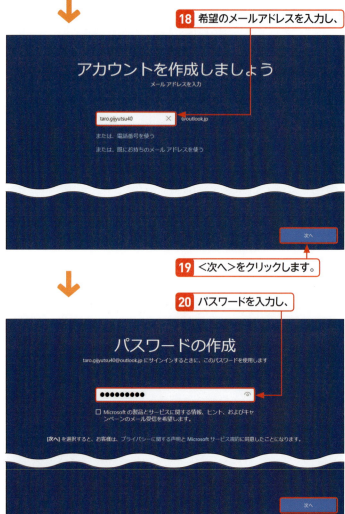

メモ　パスワードについて

手順 20 で設定するパスワードは、半角の8文字以上で、アルファベットの大文字／小文字、数字、記号のうち2種類以上を含んでいる必要があります。

Section 89 Windows 10の初期設定を行う

22 生年月日の<yyyy/mm/dd>をクリックし、

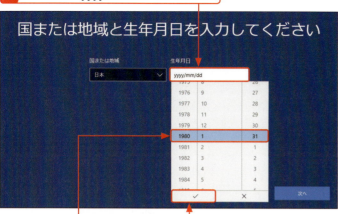

23 生年月日を設定し、　**24** ✓ をクリックします。

25 生年月日が設定されます。

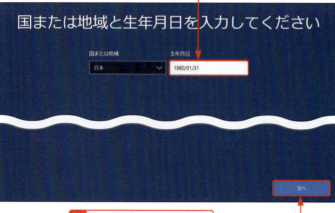

26 <次へ>をクリックします。

27 「セキュリティ情報の追加」画面が表示されます。

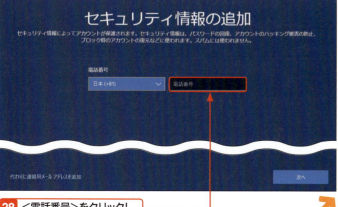

28 <電話番号>をクリックし、

メモ　セキュリティ情報について

セキュリティ情報は、パスワードを忘れてしまったときや取得したMicrosoftアカウントが不正利用されていないかを確認するための「セキュリティコード」の通知に利用されます。左の手順では電話番号を登録していますが、<代わりに連絡用メールアドレスを追加>をクリックすると、メールアドレスを登録できます。携帯電話の番号を登録しておくとSMS（ショートメッセージ）でセキュリティコードが送られるので、何かあったときの操作がかんたんになるのでおすすめです。

メモ　セキュリティ情報の追加は必須

セキュリティ情報の追加は、必須の設定項目です。電話番号または連絡用メールアドレスの追加を行わずに先に進もうとすると、警告が表示され先に進むことはできません。

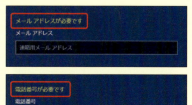

第10章　初期設定について

入力する電話番号について

手順29の電話番号は、先頭の「0」を省略して入力します。また、登録する電話番号は、固定電話ではなく、SMSの送受信が行えるスマートフォンの電話番号を登録してください。

 電話番号を登録しなかったときは？

P.299の手順28の画面で電話番号ではなく、メールアドレスを入力したときは、電子メールを利用したアクセスコードの確認が行われます。画面の指示に従って、操作を行ってください。

 Windows Helloの設定画面が表示されたときは？

Windows Helloの顔認証に対応したパソコンを利用しているときは、手順31のPINの設定画面の代わりに顔認証の設定画面が表示される場合があります。顔認証の設定を行うときは、＜セットアップ＞をクリックして、画面の指示に従って設定を行ってください。顔認証の設定を行わないときは、＜今はスキップ＞をクリックすると、手順31のPINの設定画面が表示されます。

 PINを作成する

「PIN」は、パスワードの代わりに4桁以上の数字を入力してサインインする方法です。「1111」などの単純なパターンの数字を作成することはできません。ランダムな数字を入力してください。また、Microsoftアカウントでサインインを行う場合、PINの設定をキャンセルまたはスキップすることはできません。

29 電話番号を入力して、
30 ＜次へ＞をクリックします。

31 ＜PINの作成＞をクリックし、

32 4桁以上の数字を入力して、
33 手順32で入力した数字を再入力します。

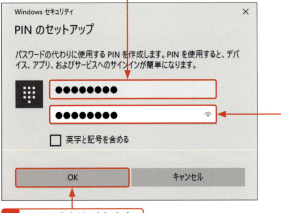

34 ＜OK＞をクリックします。

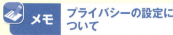

35 <同意>をクリックし、

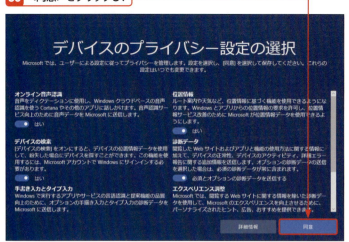

36 <後で処理する>をクリックします。

37 <次へ>をクリックします。

メモ　プライバシーの設定について

Windows 10は、使い勝手の向上のためにさまざまな個人情報をマイクロソフトやアプリに送信するようになっています。手順**35**の「デバイスのプライバシー設定の選択」画面では、個人情報の送信を認めるかどうかの設定を行っています。外部に送信したくない情報があるときは、ここで設定を行えます。

メモ　AndroidスマートフォンとPCのリンクについて

手順**36**は、Androidスマートフォンとパソコンのリンクに関する設定です。この設定を行うと、Androidスマートフォンで閲覧していたWebページや写真やSNSをパソコンと共有できます。設定を行うときは、国番号に「JP（+81）」を選択し、先頭の「0」を省略したスマートフォンの電話番号を入力して、<送信>をクリックします。Webページをパソコンと共有するためのアプリのリンクがSMS（ショートメッセージサービス）で送信されるので、画面の指示に従ってアプリのインストールを行ってください。なお、Androidスマートフォンとのリンクは、あとから行うこともできます。詳細については、P.218を参照してください。

ヒント　OneDriveの有効化

手順**37**の画面は、OneDrive（P.198参照）を有効化する操作です。<次へ>をクリックすると、ドキュメントや写真の保存先がローカルドライブではなく、OneDriveに変更されます。ローカルドライブに保存する場合は<このPCにのみファイルを保存する>をクリックしてください。

ヒント 「Cortana」の有効化

手順38の画面は、「Cortana」（P.240参照）を有効化する設定です。通常は＜同意＞をクリックしてください。

38 ＜同意＞をクリックします。

39 インストールの最終処理が行われます。

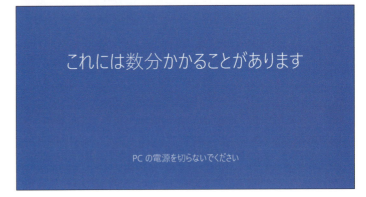

40 しばらくすると、Windows 10のデスクトップが表示されます。

メモ 取得済み Microsoft アカウントやローカルアカウントで設定する

Windows 10の初期設定の方法には、Microsoft アカウントを新規取得して設定する方法以外にも、取得済み Microsoft アカウントで設定を行う方法とローカルアカウントで設定を行う方法があります。取得済み Microsoft アカウントやローカルアカウントで設定を行う場合は、以下の手順で行います。

取得済み Microsoft アカウントで設定する

1 P.295の手順で初期設定を進め、P.298の手順 17 の画面が表示されたら、

2 取得済み Microsoft アカウントのメールアドレスを入力し、

3 ＜次へ＞をクリックします。

4 パスワードを入力し、

5 ＜次へ＞をクリックします。

6 「PINを作成する」画面が表示されます。

7 ＜PINの作成＞をクリックし、P.300の手順 32 以降を参考に初期設定を行います。

ローカルアカウントで初期設定を行う

1 P.295の手順で初期設定を進め、P.297の手順 16 の画面が表示されたら、

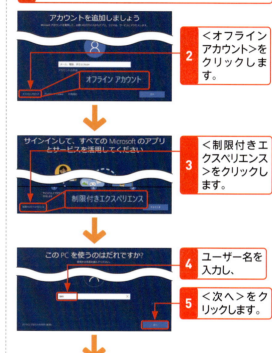

2 ＜オフラインアカウント＞をクリックします。

3 ＜制限付きエクスペリエンス＞をクリックします。

4 ユーザー名を入力し、

5 ＜次へ＞をクリックします。

6 パスワードを入力し、

7 ＜次へ＞をクリックします。

8 手順 6 で入力したパスワードを再度入力し、

9 ＜次へ＞をクリックします。

10 セキュリティの質問画面が表示されます。画面の指示に従ってセキュリティの質問を3回作成し、P.301の手順 35 以降を参考に初期設定を行います。

Section 90 Microsoft アカウントの パスワードを新規設定する

覚えておきたいキーワード
- ☑ パスワード
- ☑ リセット
- ☑ Microsoft アカウント

Microsoft アカウントのパスワードを忘れてしまったときは、パスワードのリセットを行います。パスワードのリセットは、サインイン画面から行えます。サインイン画面では、パスワードのリセットのほか、PINの再設定も行えます。ここでは、パスワードのリセット方法を解説します。

1 Microsoft アカウントのパスワードをリセットする

メモ パスワードのリセット方法について

パスワードのリセットを行う際にMicrosoft アカウント取得時に登録しておいた連絡用メールアドレスまたは電話番号に対して「本人確認用のコード」が通知されます。通知された本人確認用のコードが確認できる環境も準備しておきましょう。

ヒント PINを利用していない場合は?

PINを利用していない場合は、サインイン画面で＜パスワードを忘れた場合＞をクリックします。

ヒント ローカルアカウントの場合は?

Windows 10をローカルアカウントで利用中の場合は、事前に作成しておいたパスワードリセットディスクが必要です。パスワードリセットディスクは、ローカルアカウントでコントロールパネルを開き（P.249参照）、＜ユーザーアカウント＞→＜ユーザーアカウント＞の順にクリックし、＜パスワードリセットディスクの作成＞をクリックすることで作成できます。ローカルアカウントでは、パスワードリセットディスクがないとパスワードのリセットを行えません。パスワードリセットディスクがない場合は、取り扱い説明書を参考に、パソコンを工場出荷時の状態に戻してください。

1 PINを利用している場合は、サインイン画面で＜PINを忘れた場合＞をクリックします。

2 ＜パスワードを忘れた場合＞をクリックします。

3 本人確認の方法を複数登録しているときはこの画面が表示されます。

4 ＜その他の確認方法を表示する＞をクリックすると、

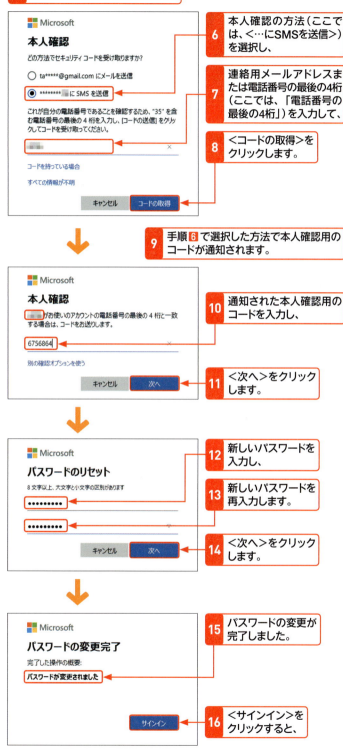

メモ 本人確認の方法について

本人確認の方法は、Microsoftアカウント取得時に登録した携帯電話の番号または連絡用メールアドレスを利用して行います。両方を登録していた場合は、どちらを利用するかを選択できます。また、登録した情報をすべて忘れてしまった場合は、＜すべての情報が不明＞を選択し、画面の指示に従って操作を行うことでパスワードのリセットを行えます。その際、Microsoftアカウント取得時に入力した情報や過去に利用したことがあるパスワード、最近送信したメールの情報、クレジットカードの登録情報などを入力する必要があります。

メモ 本人確認用のコードの確認について

本人確認用のコードは、パスワードリセットに利用するパスワードのようなものです。手順6で選択した方法でマイクロソフトから通知されます。＜…にSMSを送信＞を選択した場合は、SMS（ショートメッセージサービス）で本人確認用のコードが通知されます。また、連絡用メールアドレスを選択した場合は、メールで本人確認用のコードが通知されます。本人確認用のコードの通知は、時間を要する場合があります。しばらく待っても本人確認用のコードが通知されないときは、手順9の画面で＜別の確認オプションを使う＞をクリックし、再度、手順6からやり直してください。

メモ 別の機器でパスワードをリセットする

Microsoftアカウントのパスワードは、別のパソコンやスマートフォンなどを利用してリセットすることもできます。別の機器でリセットを行うときは、Webブラウザーでパスワードリセット用のURL（https://account.live.com/ResetPassword.aspx）を表示することで行います。パスワードリセット用のURLを表示したら、画面の指示に従ってパスワードの変更作業を行ってください。

305

Section 91 Windows 10を再インストールする

覚えておきたいキーワード
- ☑ 初期状態
- ☑ 再インストール
- ☑ データ消去

パソコンの動作が不安定になってしまった場合は、Windows 10をインストールし直して、パソコンを初期状態に戻しましょう。ただし、ここでの操作を行うと、インストールしていたアプリや保存データはすべて消去されます。ここではWindows 10を再インストールする方法を解説します。

1 Windows 10を再インストールする

メモ Windows 10の再インストールとは?

Windows 10の再インストールを実行すると、パソコンにインストールされていたアプリや保存していた写真などのデータはすべて削除されます。そのため、必要なデータをバックアップしてから、再インストールを実行しましょう。再インストールは、パソコンが不安定になってどうしようもなくなった場合の最終手段として実行します。なお、OneDrive内のデータは削除されません。

メモ 再インストールの方法について

手順 で<クラウドからダウンロード>をクリックすると、インターネットからWindows 10をダウンロードして再インストールを行います。4GB程度のデータのダウンロードが行われるため、回線状況によっては再インストールに多くの時間がかかる場合があります。また、<ローカル再インストール>をクリックすると、パソコン内に保存されているデータを利用してWindows 10の再インストールが実施されます。

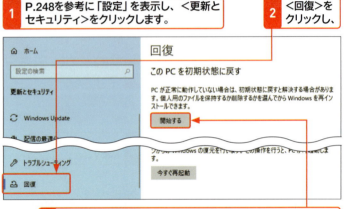

1. P.248を参考に「設定」を表示し、<更新とセキュリティ>をクリックします。
2. <回復>をクリックし、
3. 「このPCを初期状態に戻す」の<開始する>をクリックします。
4. <すべて削除する>をクリックします。
5. 再インストールの方法を選択します。
6. <クラウドからダウンロード>または<ローカル再インストール>(ここでは、<ローカル再インントール>)をクリックします。

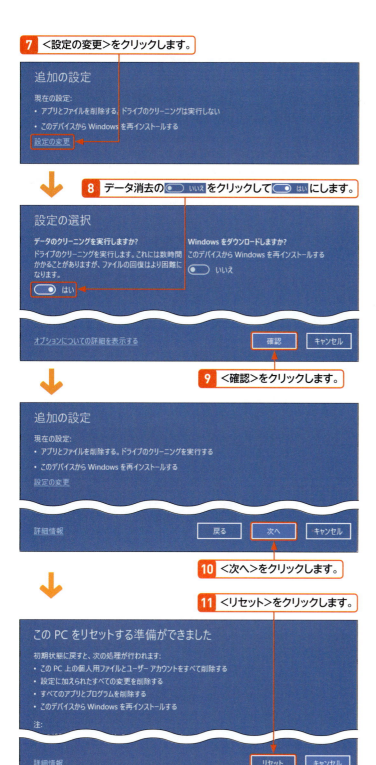

7 <設定の変更>をクリックします。

8 データ消去の いいえ をクリックして はい にします。

9 <確認>をクリックします。

10 <次へ>をクリックします。

11 <リセット>をクリックします。

12 パソコンが再起動して、Windows 10の再インストールが行われます。

13 作業が完了すると、P.295の手順**1**の画面が表示されます。

ヒント オプションについて

手順**4**の画面で<個人用ファイルを保持する>を選択すると、アプリや各種設定は削除されますが、「ドキュメント」フォルダー内のデータや「ピクチャ」フォルダー内の写真などの個人データの削除は行われません。

ヒント 「警告」画面が表示される

Windows 7やWindows 8.1からWindows 10へアップグレードを行った直後やWindowsの機能更新プログラム適用後に初期状態に戻すと、以前のWindowsに戻すことができなくなることを説明する「警告」画面が表示される場合があります。<次へ>をクリックすると、初期状態に戻す作業を継続します。<キャンセル>をクリックすると、作業を中止します。

メモ 再インストール後の操作は?

手順**4**で<すべて削除する>を選択すると、インストールしていたアプリやデータがすべて消去されます。パソコンを再インストール前の状態に戻したいときは、パソコンのマニュアルなどを参考にアプリの再インストールを行うほか、バックアップしておいたデータの復元を行ってください。

Section 92 前のバージョンの Windows 10に戻す

覚えておきたいキーワード
- ☑ 以前のバージョン
- ☑ アップデート
- ☑ アップグレード

ここでは、最新バージョンのWindows 10からアップグレード前の以前のバージョンのWindows 10に戻す方法を解説します。最新バージョンのWindows 10にアップグレードしたら不具合が発生したときなどに、この方法を試してください。

1 Windows 10を以前のバージョンに戻す

メモ Windowsを以前のバージョンに戻すとは？

Windows 10は、一定の条件を満たしていることを前提にアップグレード前のバージョンのWindowsに戻すことができます（P.309の「注意」参照）。

1 P.248を参考に「設定」を表示し、

2 <更新とセキュリティ>をクリックします。

3 <回復>をクリックし、

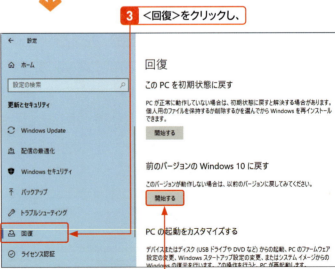

4 「前のバージョンのWindows 10に戻す」の<開始する>をクリックします。

メモ Windows 10のバージョンを確認する

Windows 10のバージョンの確認は、「設定」を起動し、<システム>→<詳細情報>の順にクリックすることで確認できます。

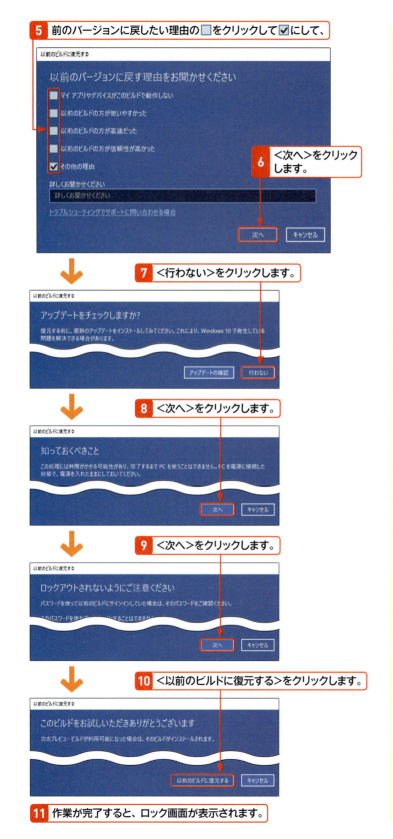

注意 「前のバージョンの…」が見つからない

前バージョンに戻せなかったり、「前のバージョンのWindows 10に戻す」が見つからないときは、Windows 10を以前のバージョンに戻すための条件を満たしていません。Windows 10を以前のバージョンに戻すには、以下の条件を満たしている必要があります。また、Windows 10 May 2020 Update（バージョン2004）からWindows 10 October 2020 Update（バージョン20H2）にアップデートした場合は、ここの手順で前のバージョンに戻すことはできません。なお、P.306の手順でWindows 10の再インストールを行うと、前のバージョンに戻すことはできなくなります。

- 最新のWindows 10へアップグレード後10日以上経過していないこと。
- アップグレード後、「windows.old」フォルダーと「$windows.~bt」フォルダーの内容がすべて保持されていること。
- ディスククリーンアップによって、「以前のWindowsのインストール」、「一時Windowsインストールファイル」が削除されていないこと。
- アップグレード後に追加したユーザーアカウントを削除していること。

メモ アップデートのチェックについて

手順7の画面で＜アップデートの確認＞をクリックすると、「Windows Update」の画面が表示されます。そこで＜更新プログラムのチェック＞をクリックすると、更新プログラムの有無のチェックが行われ、更新プログラムがあるときは、更新プログラムのダウンロードとインストールが実行されます。

用語解説

IMAP (Internet Message Access Protocol) ➡ P.135
メールを保存しているメールサーバーからメール本文を受信するための約束事や手順。IMAPでは、メールそのものをメールサーバー上で管理しており、件名や発信者などの情報を閲覧した上で、メール本文を受信するかどうかを決めることができます。プロバイダーメールをパソコンで受信する場合に利用されます。

Microsoft Store ➡ P.224
マイクロソフトがサービスとして提供している、Windows 10で利用できるアプリやマイクロソフト製品を入手するためのストアのこと。Windows 8以降でのみ利用できる「Windows アプリ」と、Windows 7以前でも利用できる「Windows デスクトップアプリ」が公開されています。キーワード検索や、各カテゴリ、各種ランキングから探すことができ、無料アプリと有料アプリがあります。Microsoft Storeを利用するには、あらかじめMicrosoft アカウントを取得しておく必要があります。なお、配布されているWindows アプリの中には、有料であっても無料で試すことができるアプリも用意されています。

POP3 (Post Office Protocol Version 3) ➡ P.135
メールを保存しているメールサーバーからメール本文を受信するための約束事や手順。POP3では、常にメール全体をパソコンにダウンロードして管理します。IMAPでは、メールの管理をメールサーバーが行っていますが、POP3ではパソコン側でメールの管理を行う点が異なります。POP3は、プロバイダーメールをパソコンで受信する場合に利用されるもっとも一般的な方式です。

USB (Universal Serial Bus) ➡ P.80
コンピューター（パソコン）用に設計された周辺機器とコンピューターを接続したときにさまざまな情報のやり取りを行うためのデータ転送路の規格。キーボードやマウス、外付け型のHDDやSSD、小型のデータ保存用の機器であるUSBメモリーなどをパソコンに接続するときに利用します。

ZIP形式 ➡ P.77
ファイルをオリジナルのサイズよりも小さくして保存するための形式。たとえば、「AAAAAAAA」という文字列を「Aが8個ある」という意味でA8と表記すると、同じ意味のまま文字数を8文字から2文字に削減できます。このようなしくみを使ってもとの内容を変更することなく、オリジナルのサイズを小さくすることを圧縮と呼び、ZIPはその形式の1つです。なお、圧縮されたファイルをもとの状態に戻すことを、展開や解凍と呼びます。

アカウント ➡ P.130、264、294
パソコンやネットワーク上のサービスを利用するための権利の総称。特定の個人に対して何らかのサービスを提供する場合、利用者の情報を登録しておき、本人かどうかを確認する必要があります。たとえば銀行口座では、口座番号と氏名、印鑑、暗証番号などの情報がアカウントとして利用されますが、パソコンやネットワーク上のサービスでは、ユーザー名とパスワードが利用されます。アカウントを登録することをユーザーを登録するまたはユーザーアカウントを登録すると呼びます。また、アカウントをユーザーアカウントと呼ぶこともあります。本書では、Microsoft アカウント、メールアカウントについても解説しています。

アップデート ➡ P.227
既存のソフトウェアに対して、小幅な改良や修正を加えて新しいソフトウェアに更新すること。意味合いはアップグレードと同じですが、大幅な修正や改良を行うアップグレードに対して、アップデートは小幅な修正や改良を行うことを意味します。Microsoft Storeで配布されているWindows アプリは、定期的にアップデートが行われます。

インストール ➡ P.224、229、306
OSやアプリをパソコンに導入する作業のこと。通常、アプリには、インストーラーと呼ばれる専用のインストールアプリが付属しており、このアプリを起動して画面の指示に従って操作を行うことでインストールを行います。インストールのことをセットアップと呼ぶこともあります。

キーボード ➡ P.18、53
指でボタンを押すことによって文字を入力する機器。パソコンで文字を入力するときに利用します。通常は、専用のハードウェアを利用しますが、画面上に表示されるソフトウェアのキーボードもあります。ソフトウェアによるキーボードは、タッチキーボードとも呼ばれます。

起動 ➡ P.24、36
OSやアプリを利用できる状態にすること。たとえば、パソコンの電源を入れ、Windowsを利用できるようにすることをOS（Windows）を起動するといいます。同様にアプリのアイコンをクリック（またはダブルクリック、タップ、ダブルタップ）して、アプリを表示して利用できる状態にすることをアプリを起動すると呼びます。

クラウド ➡ P.198
クラウドとは、データやアプリケーションなどが手元のパソコン内ではなく、インターネット上で提供されるサービスなどの総称です。身近な例では、Webメールやインターネットストレージ、動画配信サービスなどがクラウドで提供され

ています。これらのサービスは、クラウドサービスと呼ばれることもあります。

サーバー ➡ P.133
ほかのコンピューター（パソコン）に対して、自身に備わっている機能やサービスなどを提供する側のコンピューター（パソコン）のこと。たとえば、メールサービスを提供するコンピューターをメールサーバーと呼び、Webサービスを提供するサーバーをWebサーバーと呼びます。

ダウンロード ➡ P.120、141、203
インターネットなどのほかのネットワークからファイルなどのまとまったデータを受信すること。一般にインターネットからファイルを受信してパソコン内にそのファイルを保存することをダウンロードと呼んでいます。

タブレット ➡ P.23
液晶画面と本体が一体化して薄い板状になっている情報機器（コンピューターやパソコンなど）。タブレットは、通常、画面を直接タッチすることで操作を行います。また、一部の機器では、キーボードを着脱することでタブレットとして利用できる場合もあります。

タブレットモード ➡ P.214
Windows 10にサインイン後、＜スタート＞メニューが全画面で表示されるモードのこと。アプリの起動用タイルのみが表示されるのが特徴で、アプリを起動すると全画面で表示されます。設定によってタブレットモードにすることができますが、パソコンの機種によっては最初からタブレットモードに設定されているものもあります。

ネットワーク ➡ P.97
ネットワークは、「節点」と「経路」の2つの要素から成り立つグループの形です。コンピューター（パソコン）同士の場合は、通信回線を用いて相互にデータのやり取りを行えるコンピューターのグループを指します。

フォーマット ➡ P.85、87
HDDやSSD、USBメモリーなどのデータ保存用の機器をOSから読み書き可能な状態にするための作業。データ保存用の機器は、すでにこの作業が行われた状態で出荷されている場合と、そうでない場合があります。利用中の機器に対してフォーマットを実行すると、保存されていたデータはすべて消去されます。

プロバイダー ➡ P.96
インターネット上などでサービスを提供している事業者。一般にプロバイダーという場合は、インターネットへの接続

サービスを提供するインターネットサービスプロバイダーのことを指します。また、Googleなどインターネット検索サービスを提供している事業者を検索プロバイダーと呼びます。

マウス ➡ P.16
コンピューター（パソコン）の操作を行うための機器。1つ以上のボタンを備え、机の上を移動させることによって、画面上に表示された現在位置を示す目印を移動させてコンピューター（パソコン）の操作を行います。画面上に表示された現在位置を示す目印のことをマウスポインターと呼びます。また、マウスと同じように利用できる機器として、タッチパッドと呼ばれる機器もあります。タッチパッドは指でなぞって操作します。

無線LAN ➡ P.98
無線LAN（LAN：Local Area Network）とは、一定の限られたエリア内で無線を利用してデータのやり取りを行う通信網（ネットワーク）のこと。有線LANに比べ、通信ケーブルの取り回しがないことが特徴。現在ではプリンターなどにも無線LAN機能が搭載されている機種も多く、家庭内でのワイヤレス化も進んでいます。最近よく聞かれるWi-Fiという言葉も、現在では無線LANと同義と考えて問題ありません。

ユーザー ➡ P.22
商品やサービス、機器などを利用している人（利用者）。パソコンなどを使っている本人のこと。たとえば、Windows 10のユーザーという場合は、Windows 10がインストールされたパソコンを利用している人のことです。

ユニバーサルWindowsアプリ ➡ P.224
Windowsストアアプリとも呼ばれ、本書ではWindowsアプリと呼んでいます。基本的には全画面で利用することを想定して作られたアプリで、タブレットなどでの利用に適しています。Microsoft Storeからダウンロードしてインストールできるだけでなく、アップデートなどを一括管理できます。

ルーター ➡ P.96
ネットワーク上に流れるデータを別のほかのネットワークに中継し、異なるネットワーク同士を接続するために利用する機器。一般にルーターといったときは、家庭内に設置されるインターネット接続用のルーターのことを指します。インターネット接続用のルーターは、インターネットと家庭内で利用するネットワークの間に入り、データの中継を行います。インターネット側から送られてくるデータのうち、必要なデータのみを受け取って適切な家庭内の機器にそのデータを送ったり、不要なデータを破棄する機能を提供します。なお、屋外に持ち運んで利用することを前提とした小型の携帯ルーターのことをモバイルルーターと呼びます。

主なキーボードショートカット

Windows 10の豊富で多彩な機能の多くには、その機能にすばやくアクセスできるキーボードショートカットが割り当てられていることがあります。キーボードショートカットとは、マウスではなくキーボードを使って各種操作を実行する機能です。よく使うキーボードショートカットを覚えることで、作業効率が向上します。なお、メーカー製パソコンの中には、独自の機能をキーボードショートカットに割り当てていることがあるので、ここで紹介している内容とは異なる動作をする場合もあります。ご了承ください。

■ウィンドウの操作

内容	キー操作
<スタート>メニューを表示／非表示	⊞
仮想デスクトップを新規に作成する	⊞ + Ctrl + D
アクションセンターを表示／非表示	⊞ + A
<クイックリンク>メニューを表示する	⊞ + X
検索ウィンドウを表示する（検索ボックスをアクティブ）	⊞ + S
「設定」画面を表示する	⊞ + I
タスクビューを表示／非表示	⊞ + Tab
スナップでウィンドウを左へ移動＊	⊞ + ←
スナップでウィンドウを右へ移動＊	⊞ + →
スナップでウィンドウを全画面表示＊	⊞ + ↑
スナップでウィンドウを非表示＊	⊞ + ↓
スナップでウィンドウが左（あるいは右）にある場合、4分の1のサイズに変更＊	⊞ + ↑ ／ ⊞ + ↓
スナップで4分の1のサイズのウィンドウをもとのサイズ（2分の1）に戻す＊	⊞ + ↑ ／ ⊞ + ↓

＊1つのアプリだけを起動し、ウィンドウを開いている状態。

■ファイルの操作

内容	キー操作
すべてを選択する	Ctrl + A
コピーする	Ctrl + C
切り取る	Ctrl + X
貼り付ける	Ctrl + V
操作をもとに戻す	Ctrl + Z
もとに戻した操作をさらにもとに戻す	Ctrl + Y
選択しているファイルを削除する	Delete
選択しているファイルを開く	Enter

選択しているファイルを完全に削除する	Shift + Delete
印刷する	Ctrl + P
上書き保存	Ctrl + S
操作の取り消し	Esc

■Microsoft Edgeの操作

内容	キー操作
画面を上にスクロール	↑
画面を下にスクロール	↓
最後のタブに切り替える	Ctrl + 9
新しいタブを開く	Ctrl + T
表示しているページで検索を行う	Ctrl + F
新しいタブで履歴を開く	Ctrl + H
閲覧中のページをお気に入りに追加する	Ctrl + D
新しいタブを現在のタブで開く	Alt + Home
タブを複製する	Alt + D + Enter
ブラウザーの新しいウィンドウを表示する	Ctrl + N
現在のタブを閉じる	Ctrl + W

■そのほかの操作

内容	キー操作
エクスプローラーのアドレスバーを選択する	Alt + D
ウィンドウの切り替え	Alt + Tab
エクスプローラーを開く	⊞ + E
エクスプローラーのプレビューを表示／非表示	Alt + P
エクスプローラーで検索ボックスを選択し、入力する	Ctrl + E
エクスプローラーでファイルメニューを開く	Alt + F
エクスプローラーでホームリボンを展開する	Alt + H
新しいウィンドウを開く	Ctrl + N
新しいフォルダーを作成する	Ctrl + Shift + N
現在のエクスプローラーを閉じる	Ctrl + W
デスクトップで表示しているウィンドウをすべて最小化する	⊞ + M
パソコンをロックする	⊞ + L

ローマ字入力対応表

パソコンを利用するうえで、文字入力は欠かせません。本書では第2章でその操作方法を解説していますが、1つの文字に対するローマ字入力方法は複数ある場合もあります。たとえば「shi」と「si」のどちらを入力しても「し」に変換されます。また、濁音や促音、拗音については、入力方法そのものがわからないといった場合もあるでしょう。ここではローマ字入力における対応表を掲載しています。参考にしてください。

五十音

あ a	い i (yi)	う u (wu) (whu)	え e	お o
か ka (ca)	き ki	く ku (cu) (qu)	け ke	こ ko (co)
さ sa	し si (shi)	す su	せ se (ce)	そ so
た ta	ち ti (chi)	つ tu (tsu)	て te	と to
な na	に ni	ぬ nu	ね ne	の no
は ha	ひ hi	ふ hu (fu)	へ he	ほ ho
ま ma	み mi	む mu	め me	も mo
や ya		ゆ yu		よ yo
ら ra	り ri	る ru	れ re	ろ ro
わ wa		を wo		ん nn (xn)

濁音／半濁音

が ga	ぎ gi	ぐ gu	げ ge	ご go
ざ za	じ zi (ji)	ず zu	ぜ ze	ぞ zo
だ da	ぢ di	づ du	で de	ど do
ば ba	び bi	ぶ bu	べ be	ぼ bo
ぱ pa	ぴ pi	ぷ pu	ぺ pe	ぽ po

拗音／促音

ぁ xa (la)	ぃ xi (li) (lyi) (xyi)	ぅ xu (lu)	ぇ xe (le) (lye) (xye)	ぉ xo (lo)
ゃ xya (lya)		ゅ xyu (lyu)		ょ xyo (lyo)

		っ xtu (ltu)		
うぁ wha	うぃ whi (wi)		うぇ whe (we)	うぉ who
ヴぁ va	ヴぃ vi	ヴ vu	ヴぇ ve	ヴぉ vo
きゃ kya	きぃ kyi	きゅ kyu	きぇ kye	きょ kyo
ぎゃ gya	ぎぃ gyi	ぎゅ gyu	ぎぇ gye	ぎょ gyo
くぁ qwa (qa)	くぃ qwi (qi) (qyi)	くぅ qwu	くぇ qwe (qe) (qye)	くぉ qwo (qo)
ぐぁ gwa	ぐぃ gwi	ぐぅ gwu	ぐぇ gwe	ぐぉ gwo
しゃ sya (sha)	しぃ syi	しゅ syu (shu)	しぇ sye (she)	しょ syo (sho)
じゃ zya (ja) (jya)	じぃ zyi (jyi)	じゅ zyu (ju) (jyu)	じぇ zye (je) (jye)	じょ zyo (jo) (jyo)
すぁ swa	すぃ swi	すぅ swu	すぇ swe	すぉ swo
ちゃ tya (cha) (cya)	ちぃ tyi (cyi)	ちゅ tyu (chu) (cyu)	ちぇ tye (che) (cye)	ちょ tyo (cho) (cyo)
ぢゃ dya	ぢぃ dyi	ぢゅ dyu	ぢぇ dye	ぢょ dyo
つぁ tsa	つぃ tsi		つぇ tse	つぉ tso
てゃ tha	てぃ thi	てゅ thu	てぇ the	てょ tho
でゃ dha	でぃ dhi	でゅ dhu	でぇ dhe	でょ dho
とぁ twa	とぃ twi	とぅ twu	とぇ twe	とぉ two
どぁ dwa	どぃ dwi	どぅ dwu	どぇ dwe	どぉ dwo
にゃ nya	にぃ nyi	にゅ nyu	にぇ nye	にょ nyo
ひゃ hya	ひぃ hyi	ひゅ hyu	ひぇ hye	ひょ hyo
びゃ bya	びぃ byi	びゅ byu	びぇ bye	びょ byo
ぴゃ pya	ぴぃ pyi	ぴゅ pyu	ぴぇ pye	ぴょ pyo
ふぁ fa (fwa)	ふぃ fi (fwi) (fyi)	ふぅ fwu	ふぇ fe (fwe) (fye)	ふぉ fo (fwo)
ふゃ fya		ふゅ fyu		ふょ fyo
みゃ mya	みぃ myi	みゅ myu	みぇ mye	みょ myo
りゃ rya	りぃ ryi	りゅ ryu	りぇ rye	りょ ryo

索引

記号・数字・英字

@hotmail.co.jp ……………………………………… 154
@live.jp ……………………………………………… 154
@outlook.com ………………………………… 128, 131, 154
@outlook.jp …………………………………… 128, 131, 154
3D効果 ………………………………………………… 190
Administrator ………………………………………… 264
Android 9 Pie ………………………………………… 173
Androidスマートフォン ……………………… 172, 218, 301
BCC …………………………………………………… 137
Bluetooth ……………………………………………… 290
Cameraフォルダー …………………………………… 173
CC ……………………………………………………… 137
CD-R …………………………………………………… 86
Cortana(コルタナ) ……………………………… 240, 302
DVD-R ………………………………………………… 86
FW: …………………………………………………… 143
Gmail ………………………………………………… 131
Google Chrome ……………………………………… 126
Grooveミュージックアプリ ………………………… 162
iCloud …………………………………………… 131, 237
IMAP4 ………………………………………………… 135
IMEツールバー ……………………………………… 61
iPhone ………………………………………………… 168
iTunes …………………………………………… 170, 225
microSDカード ……………………………………… 82
Microsoft Defender ………………………………… 279
Microsoft Edge ……………………………………… 102
　新しいタブボタン …………………………… 103, 106
　アドレスバー ………………………………………… 103
　お気に入りボタン …………………………… 103, 115
　検索ボックス ………………………………………… 103
　更新ボタン …………………………………………… 103
　このページをお気に入りに追加ボタン …… 103, 114
　コレクションボタン ………………………… 103, 108
　設定などボタン ……………………………………… 103
Microsoft IME ………………………………………… 60
Microsoft Store ………………………………… 224, 288
Microsoftアカウント …… 269, 276, 294, 297, 303, 304
microUSB ……………………………………………… 81
miniSDカード ………………………………………… 82
MP3 …………………………………………………… 161
Musicフォルダー …………………………………… 173
OneDrive ………………………………………… 199, 301
OS ……………………………………………………… 22
Outlook.com ………………………………………… 154
PDF …………………………………………………… 122
Peopleアプリ ……………………………………… 136, 236
PIN ………………………………………… 25, 271, 274, 300
POP3 ………………………………………………… 135
RE: …………………………………………………… 142
Screenshotsフォルダー …………………………… 173
SDHCメモリーカード ……………………………… 82
SDメモリー(カード) …………………………… 80, 82
SMS …………………………………………………… 222
Sモード ………………………………………… 34, 288
URL …………………………………………………… 104
USB Aプラグメスコネクター変換アダプタ ……… 81
USB TypeAプラグメスコネクター変換アダプタ … 81
USB TypeC …………………………………………… 81
USBケーブル …………………………………… 168, 172
USBメモリー ………………………………………… 80
Webページ ……………………………………… 50, 104
Webページ(アプリ) ………………………………… 118
Webページ(拡大／縮小) ………………………… 105
Whiteboardアプリ ………………………………… 244
Windows 10 Home ………………………………… 34
Windows 10 Pro …………………………………… 34
Windows 10(再インストール) …………………… 306
Windows Hello ……………………………………… 270
Windows Ink ………………………………………… 244
Windows Media Player …………………………… 156
Windows Update …………………………………… 284
Windowsアプリ ………………………………… 224, 288
Windowsアプリ(再インストール) ……………… 229
Windowsセキュリティ ………………………… 100, 278
Windowsデスクトップアプリ …………………… 224
ZIP ……………………………………………………… 77

あ行

アーティスト(Grooveミュージックアプリ) …… 162
アカウント ………………………………… 29, 130, 294
アカウントの種類 …………………………………… 269
アクションセンター ……………………… 27, 215, 262
アクティビティ ……………………………………… 49
アクティブウィンドウ …………………………… 40, 44
アクティブ時間 …………………………………… 284
新しいタブ …………………………………………… 106
圧縮 …………………………………………………… 76
アップグレード ……………………………… 292, 309
アップデート ………………………………… 227, 309
アップロード(OneDrive) ………………………… 202
アドレス帳 ………………………………………… 236
アプリ ………………………………………………… 36
　起動 …………………………………………… 36, 216
　終了 …………………………………………… 62, 217
アプリの一覧 ………………………………………… 28
アプリの通知 ………………………………………… 263

アラーム ··· 235
アルバム(Grooveミュージックアプリ) ·············· 162
アルバム(フォトアプリ) ··· 175
アルファベット(入力) ··· 58
アンインストール ··· 119, 228, 287
位置(タイル) ··· 258
一時停止(更新プログラム) ·· 286
位置情報 ·· 230
移動(ファイル／フォルダー) ·· 74
色調整(フォトアプリ) ·· 178
インストール ·· 224
　　拡張機能 ·· 126
　　ストアアプリ ··· 225
　　スマホ同期管理アプリ ································· 219
インターネット ··· 96
インターネットサービスプロバイダー ························· 96
インポート(フォトアプリ) ·· 166
インライン画像 ··· 145
ウイルス／スパイウェア対策アプリ ························· 279
ウィンドウ ··· 38
映画＆テレビアプリ ·· 192
英数字(入力) ·· 57
エクスプローラー ······································· 66, 94, 200
　　アドレスバー ·· 67
　　クイックアクセスツールバー ·························· 67
　　検索ボックス ·· 67
　　最新の情報に更新 ··· 67
　　ナビゲーションウィンドウ ································· 67
　　リボンタブ ·· 67
　　リボンの展開 ·· 67
閲覧(メール) ·· 129
エディション ··· 34
絵文字(入力) ·· 59
オートフォーカス ·· 165
大文字(入力) ·· 58
お気に入り ·· 114
お子様用アカウント ·· 266
オフラインスキャン ··· 281, 282
音楽CD ··· 158, 160
音声操作 ·· 241
音声通話 ·· 223

か行

カード(Microsoft Edge) ··· 109
解除(共有リンク) ·· 207
解除(ハイライト) ·· 123
回線終端装置 ·· 96
回転(写真) ··· 177
回転／反転(フォトアプリ) ·· 182

顔認証 ·· 270
顔文字(入力) ·· 59
拡大／縮小(写真) ·· 177
拡張子 ·· 73
カスタムスキャン ··· 280
仮想デスクトップ ··· 45, 46
家族 ··· 264
家族とその他のユーザー ································· 264, 268
家族の設定を管理 ·· 267
カタカナ(入力) ·· 57
傾き(フォトアプリ) ·· 182
かな入力 ··· 54
カメラアプリ ··· 164
カレンダーアプリ ··· 234
漢字変換 ··· 54
管理者 ··· 264
キーボード ·· 290
機能更新プログラム ·· 34, 292
脅威 ··· 281
共有(OneDrive) ·· 206
共有(リンク) ·· 207
曲(Grooveミュージックアプリ) ································· 162
切り取り＆スケッチアプリ ·· 246
クイックアクション ·· 27, 262
クラウドサービス ··· 198
グリッド枠 ·· 181
クリップボード履歴 ·· 64
グループ(タイル) ·· 259
ケーブルモデム ··· 96
ゲームバー ·· 196
現在地 ·· 230
検索
　　Cortana ··· 242
　　Webページ ··· 112
　　インクリメンタル検索 ······································· 93
　　インターネット ··· 93
　　エクスプローラー ··· 94
　　キーワード ·· 113
　　検索ボックス ··· 92, 113
　　全文検索 ··· 94
　　ファイル ··· 92
　　ページ内検索 ··· 112
　　メール ··· 150
　　履歴(Webページ) ··· 117
検索ボックス ····························· 92, 103, 113, 231
更新(アップデート) ··· 227
更新してシャットダウン ··· 33
更新プログラム ··· 286
個人用Vault ··· 210
個人用設定 ·· 250

コピー（ファイル／フォルダー）	72, 74
ごみ箱	75, 209
コレクション（Microsoft Edge）	108
コレクション（フォトアプリ）	175
コントロールパネル	249

さ行

サーバー	133
再起動	33
最近追加されたもの	29
サイズ（タイル）	258
再生（映画＆テレビアプリ）	195
再生開始／終了位置	188
再生時間を変更	187
再生順を変更	187
サインアウト	32
サインイン	25, 131, 202, 273, 276
サインインオプション	270
サインイン画面	25, 33
削除	
ウイルス	283
お気に入り	115
会話の履歴（Cortana）	243
グループ（タイル）	260
コレクション	111
写真	176
メール	139
文字	56
履歴	51, 64, 117
作成（フォルダー）	70
サムネイル	40, 46
自動規則	257
自動生成（ビデオ）	184
自動保存	204
指紋認証	271
写真の閲覧（Androidスマートフォン）	223
シャットダウン	33
縦横比（フォトアプリ）	181
集中モード	256
重要な通知のみ	257
終了	
Windows 10	32
アプリ	63, 217
デスクトップ（仮想デスクトップ）	47
受信	138
受信メールサーバー	134
出発地（マップアプリ）	233
招待メール	207, 265
初期状態	306

初期設定	294
署名	152
人物（フォトアプリ）	175
スタートボタン	26
スタートメニュー	28, 258
スナップ機能	41
スパイウェア	149
スパムメール	148
スペースキー	55
スマートフォン（OneDrive）	203
スマートフォン（個人用Vault）	211
スマホ同期アプリ	218
スライドショー	177, 250
スリープ	30
セキュリティ インテリジェンス	279, 282
セキュリティ情報	299
接続先	98
設定	29, 248
全角／半角	52
送信	136
送信メールサーバー	135

た行

ダークモード	252
タイトルバー	38, 63, 195, 217
タイムライン	48, 126
タイムラインの履歴	51
タイル	29
タイルフォルダー（タイル）	261
ダウンロード	120, 141, 203
タスクバー	26, 37
タスクバーボタン	26
タスクビュー	44, 217
タッチキーボード	53
タッチ操作	19
タブレットモード	214, 216
地図（拡大／縮小）	232
通知	27, 215, 263
通知領域	26
データ消去	307
手書き（PDF）	124
デスクトップ	26, 45
展開	29, 78
電源ボタン	24, 33
転送（パソコン→スマートフォン）	170, 172
転送（メール）	143
添付	144
電話番号	300
動画撮影	165

同期（iPhone）	171
同期（OneDrive）	201
ドキュメント	29
特殊記号（入力）	59
取り込み	
Androidスマートフォンの写真・ビデオ映像	172
音楽CD	160
写真	166
ビデオ映像	167
取り外し（USBメモリー）	84
トリミング（フォトアプリ）	181

な〜は行

名前の変更	68
日本語入力モード	52
認識精度	273
ネットワークセキュリティキー	99, 296
バージョン	34, 309
背景	250
ハイライト	123
パスワード	298
パスワードのリセット	304
パスワードレス	276
バックアップ	204
半角英数字入力モード	53, 58
ピクチャ	29
非公開のネットワーク	296
ビデオの編集	186
ビデオプロジェクト（フォトアプリ）	175
品質更新プログラム	292
ピン留め	37, 42, 107, 119, 226
ファイル	62, 66, 120
フィルター	178
フォーマット	85
フォトアプリ	166, 168, 172, 174, 184
フォルダー	70, 175
復元（ファイル／フォルダー）	208
ふちどり（フォトアプリ）	180
復帰	31
ブルーライトカットモード	254
フルスキャン	280
プレイビューモード	157, 158, 161
プロジェクトのバックアップ	191
ペアリング	291
返信	142
ペンツール	245
ポート番号	134
保存	
OneDrive（ファイル／フォルダー）	200

PDF	125
USBメモリー（ファイル／フォルダー）	82
写真	183
写真（Androidスマートフォン）	223
添付ファイル	147
ビデオ	191
ファイル	62
本人確認用のコード	305

ま〜ら行

マイク	241
マウス	16
マウスポインター	26
前のバージョン	308
マスター	86, 90
マップアプリ	230
無線LAN	98
明瞭度	180
迷惑メール	148
メーカーサポート（アップグレード）	292
メールアカウント	130
メールアプリ	128
メディアサーバー	193
メモの追加	109
目的地（マップアプリ）	231
文字	56
夜間モード	254
ユーザーアカウント	264
ユーザー名	134
有線LAN	97
有料アプリ	225
ユニバーサルWindowsアプリ	224
ライト（フォトアプリ）	179
ライトモード	252
ライブサムネイル	40
ライブファイルシステム	86, 87
ライブラリモード	157, 159
リムーバブルストレージ	193
履歴（Webページ）	116
リンク	105
ルーター（WPS）	96, 99
ルート案内（マップアプリ）	233
連絡先	236
ローカルアカウント	269, 294, 297, 303, 304
ローマ字入力	54
録画（ゲームバー）	196
ロック	31
ロック画面	25
ロックを解除	168, 172, 212

お問い合わせについて

本書に関するご質問については、本書に記載されている内容に関するもののみとさせていただきます。本書の内容と関係のないご質問につきましては、一切お答えできませんので、あらかじめご了承ください。また、電話でのご質問は受け付けておりませんので、必ずFAXか書面にて下記までお送りください。
なお、ご質問の際には、必ず以下の項目を明記していただきますようお願いいたします。

1. お名前
2. 返信先の住所またはFAX番号
3. 書名（今すぐ使えるかんたん　Windows 10 [2021年最新版]）
4. 本書の該当ページ
5. ご使用のOSとアプリ
6. ご質問内容

なお、お送りいただいたご質問には、できる限り迅速にお答えできるよう努力いたしておりますが、場合によってはお答えするまでに時間がかかることがあります。また、回答の期日をご指定なさっても、ご希望にお応えできるとは限りません。あらかじめご了承くださいますよう、お願いいたします。

問い合わせ先

〒162-0846
東京都新宿区市谷左内町21-13
株式会社技術評論社　書籍編集部
「今すぐ使えるかんたん　Windows 10 [2021年最新版]」質問係
FAX番号　03-3513-6167

https://book.gihyo.jp/116

■ お問い合わせの例

FAX

1 お名前
　技術　太郎

2 返信先の住所またはFAX番号
　03-XXXX-XXXX

3 書名
　今すぐ使えるかんたん
　Windows 10 [2021年最新版]

4 本書の該当ページ
　232ページ

5 ご使用のOSとアプリ
　Windows 10 Pro
　「マップ」アプリ

6 ご質問内容
　手順9の操作をしても、手順10の
　画面が表示されない

※ご質問の際に記載いただきました個人情報は、回答後速やかに破棄させていただきます。

今すぐ使えるかんたん　Windows 10 [2021年最新版]

2020年12月18日　初版　第1刷発行

著　者●オンサイト＋技術評論社編集部
発行者●片岡　巌
発行所●株式会社 技術評論社
　　　　東京都新宿区市谷左内町21-13
　　　　電話　03-3513-6150　販売促進部
　　　　　　　03-3513-6160　書籍編集部
装丁●田邉　恵里香
イラスト●ますおか　さわこ
本文デザイン●リンクアップ
編集●オンサイト
DTP●オンサイト＋技術評論社制作業務部
担当●橘　浩之
製本／印刷●大日本印刷株式会社

定価はカバーに表示してあります。

落丁・乱丁がございましたら、弊社販売促進部までお送りください。交換いたします。
本書の一部または全部を著作権法の定める範囲を超え、無断で複写、複製、転載、テープ化、ファイルに落とすことを禁じます。

©2020　技術評論社

ISBN978-4-297-11738-2 C3055

Printed in Japan